de Bibliotheek
Breda Centrum

Denken aan vrijdag

Nicci French

Denken aan vrijdag

Vertaald door
Caecile de Hoog en
Noor Koch

Ambo|Anthos
Amsterdam

isbn 978 90 263 3070 4 (paperback)
isbn 978 90 263 3069 8 (gebonden)
© 2015 Nicci French
© 2015 Nederlandse vertaling Ambo|Anthos *uitgevers*,
Amsterdam en Caecile de Hoog en Noor Koch
Oorspronkelijke titel *Friday on my Mind*
Oorspronkelijke uitgever Michael Joseph
Omslagontwerp Marry van Baar
Omslagillustratie © Lee Avison / Trevillion Images
Kaart binnenwerk © Maps Illustrated, 2015
Foto auteurs © Mark Kohn

Verspreiding voor België:
Veen Bosch & Keuning uitgevers nv, Antwerpen

Voor Kersti en Philip

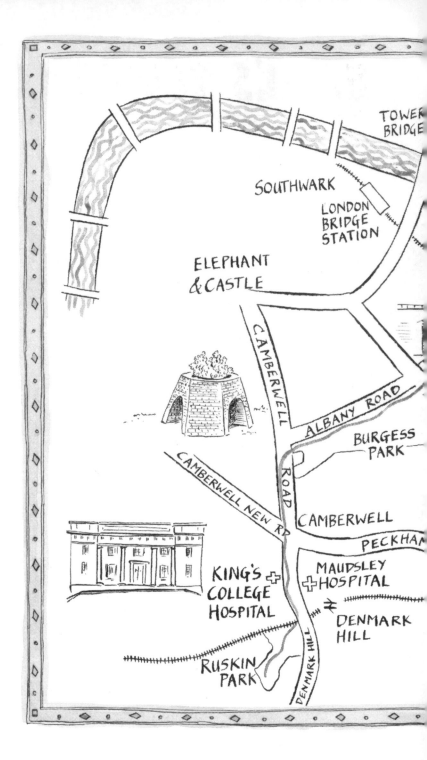

TOWER
BRIDGE

SOUTHWARK

LONDON
BRIDGE
STATION

ELEPHANT
& CASTLE

CAMBERWELL ROAD

ALBANY ROAD

BURGESS
PARK

CAMBERWELL NEW RD

CAMBERWELL

PECKHAM

KING'S ✚
COLLEGE
HOSPITAL

MAUDSLEY
✚ HOSPITAL

DENMARK HILL

DENMARK
HILL

RUSKIN
PARK

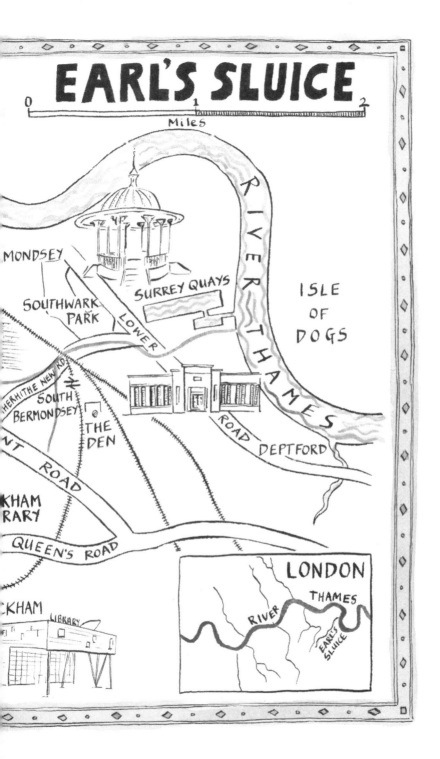

I

Kitty was vijf jaar oud en ze was boos. Ze hadden lang in de rij moeten staan voor de kroonjuwelen en die vielen toen ook nog tegen. De rij voor Madame Tussauds was nog langer geweest en ze had de meeste wassen beelden niet eens herkend, bovendien kon ze ze met al die mensen niet goed zien. En het had ook nog gemiezerd. En ze had een hekel aan de ondergrondse. Toen ze op het perron het gebrom van een aankomende trein hoorde, was het alsof er iets engs uit de duisternis kwam.

Maar op de boot klaarde haar humeur een beetje op. De rivier was zo breed, het leek haast alsof ze op zee waren en meedeinden op de stromingen en het getij. Een plastic fles dreef voorbij.

'Waar gaat die heen?' vroeg Kitty.

'Naar zee,' zei haar moeder. 'Helemaal naar zee.'

'De Thames Barrier zal hem wel tegenhouden,' zei haar vader.

'Nee, hoor,' zei haar moeder. 'Die laat hem wel door.'

Toen de boot zich van de oever losmaakte rende Kitty van de ene kant naar de andere. Als ze op de ene oever iets interessants zag, was ze meteen bang dat ze iets miste wat op de andere oever of recht voor hen uit te zien was.

'Doe een beetje rustig, Kitty,' zei haar moeder. 'Schrijf alles wat je ziet maar eens op in je schrift.'

Kitty pakte haar nieuwe schrift, met de olifant op het omslag, en haar nieuwe pen. Ze deed het schrift open op de eerste bladzij-

9

de en tekende een 1 met een hartje eromheen. Toen keek ze om zich heen. 'Wat is dat grote ding?'

'Wat bedoel je?'

'Daar.'

'Dat is het reuzenrad, de London Eye.'

Dus dat werd nummer 1.

De boot was bijna leeg. Het was een vrijdag en het was nog maar net opgehouden met regenen. Kitty's ouders dronken koffie en Kitty, die vrij had van school omdat de leerkrachten een bijscholingsdag hadden en die zich weken op dit uitje had verheugd, fronste boven haar schrift toen ze een stem over de intercom hoorde zeggen dat op de Theems veel geschiedenis was geschreven. Want hier begon Francis Drake aan zijn reizen om de wereld, zei de stem, en hier kwam hij weer terug met een schip vol schatten en toen werd hij Sir Francis Drake.

Kitty had het zo druk dat ze een beetje kriegel werd toen haar vader naast haar kwam zitten.

'We zijn gestopt,' zei hij, 'om de Theems en de London Bridge goed te kunnen zien.'

'Weet ik,' zei Kitty.

'Ken je dat liedje over deze brug?'

'Ja, op school gehad.'

Kitty schreef verder.

'Vertel eens, wat heb je allemaal gezien?'

Met het puntje van haar tong uit haar mond maakte Kitty het woord af waar ze mee bezig was. Toen keek ze op en hield haar schrift omhoog. 'Vijf dingen,' zei ze.

'Vertel.'

'Een vogel.'

Haar vader begon te lachen. Fronsend keek ze hem aan. 'Wat is er?'

'Nee, niks. Heel goed. Een vogel. En wat nog meer?'

'Een boot.'

'Welke, de onze?'

'Nee.' Ze rolde met haar ogen. 'Een andere.'

'Goed zo.'

'Een boom.'

'Waar dan?'

'Die is er niet meer.' Ze keek in haar schrift. 'Een auto.'

'Inderdaad, er rijden heel wat auto's langs het water. Heel goed, Kitty. Nog meer?'

'En een wallevis.'

Haar vader keek in haar schrift. 'Het is "walvis", niet "wallevis". Maar dit is een rivier. In een rivier zwemmen geen walvissen.'

'Ik heb hem gezien.'

'Wanneer dan?'

'Nu net.'

'Waar?'

Kitty wees. Haar vader kwam overeind en liep naar de reling. En toen werd het helemaal spannend, en het was al zo spannend allemaal. Haar vader schreeuwde iets, draaide zich naar haar om en schreeuwde nog iets. Dat ze moest blijven zitten waar ze zat en niet van haar plaats mocht komen. Hij rende over het dek, holde de trap af en toen hield de man van de luidspreker zijn mond en begon even later met een heel andere stem iets te roepen. Er begonnen meer mensen over het dek te rennen en over de reling te kijken, ze riepen naar elkaar en een dikke vrouw barstte in tranen uit.

De man van de luidspreker zei dat iedereen weg moest bij de reling maar niemand deed het. Kitty's moeder kwam naast haar zitten en begon te praten over wat ze straks zouden gaan doen en over de zomervakantie, want die kwam eraan; ze zouden gaan kamperen. Toen hoorde Kitty een motor heel hard ronken, ze ging staan en zag een grote motorboot naderbij komen. Toen hij dicht bij hen was stopte hij en ging hun eigen boot zo hard op en neer op de golven van de motorboot dat ze bijna omviel. Haar moeder stond op en ging ook bij de reling tussen de andere mensen staan. Kitty zag alleen hun ruggen en achterhoofden. Net als bij Madame Tussauds, toen had haar vader haar op zijn schouders genomen.

Nu kon ze achter de mensen gaan staan en tussen de spijlen

door kijken. Ze las het woord dat op de zijkant van de motorboot stond: POLITIE. Dat werd nummer 6 op haar lijstje. Aan de achterkant van de boot stapten twee mannen over de reling en gingen op een smal randje staan. Een van hen, in een groot geel pak en met handschoenen die van rubber leken, ging zelfs het water in. Ze hadden touwen en daarmee trokken ze het ding uit het water. Er begonnen mensen te kreunen en sommigen liepen weg van de reling, waardoor Kitty het nog beter kon zien. Anderen staken hun telefoon in de lucht. Het ding zag er raar uit, helemaal opgezet en vlekkerig en met een melkkleur, maar toch wist ze wat het was. De mannen stopten het in een grote zwarte zak en deden de rits dicht.

De motorboot kwam nog dichterbij en een van de mannen stapte over op hun boot, een dek lager dan waar zij stond. De andere man, de man in het grote gele pak, bleef op de andere boot. Hij trok aan een touw en legde er een knoop in. Toen hij klaar was kwam hij overeind en keek naar Kitty, precies op het moment dat ze naar hem zwaaide. Hij glimlachte en zwaaide ook, en Kitty zwaaide terug.

Er gebeurde niets meer, dus liep ze terug en ging weer zitten. Ze tekende een 6, zette er een kring omheen en schreef POLITIE. Toen keek ze naar nummer 5. Voorzichtig kraste ze het woord WALLEVIS net zo lang door tot er niets meer van te zien was. In opperste concentratie schreef ze eronder: M-A-N.

2

Hoofdinspecteur Sarah Hussein en rechercheur Glen Bryant stapten uit de auto. Hussein haalde haar mobiel tevoorschijn en Bryant een pakje sigaretten en een roze wegwerpaansteker. Hij was lang en fors, met heel kort haar, grote handen en voeten, en schouders zo breed als die van een rugbyspeler. Hij zweette. Naast hem zag Hussein er klein, cool en compact uit.

'Er is iets tussengekomen, ik ben later thuis,' zei Hussein in de telefoon. 'Ik weet het, het spijt me. Je kunt pasta maken voor de meisjes. En er is ook nog pizza in de vriezer. Ik weet niet hoe laat het wordt. Ze moeten niet opblijven tot ik er weer ben, en jij ook niet, Nick. Ik moet ophangen. Sorry.'

Er kwam een man aan met een blozend gezicht en een ruwe, warrige bos haar. Hij deed meer aan een visser denken dan aan een politieman.

'Hallo.' Hij stak zijn hand uit naar Bryant, die schaapachtig keek, maar hem wel een hand gaf. 'Ik ben brigadier O'Neill. Waterpolitie. U bent zeker hoofdinspecteur Hussein?'

'Eh… nou,' begon Bryant.

'Hij is rechercheur Bryant,' zei Hussein koeltjes. 'Ik ben hoofdinspecteur Hussein.'

'O, neem me niet kwalijk. Ik dacht…'

'Geeft niet, gebeurt wel vaker.'

Hussein liet haar blik langs de rivier dwalen, naar de Tower Bridge, rechts van haar, naar Canary Wharf aan haar andere kant en naar de nieuwe luxe flats van Rotherhite verderop langs het water. 'Niet gek hier.'

'Moet je in november komen,' zei O'Neill.

'Dat dit niet is verkocht om flats neer te zetten, zo'n mooie plek aan het water.'

'We moeten onze boten toch ergens kwijt.'

Brigadier O'Neill wees naar een grote vierkante tent van blauw plastic zeil. Hussein trok een grimas. 'Nee, hè?'

'Daar leggen we ze altijd neer voor een eerste onderzoek en dan besluiten we of we jullie erbij moeten halen.' O'Neill schoof een zeil opzij om hen door te laten. Binnen waren twee mannen met plastic mutsen, schoenbeschermers en witte jassen stilletjes met het lichaam bezig. 'Soms weten we het niet zeker, maar bij deze was de keel doorgesneden.'

Bryant ademde diep en hoorbaar in waarop O'Neill glimlachend omkeek.

'Vind je dit al erg? Je moest ze eens zien als ze een maand of twee in het water hebben gelegen. Soms kun je niet eens meer zien of het een man of een vrouw is. Zelfs zonder kleren.'

Het lichaam lag in een grote, ondiepe metalen bak. Het was helemaal opgezet, alsof er lucht in was gepompt. De huid was onnatuurlijk bleek, maar ook vlekkerig, gemarmerd en met bloeduitstortingen op gezicht en handen. Het lichaam was nog steeds gekleed in een donker hemd, grijze broek en stevige leren schoenen, of eigenlijk eerder laarzen dan schoenen. Hussein keek naar de veters, die nog steeds dubbel geknoopt waren, en zag voor zich hoe de man zich vooroverhad gebogen om ze aan te trekken en te strikken.

Ze dwong zichzelf naar zijn gezicht te kijken. Er was een restant van een neus te zien, maar niet meer dan wat blootliggend kraakbeen. Zijn gelaatstrekken waren vervaagd, weggeteerd, maar de doorgesneden keel was onmiskenbaar. 'Ziet er gewelddadig uit,' zei ze ten slotte.

Naast haar maakte Bryant een bevestigend geluid. Hij had zijn zakdoek gepakt en deed alsof hij zijn neus snoot.

'Het zegt niets,' zei O'Neill. 'Afgezien van de keel dan. Ze wor-

den meegesleurd door de stroming en aangevreten door de vogels. In de zomer gaat het allemaal nog sneller.'

'Waar is hij gevonden?'

'Vlak bij de HMS Belfast, bij de London Bridge. Maar dat zegt
ook niks. Hij kan overal tussen Richmond en Woolwich in de rivier zijn beland.'

'Enig idee hoelang hij in het water heeft gelegen?'

O'Neill hield zijn hoofd schuin alsof hij iets uitrekende. 'Hij
dreef. Dus zeker een week. Maar zo te zien niet langer dan tien
dagen.'

'Daar hebben we weinig aan.'

'Het is een goede manier om je van een lijk te ontdoen,' zei
O'Neill. 'Veel beter dan begraven.'

'Zat er iets in de zakken?'

'Geen portefeuille, geen telefoon, geen sleutels, zelfs geen zakdoek. Geen horloge.'

'Dus jullie hebben niets?'

'Je bedoelt júllie hebben niets, want hij is nu jullie pakkie-an.
Ja, we hebben wel iets hoor. Kijk maar naar zijn pols.'

Hussein trok haar plastic handschoenen aan en boog zich over
het lichaam. Ze rook een zoetige lucht waar ze verder niet bij stil
wilde staan. Om de linkerpols zat een plastic bandje. Ze tilde het
voorzichtig op. 'Zoiets krijg je in het ziekenhuis om.'

'Dat dachten wij ook. En het lijkt alsof zijn naam erop staat.'

Ze boog zich nog verder naar het bandje. De letters waren
vervaagd en amper leesbaar. Ze moest ze een voor een spellen.
'Klein,' zei ze. 'Dr. F. Klein.'

Wachtend op de collega's die het lichaam zouden komen halen,
keken ze uit over de rivier, die glinsterde in de namiddagzon. Het
regende niet meer, roze wolkjes dreven langs een bleekblauwe hemel.

'Ik wou dat het niet op een vrijdag was gebeurd,' zei Bryant.

'Daar doe je niks aan.'

'Het is mijn favoriete dag, normaal gesproken. Alvast een
soort voorproefje van het weekend.'

Hussein trok haar handschoenen uit. Ze dacht aan de afspraken die ze moest afzeggen, aan de teleurgestelde gezichten van haar dochters en de verwijten van Nick. Hij zou ze proberen in te slikken, wat het alleen maar erger maakte. Tegelijkertijd liet ze alles wat nu moest gebeuren de revue passeren en stelde prioriteiten vast. Zo begon elke nieuwe zaak.

'Ik ga zo dadelijk mee naar het mortuarium. Jij zoekt uit wie dokter Klein is en uit welk ziekenhuis dat bandje afkomstig is, als het tenminste uit een ziekenhuis komt. Je hebt er een foto van, hè?'

Bryant hield zijn mobiel omhoog.

Volgens het plastic bandje was dokter Kleins geboortedatum 18 november, maar het jaartal was niet te lezen. Onder de naam stonden twee letters en een reeks nauwelijks leesbare cijfers, met een soort barcode ernaast.

'Vermissingen,' zei Hussein. 'Man, middelbare leeftijd, als vermist opgegeven tussen vijf dagen en veertien dagen geleden.'

'Ik bel zodra ik iets weet.'

'Bel me sowieso.'

'Ja, natuurlijk.'

Het plastic naambandje kwam uit het King Edward Hospital in Hampstead. Bryant belde het ziekenhuis en werd van de ene naar de andere afdeling doorverbonden tot hij uiteindelijk bij het kantoor van de medisch directeur uitkwam, waar een assistente hem in duidelijke taal te kennen gaf dat hij naar het ziekenhuis moest komen met zijn verzoek, want alleen dan werden persoonlijke gegevens van patiënten of personeel afgegeven.

Dus reed hij erheen, heuvelopwaarts, dwars door de drukke avondspits. Het was warm en hij was ongeduldig. Hij had beter kunnen gaan lopen, dat zou sneller gaan, of misschien moest hij een scooter kopen, dacht hij, of een motor. In het kantoor van de directie werd zijn legitimatiebewijs uitvoerig bestudeerd door een magere vrouw in een rood mantelpak. Hij herhaalde zijn verzoek en liet haar de foto op zijn mobiel zien.

'Ik dacht: het is vast iemand die hier werkt.'

De vrouw leek niet erg geïnteresseerd. 'Die polsbandjes zijn voor de patiënten, niet voor het personeel.'

'O, ja, natuurlijk. Neem me niet kwalijk.'

'Het personeel heeft geplastificeerde pasjes.'

'Het gaat mij vooral om deze.'

Of hij even wilde wachten. De minuutwijzer van de grote klok aan de muur sprong naar voren. Hij voelde zich zweterig en vies en zag steeds het opgezwollen, doordrenkte ding voor zich dat ooit een man was geweest. De vrouw kwam terug met een uitdraai in haar hand.

'Deze patiënt is hier drie jaar geleden opgenomen geweest,' zei ze. 'Het was een spoedopname.' Ze keek naar het papier. 'Laceraties. Steekwonden. Niet fijn.'

'Drie jaar geleden?' Bryant fronste en vervolgde haast mompelend: 'Waarom zou hij nog steeds zijn ziekenhuisbandje dragen?'

'Het was geen hij. De patiënt was een vrouw. Dokter Frieda Klein.'

'Hebt u een adres voor mij?'

'Adres, telefoonnummer.'

Er ging Hussein een lichtje op. 'Waar heb ik die naam nou eerder gehoord?'

'Geen idee. Zal ik haar bellen?'

'Ja. Vraag of ze naar het mortuarium komt.'

'Om het lichaam te identificeren? Ik hoop dat ze daartoe bereid is.'

Hussein stond op de gang van de forensische afdeling een zakje chips te eten en zag Frieda Klein achter een medewerker aan door de raamloze gang op zich af komen. Vermoedelijk was ze even oud als Hussein, maar langer, en gekleed in een grijze linnen broek en een hoog gesloten wit T-shirt. Ze had haar bijna zwarte haar hoog opgestoken en hoewel haar tred snel en licht was, bespeurde Hussein ook iets slepends in haar manier van lopen. Ze deed haar denken aan een geblesseerde danseres. Toen ze dichterbij kwam zag ze dat het gezicht van de vrouw heel bleek was, en onopgemaakt. Haar ogen waren heel donker en Hussein had het gevoel dat ze niet zozeer bekeken werd, als wel gepeild.

'Dokter Frieda Klein?'

'Ja.'

Terwijl Hussein zichzelf en Bryant voorstelde, probeerde ze de stemming van de vrouw in te schatten. Ze herinnerde zich de woorden van Bryant nadat hij haar gesproken had: *Dokter Klein klonk niet erg verbaasd.*

'Het is geen aangename aanblik.'

De vrouw knikte. 'Hij droeg mijn naambandje om zijn pols?' vroeg ze.

'Ja.'

De stille, koude ruimte was hel verlicht. Het rook er ranzig en naar ontsmettingsmiddelen, een bekende lucht die tot achter in de keel voelbaar was.

Voor de tafel bleven ze staan. Over het lichaam lag een wit laken gespreid.

'Bent u er klaar voor?'

De vrouw knikte nogmaals. De assistent deed een stap naar voren en sloeg het laken terug. Hussein keek niet naar het lichaam, maar naar het gezicht van Frieda Klein. Er veranderde niets aan haar gezichtsuitdrukking, ze spande zelfs haar kaak niet, maar staarde aandachtig en boog zonder een spier te vertrekken naar voren. Haar blik gleed over de gapende wond in de hals. 'Ik weet het niet,' zei ze ten slotte. 'Ik zou het niet kunnen zeggen.'

'Zou het helpen om naar zijn kleren te kijken?'

Ze lagen op een plank, opgevouwen in doorzichtige plastic zakken. Hussein pakte ze er een voor een af. Een donker, doorweekt overhemd. Grijze broek. De zware leren schoenen met de blauwe dubbel geknoopte veters. Hussein hoorde de adem van de vrouw naast haar stokken. Heel even was Frieda Kleins gezichtsuitdrukking veranderd, als een landschap dat duister en kil is geworden. Even kromde ze haar hand alsof ze de zak met de schoenen wilde aanraken. Ze draaide zich om naar het gehavende lichaam, bleef kaarsrecht staan en staarde ernaar.

'Ik weet wie het is,' zei ze. Haar stem klonk zacht en kalm. 'Het is Sandy, Alexander Holland. Ik herken zijn schoenen.'

'U weet het echt zeker?' vroeg Hussein.

'Ik herken zijn schoenen,' herhaalde Frieda Klein.

'Dokter Klein, gaat het wel?'

'Ja hoor, dank u.'

'Hebt u enig idee waarom hij uw naambandje om zijn pols droeg?'

Ze keek Hussein aan. Toen keek ze weer naar het lichaam. 'We hebben een relatie gehad. Lang geleden.'

'Maar nu niet meer.'

'Nu niet meer.'

'Ik begrijp het,' zei Hussein neutraal. 'Ik ben u erg dankbaar. Het zal niet makkelijk voor u zijn. U begrijpt dat we graag alles willen weten wat u ons over meneer Holland kunt vertellen.'

Ze knikte licht. Hussein had de indruk dat het haar veel moeite kostte om zichzelf onder controle te houden.

'Is hij vermoord?'

'Zoals u ziet is zijn keel doorgesneden.'

'Ja.'

Toen ze wegliep, keek Hussein Bryant aan.

'Er is iets vreemds aan haar.'

Bryant had honger en snakte naar een sigaret. Hij ging even op zijn tenen staan, en kwam weer naar beneden. 'Ze bleef wel rustig, dat moet je haar nageven.'

'Maar zoals ze reageerde toen ze die schoenen zag – heel vreemd.'

'Hoezo?'

'Ik weet het niet, maar we moeten haar in de gaten houden.'

3

Toen de zus van Alexander Holland opendeed, viel Hussein een aantal dingen op. Dat Elizabeth Rasson op het punt stond de deur uit te gaan: ze had een prachtige blauwe jurk aan, maar geen schoenen, en zag er geagiteerd uit, alsof ze werd gestoord. Dat er ergens in huis een kind huilde dat door een mannenstem getroost werd. Dat ze rijzig was, met donker haar, en een enigszins hoekig figuur had dat haar tot een opvallende verschijning maakte, en dat Bryant stokstijf achter haar stond, als een soldaat tijdens een parade. Het leek alsof hij zijn adem inhield en wachtte tot zij de woorden uitsprak die het leven van deze vrouw voorgoed zouden veranderen.

'Elizabeth Rasson?'

'Wat komt u doen? Het komt echt niet uit nu, we moeten zo weg.' Ze keek naar de straat achter hen, en zuchtte getergd.

'Ik ben hoofdinspecteur Sarah Hussein en dit is mijn collega, rechercheur Bryant.' Ze hielden allebei hun legitimatiebewijs omhoog.

Op dit soort momenten voelde Hussein altijd spanning boven in haar rug en achter in haar keel. Hoe rustig en goed voorbereid ze ook was, iemand aankijken en zeggen dat een naaste was overleden zou nooit wennen, maar was iets wat nu eenmaal bij het werk hoorde. Ze kwamen recht uit het mortuarium, waar de broer van deze vrouw opgezwollen en in ontbinding op een tafel lag.

'Politie?' zei de vrouw, en ze kneep haar ogen samen. 'Wat is er aan de hand?'

'U bent de zus van Alexander Holland?'

'Sandy? Ja. Wat is er met hem?'

'Mogen we even binnenkomen?'

'Waarom? Zit hij in de problemen?'

Zeg het duidelijk, onomwonden, sluit elke twijfel uit: dat hadden ze allemaal jaren geleden op de opleiding geleerd. En dat deed ze; elke keer weer keek ze de nabestaanden in de ogen om met vaste stem te verklaren dat iemand die ze gekend hadden, van wie ze misschien hadden gehouden, dood was.

'Mevrouw Rasson, het spijt me u te moeten zeggen dat uw broer is overleden.'

Opeens zag Elizabeth Rasson er verbijsterd uit. Ze vertrok haar gezicht tot een grimas die bijna komisch, karikaturaal was.

'Ik vind het heel erg voor u,' zei Hussein meelevend.

'Ik begrijp het niet. Het kan niet waar zijn.'

Achter hen kwam een jonge vrouw aanrennen over het trottoir, ze opende het hekje van de voortuin en snelde op de deur af. Haar paardenstaart zat scheef en haar ronde wangen gloeiden.

'Het spijt me, Lizzie,' riep ze hijgend. 'De bus. Vrijdagmiddag. Ik ben zo snel mogelijk gekomen.'

Hussein gebaarde bruusk naar Bryant, die in beweging kwam, het meisje bij de arm nam en met haar wegliep.

'We zouden uitgaan,' zei Lizzie Rasson. Haar stem klonk mat. 'Eten met vrienden.'

'Zou ik even binnen mogen komen?'

'Dood, zegt u? Sandy?'

Hussein loodste haar mee naar de huiskamer.

'Wilt u niet gaan zitten?'

Maar Lizzie Rasson bleef midden in de kamer staan. Haar aantrekkelijke gezicht zag nu smal en strak en ze staarde wezenloos voor zich uit. Boven werd het gekrijs van het kind steeds luider, zo luid dat het glas zou kunnen breken. Hussein zag een rood aangelopen, furieus kindergezicht voor zich.

'Hoe is hij gestorven? Hij was gezond. Ging bijna elke dag joggen.'

'Het lichaam van uw broer is eerder vandaag in de Theems aangetroffen.'

'In de Theems? Is hij verdronken? Maar hij kon zo goed zwemmen. Wat deed hij trouwens in het water?'

Na een korte stilte zei Hussein: 'Zijn keel is doorgesneden.'

Plotseling stopte het gekrijs. Stilte vulde de kamer. Lizzie Rasson keek om zich heen alsof ze naar iets zocht; haar matte blik gleed langs meubels, boeken, familiefoto's. Toen schudde ze haar hoofd. 'Nee,' zei ze beslist. 'Ondenkbaar.'

'Ik weet dat dit een ontzettende schok voor u is, maar ik moet u een paar dingen vragen.'

'Zijn keel?'

'Ja.'

Lizzie zeeg in een van de leunstoelen neer en spreidde haar lange benen. Ineens zag ze er onbeholpen uit. 'Hoe weet u dat hij het is? Misschien is het iemand anders.'

'Hij is geïdentificeerd.'

'Door wie?'

'Door dokter Frieda Klein.'

Hussein keek naar Lizzie Rassons gezicht terwijl ze dit zei. Er schoot een huivering overheen en haar mond werd een strakke streep.

'Frieda. Arme Sandy,' zei ze, maar zachtjes, alsof ze in zichzelf praatte. 'Arme, arme Sandy.'

Er klonken snelle voetstappen op de trap en een stevige, roodharige man met een open gezicht kwam de kamer binnen.

'Hij is gelukkig eindelijk in slaap. Was dat Shona die aanbelde?' zei hij en toen hij Hussein zag, en het ontzette gezicht van zijn vrouw, bleef hij als aan de grond genageld staan.

'Sandy is dood.' Nu ze de woorden uitsprak leek het voor het eerst tot haar door te dringen dat het waar was. Lizzie Rasson bracht haar hand naar haar gezicht, legde hem op haar mond en toen op haar wang. 'Ze zegt dat zijn keel is doorgesneden.'

'O, mijn god,' zei haar man. Hij liet zijn hand tegen de muur rusten, alsof hij steun zocht. 'Vermoord? Sandy?'

'Dat zegt ze.'

Hij liep op zijn vrouw af, hurkte naast de stoel waar ze nog steeds in hing, pakte haar slanke handen in zijn grote brede knuisten en hield ze stevig vast.

'Weten ze zeker dat hij het is?'

Er klonk een boze, gesmoorde snik.

'Frieda heeft hem geïdentificeerd.'

'Frieda,' zei hij. 'Jezus, Lizzie.'

Hij sloeg zijn arm om haar heen en haar blauwe jurk raakte gekreukeld. Haar ogen vulden zich met tranen die langs haar wangen naar beneden biggelden.

'Ja.' Ze hapte naar adem en veegde met haar pols langs haar neus.

Eindelijk keek hij Hussein aan. 'U moet niet alles geloven wat die vrouw zegt,' zei hij. Zijn vriendelijke gezicht had zich verhard. 'Waarom heeft zij hem trouwens geïdentificeerd?'

Bryant kwam de kamer binnen en ging naast Hussein staan; ze kon ruiken dat hij had gerookt voor hij naar binnen kwam. Hij vond dit soort situaties vreselijk.

'Ik vind het heel erg voor u,' zei Hussein. 'Maar we hebben een paar vragen voor u en hoe eerder we antwoord hebben, hoe beter dat voor het onderzoek is.'

Hussein keek naar het stel. Het was niet duidelijk of ze begrepen wat er tegen hen gezegd werd. Bryant had zijn opschrijfboekje tevoorschijn gehaald.

'Allereerst: kunt u mij de volledige naam van uw broer geven, zijn geboortedatum en huidige adres, en kunt u ons vertellen wanneer u hem voor het laatst hebt gezien?'

Toen ze het huis van de Rassons verlieten was het donker geworden, hoewel de lucht nog steeds zacht en warm aanvoelde.

'Wat weten we?' vroeg Hussein toen ze in de auto stapten.

Bryant nam een grote hap van het broodje dat hij had gekocht. Tonijnsalade, dacht Hussein – dat nam hij altijd. Dat, of kip met pesto.

'We weten,' vervolgde ze zonder op zijn antwoord te wachten, 'dat Alexander Holland tweeënveertig was, dat hij een researcher bij King George's was op het vakgebied neurologie. Dat hij een paar jaar geleden uit de vs is teruggekeerd nadat hij er kort had gewoond. Dat hij een woning had in de buurt van Caledonian Road.'

Ze stak de sleutel omhoog die Lizzie Rasson hun had gegeven.

'Dat hij alleen woonde. Dat hij geen vaste relatie had, voor zover zijn zus wist. Dat ze hem elf dagen geleden voor het laatst heeft gezien, op maandag 9 juni, en dat hij in zijn normale doen leek. Dat zijn keel van links naar rechts is doorgesneden, en dat we dus waarschijnlijk met een rechtshandige dader te maken hebben, en dat hij in de Theems is gevonden. Waar hij in het water is beland, is niet duidelijk. Dat hij minstens een week dood is, hetgeen betekent dat het ergens tussen 10 juni, of misschien 9 juni 's avonds laat, en vrijdag 13 juni gebeurd moet zijn.'

'Die dag brengt ook ongeluk,' zei Bryant.

Hussein negeerde zijn opmerking. 'Dat hij gevonden is op vrijdag 20 juni. Dat hij volgens zijn zus veel vrienden heeft en geen vijanden. Maar dat laatste kan niet waar zijn.'

Ze stak haar hand uit en Bryant gaf haar zijn broodje. Ze nam een hap en gaf het terug. Haar telefoon begon te trillen, maar ze liet hem in haar zak zitten; het was waarschijnlijk een van haar dochters en dat zou haar alleen maar afleiden en een schuldgevoel bezorgen.

'Nog iets?' vervolgde ze.

'Dat ze niet dol zijn op Frieda Klein.'

4

'Nou ja,' zei Bryant.

'Je klinkt teleurgesteld,' zei Hussein.

Ze stonden met schoenbeschermers en handschoenen aan in de woning van Sandy Holland.

'Ik dacht dat er wel bloed zou zijn,' zei Bryant. 'Sporen van een worsteling. Maar er is niets te zien. Het heeft er alle schijn van dat hij uit eigen beweging is weggegaan.'

Hussein schudde haar hoofd. 'Als je iemand in zijn eigen huis vermoordt, denk ik dat je je slachtoffer daar achterlaat. Veel te riskant om het lijk mee naar buiten te nemen.'

'Dus je denkt niet dat de moordenaar hem hier vermoord heeft en het huis daarna heeft schoongemaakt?'

'Zou kunnen,' zei Hussein, maar ze klonk niet overtuigd. 'We horen het wel van de technische jongens. Maar volgens mij is het hier smetteloos schoon.'

Snel liepen ze door de woning, die de twee bovenste verdiepingen van het pand besloeg. Er was een woonkamer met twee grote ramen en aangrenzend een smal keukentje, en een kleine werkkamer. Boven was de slaapkamer, met een dakterras dat uitzicht bood op daken en hijskranen.

In elke kamer waren planken met boeken. Bryant pakte een dikke pil, sloeg hem open en trok een gezicht.

'Zou hij dit allemaal gelezen hebben? Ik snap er geen woord van.'

Hussein deed haar mond open om te antwoorden, maar op dat moment ging haar telefoon. Ze nam op en Bryant zag de irritatie op haar gezicht veranderen in verbazing en schrik.

'Ja,' zei ze. 'Ja. Ik kom eraan.'

Ze verbrak de verbinding en was een moment in gedachten verzonken. Ze leek zich niet meer bewust van haar omgeving.

'Slecht nieuws?' vroeg Bryant.

'Ik weet het niet,' antwoordde Hussein langzaam. 'Het gaat om de vrouw die het lichaam heeft geïdentificeerd, Frieda Klein. Ze blijkt in het systeem te zitten: twee weken geleden heeft ze iemand als vermist opgegeven.'

'Alexander Holland?'

'Nee, een zekere Miles Thornton. Sophie is er even ingedoken en voor ze het wist hing de commissaris aan de lijn.'

'Bedoel je Crawford? Waar ging dat over?'

'Over de zaak. Over Frieda Klein. Hij wil me nú spreken.'

'Zitten we in de problemen?'

Hussein trok haar wenkbrauwen op.

'Dat kan toch niet? We hebben nog niets gedaan.'

'Wil je dat ik meega?'

'Nee, jij moet hier blijven.'

'Waar zal ik beginnen? Waar zijn we naar op zoek?'

Hussein dacht even na. 'Ik heb naar een telefoon of computer of portefeuille gezocht, maar niets gevonden. Zou jij ook nog eens goed kunnen kijken?'

'Tuurlijk.'

'En er lag een stapel post bij de voordeur. Daaruit is op te maken wanneer hij voor het laatst thuis is geweest. Misschien kun je ook met de bewoner van de andere etage praten, vragen wanneer die hem het laatst gezien heeft.'

'Oké.'

'De technische recherche zal zo wel komen. Ze vinden het niet leuk als je ze iets opdraagt, maar wijs ze toch even op de twee ochtendjassen die aan de slaapkamerdeur hangen. En er liggen condooms in het nachtkastje. Ze moeten de lakens onderzoeken.'

'Ik zet ze wel aan het werk.'

Rechercheur Sophie Byrne ging met Hussein mee in de auto, en terwijl ze langs St James's Park reden nam ze nog wat papieren met haar door. Het deed Hussein denken aan die mensen die naar een examen gaan en terwijl ze binnenkomen nog wanhopig aan het leren zijn. Zo was zij nooit geweest. Het maakte haar juist zenuwachtig. Ze bereidde zich graag goed voor.

Ze werd verwacht. Een geüniformeerde agent liep met haar mee langs de beveiliging en bracht haar met de lift naar een verdieping waar je alleen met een pasje binnen kon komen. Vervolgens werd ze aan een receptioniste overgedragen die haar naar de kamer van de commissaris bracht. Haar eerste indruk was dat het er verblindend licht was, ze had zich niet gerealiseerd dat ze zo hoog zaten. Er kwam een kinderlijke neiging in haar op om naar het raam te rennen en zich te vergapen aan het uitzicht over het park.

Ze keek naar Crawford en meteen vielen haar een aantal dingen op. Zijn lachende, blozende gezicht. Zijn uniform. De afmetingen van zijn bureau, en dat er maar één dossier op lag, verder niets. Had hij geen papieren te tekenen? Of was hij zelfs daar te belangrijk voor?

'Hoofdinspecteur Hussein,' zei Crawford, en het leek alsof hij elk afzonderlijk woord wilde proeven. 'Wij hadden al veel eerder kennis moeten maken.'

'Nou…' begon Hussein, maar ze wist verder niets te bedenken.

'We zijn er trots op iemand uit jouw gemeenschap in een hogere functie te hebben.'

'Dank u, meneer.'

'Waar kom je vandaan, Sarah? Oorspronkelijk.'

'Birmingham, meneer.'

Er viel een stilte. Hussein keek door het raam. De zon scheen. Opeens verlangde ze ernaar om buiten te zijn, op deze mooie zomeravond door het park te wandelen in plaats van hier binnen te zitten.

'Deze zaak,' zei Crawford. 'Alexander Holland. Vertel er eens over.' Hij gebaarde naar een stoel voor zijn bureau.

Ze vertelde hoe het lichaam was ontdekt, in wat voor staat het verkeerde en over de woning.

'En je hebt Frieda Klein ontmoet?'

'Ja, heel even.'

'Wat vind je van haar?'

'Ze heeft het lichaam geïdentificeerd. Holland droeg haar naambandje uit het ziekenhuis om zijn pols.'

'Wat raar.'

'Ze hebben ooit een relatie gehad.'

'Ik bedoel, je hoort weleens dat mensen elkaars ring dragen, maar…'

'Ik was al van plan nog eens met haar te gaan praten.'

'Wat weet je eigenlijk van haar af?'

'Alleen wat een van mijn rechercheurs me op weg hiernaartoe verteld heeft. De naam deed een belletje bij me rinkelen, maar ik kon er mijn vinger niet op leggen. Ik begrijp dat zij de therapeute is die indertijd geholpen heeft die jongen van Faraday te vinden en ook dat ze betrokken was bij die moordzaak in Deptford. En er was nog iets, die zaak die in de roddelbladen het "Gruwelkabinet van Croydon" werd genoemd. Daar zat zij ook bij.'

'Je moet niet alles geloven wat in de krant staat.'

'Ik ga alleen af op politiedossiers. Was zij er dan niet bij betrokken?'

Crawford maakte een snuivend geluid. 'Je hebt betrokken en betrokken.'

'Ik begrijp niet wat u bedoelt.'

'Je weet hoe die dingen gaan,' zei hij. 'Zodra we resultaat boeken wil iedereen een graantje meepikken. En de bladen zijn er dol op, het idee dat een therapeute godbetert ons hier komt vertellen hoe we ons werk moeten doen.'

'Het enige wat ik in de krant heb gelezen, is dat ze ergens van is beschuldigd. Maar ik weet niet meer waarvan.'

'Je weet nog niet half wat er allemaal is voorgevallen,' zei Crawford grimmig.

Weer viel er een stilte.

'Neem me niet kwalijk,' zei Hussein, die geërgerd begon te

raken. 'Het zal wel aan mij liggen, maar ik heb geen idee waar u heen wilt.'

Crawford boog naar voren en schoof het dossier met de vingertoppen van zijn rechterhand in haar richting.

'Hier heb je het andere dossier over Frieda Klein,' zei hij. 'Míjn dossier. Neem maar mee.' Hij stond op en liep naar het raam. 'Maar ik geef je alvast een samenvatting.' Hij draaide zich om en toen Hussein zijn gezicht zag was het net alsof er aan een knop was gedraaid waardoor hij nog bozer was geworden. 'Laat me je dit vertellen, Sarah… Mag ik Sarah zeggen?'

'Natuurlijk, meneer.'

'Toen ik gebeld werd met het bericht dat er een lijk was gevonden en dat Frieda Klein erbij betrokken was, heb ik meteen nagevraagd wie het onderzoek ging leiden, om diegene te kunnen waarschuwen. Je hebt Klein al ontmoet en waarschijnlijk kwam ze op je over als een rustig, intellectueel type, echt zo'n dokter…'

'Ik zou niet…'

'Maar dat is ze niet. Je zegt dat je over haar in de krant hebt gelezen.' Hij kwam dichterbij en tikte op het bureau. 'Ik zal je vertellen wat er níét in de krant heeft gestaan. Weet je dat ze een vrouw heeft vermoord?'

'Vermoord?'

'Doodgestoken. De keel doorgesneden.'

'Is ze aangeklaagd?'

'Nee, het werd als zelfverdediging aangemerkt. Zelfs dát heeft Klein niet toegegeven. Volgens haar was de dader Dean Reeve, de ontvoerder in de zaak-Faraday.'

Hussein fronste haar wenkbrauwen.

'Dean Reeve? Maar die is dood. Verhing zich voor de politie hem kon grijpen.'

'Precies. Maar we hebben het over Frieda Klein. Voor haar gelden andere regels dan voor de rest van de mensheid. Zij is er niet van af te brengen dat Dean Reeve nog leeft, en dat het zijn tweelingbroer – zijn identieke tweelingbroer – was die zich had verhangen. Bespottelijk natuurlijk. Daar komt nog bij dat Klein altijd genoemd wordt als degene die de jongen van Faraday en dat

29

meisje heeft gered. Niemand heeft het over de andere vrouw die er door Klein bij betrokken werd en die níét is gered.'

'Hoe heeft Klein die vrouw er dan bij betrokken?'

'Hè?' Crawford leek het even niet meer te weten. 'Dat kan ik me niet meer precies herinneren, maar het staat allemaal in het dossier. Ze is ook nog een keer aangehouden wegens geweldpleging. Was slaags geraakt in een restaurant in de West End, een paar jaar geleden.'

'En veroordeeld?'

'Nee, ze is niet aangeklaagd,' zei Crawford, 'om redenen die me nooit duidelijk zijn geworden.' Hij tikte op het dossier. 'Maar het staat hier allemaal in.'

'Werkt ze nog steeds voor de politie?'

'God nee, daar heb ik wel voor gezorgd. Het laatste wat ik over haar gehoord heb was dat ze in Suffolk was en beweerde dat er een verkrachter rondliep. De man die ze daarvan beschuldigde kan het niet meer navertellen, die is ook vermoord. Dat bedoel ik dus, Sarah: waar deze vrouw zich ook vertoont breekt de pleuris uit en vallen er doden. Het enige positieve wat er over die laatste zaak gezegd kan worden is dat ze de collega's in Suffolk ermee lastig heeft gevallen, en het ons bespaard is gebleven.'

'Verkrachting?' zei Hussein. 'Was ze slachtoffer, onderzocht ze gevallen van verkrachting, of hoe zat het?'

'Allebei, voor zover ik weet. Het einde van het liedje was dat er twee doden waren, de gebruikelijke afloop als dokter Klein zich ergens mee bemoeit.'

Hussein pakte het dossier van het bureau.

'Neem me niet kwalijk,' zei ze. 'Maar ik wil graag duidelijkheid. Waar hebben we het nu over? Zegt u dat deze vrouw aan wanen lijdt, zit er een patroon in haar gedrag, hebt u bepaalde verdenkingen of... hoe zit het precies?'

'Je zult in de loop van je onderzoek met een aantal mensen willen praten. Ik zal je in contact brengen met de psycholoog die wij wél in dienst hebben, Hal Bradshaw. Ook hij had twijfels over haar kundigheid en heeft een aanvaring met haar gehad, waarna zijn huis in vlammen is opgegaan. Waar hij overigens, moet ik zeggen, heel mild op heeft gereageerd.'

'Begrijp ik het goed dat u beweert dat Frieda Klein ook een pyromaan is?'

Crawford maakte een hulpeloos gebaar. 'Ik beweer niets,' zei hij. 'Ik ben maar een eenvoudige politieman. Ik laat me leiden door het bewijsmateriaal, en in dit geval leidt dat tot de conclusie dat overal waar Frieda Klein komt de chaos heerst. Wat haar rol precies is, is altijd heel moeilijk te bepalen. Je zult ook merken dat ze zich met merkwaardige figuren inlaat. Hoe het allemaal precies zit, weet ik niet, daar kom ik rond voor uit, maar het gebeurt en het zal weer gebeuren.'

'Maar toen ze bij ons werkte,' zei Hussein, 'voor zover dat het geval was, met wie werkte ze toen samen?'

'Weet je, ze is nog geraffineerd ook. Ze werkte samen met een van mijn hoofdinspecteurs, Malcolm Karlsson. Die is helemaal in haar ban geraakt en daar heeft ze handig gebruik van gemaakt.'

'In haar ban geraakt? Hadden ze een relatie?'

Crawford trok een gezicht. 'Dat zeg ik niet, maar ik ontken het ook niet. Ik weet er niks van en ik wil er niet over speculeren. Wat ik wel kan zeggen is dat Mal Karlsson niet alles meer objectief ziet. Maar je zult zelf met hem willen praten, en dan ben je gewaarschuwd: hij is niet helemaal te vertrouwen als het om Frieda Klein gaat.'

Hussein keek naar het dossier. 'Het is ook mogelijk dat Frieda Klein hier helemaal niets mee te maken heeft.'

Crawford liep om zijn bureau heen terwijl Hussein overeind kwam. 'Het is ook mogelijk om tussen de haaien te gaan zwemmen zonder te worden opgegeten,' zei hij. 'Toch is het beter om in een kooi te gaan zitten.'

Hussein moest lachen om de extreme vergelijking. 'Ze is alleen maar een getuige,' zei ze.

'Een gewaarschuwd mens telt voor twee,' zei Crawford. 'En mocht ze problemen veroorzaken, dan kun je altijd bij me aankloppen.'

5

'Wat hebben we?' Hussein keek naar de mannen en vrouwen die in de recherchekamer bijeen waren gekomen.

Wat hebben we? Die woorden gebruikte ze altijd in de eerste uren, de eerste dagen van een zaak, wanneer de grote lijnen van het onderzoek werden uitgezet voordat ze zich in al die kleine details verdiepten waaruit het beeld zou worden opgebouwd.

'Zal ik beginnen?' vroeg Bryant. 'Het slachtoffer is Alexander Holland. Hij is eh…' Hij keek op het papier dat voor hem lag. 'Hoogleraar cognitiewetenschap aan het King George's College in Londen.'

'Wat houdt dat in?' vroeg Chris Fortune. Hij was nog maar net bij het team, en Hussein zag zijn knie voortdurend op en neer gaan terwijl zijn kaken verwoed een stukje kauwgom kneedden. Waarschijnlijk probeerde hij van het roken af te komen.

'Dat hij slimmer is dan wij. Of slimmer wás. Op 6 juni waren de colleges afgelopen en begon het lange zomerreces, vandaar dat niemand zich daar afvroeg waar hij was. Hoewel we wel een melding hebben gekregen van een vrouw…' Hij wierp een blik in zijn notitieboekje. 'Een zekere dokter Ellison heeft de politie gebeld om te zeggen dat hij verdwenen was. Het is niet duidelijk waarom ze zich zorgen maakte. Ze belde al na een paar dagen en wat ze bedoelde was dat hij geen contact met haar had gezocht.'

'Dokter Ellison?'

'Ja.'

'Ga door.'

'Hij werkte er nog maar kort en zijn baan was speciaal voor hem gecreëerd. Anderhalf jaar geleden is hij teruggekomen uit de vs, waar hij twee jaar had gewerkt.'

'Waarom?' vroeg Hussein.

'Waarom wat?'

'Waarom kwam hij terug?'

'Dat weet ik niet.'

'Ga door.'

'Hij was tweeënveertig. Getrouwd geweest met Maria Lockhart, acht jaar geleden gescheiden.'

'Waar is zij nu?'

'Ze woont in Nieuw-Zeeland met haar nieuwe man. En nee, ze is niet onlangs naar Londen gekomen om haar ex te vermoorden. Geen kinderen. Ouders allebei overleden. Eén zus, die hebben we gesproken.'

Hussein zag de ontredderde vrouw in haar blauwe jurk weer voor zich, die handenwringend en vol verbijstering haar hoofd schudde. 'Had hij een relatie?'

'Nee, voor zover we weten.'

'Sophie.' Hussein knikte naar de jonge vrouw, die rechtop ging zitten en een nerveuze indruk maakte. 'Zou je willen vertellen wat je in zijn woning hebt aangetroffen?'

Ze luisterde aandachtig naar wat Sophie te zeggen had. Alexander woonde er nog niet zo lang, toch vertelde het huis het een en ander over zijn bewoner: dat hij graag kookte; de potten en pannen in de keuken waren duur en duidelijk gebruikt, en hij had veel ingrediënten in huis die, evenals zijn kookboeken, netjes in de kastjes waren opgeborgen. Van drank hield hij ook. In een bak onder de trap lagen veel lege wijnflessen en in de keuken stonden een behoorlijke voorraad wijn en ook nog een paar flessen whisky. Verder was hij sportief, getuige de tennis- en squashrackets, het joggingpak en de vele paren sportschoenen. Hij was ook een beetje een dandy, zijn kast hing vol met dure hemden en jasjes. Hij hield van kunst, er hingen althans schilderijen aan de muren en in de slaapkamer twee tekeningen. Hij was seksueel actief: in het laatje van zijn nachtkastje lagen condooms.

'Waarschíjnlijk seksueel actief,' zei Hussein.

Er hingen twee ochtendjassen aan een haak, een voor een man en een voor een vrouw – de laatste was door verschillende personen gedragen. In het kastje in de badkamer lagen tandenborstels, paracetamol en mondwater. Hij las veel, vooral vakliteratuur.

'Opvallend is wat we níét hebben aangetroffen,' zei Sophie Byrne. 'Geen paspoort. Geen portefeuille. Geen computer. Geen telefoon.'

'Sleutels?'

'In een bakje bij de voordeur lagen er twee. En een paar sleutels die niet van de woning waren.'

'Misschien van het huis van zijn zus?'

'Dat wordt nog gecheckt.'

'Correspondentie?'

'Nee, maar die zal in zijn computer hebben gezeten, die we niet hebben gevonden.'

'Die kunnen we waarschijnlijk wel achterhalen via zijn server. Of misschien had hij op de universiteit ook een computer. Ga jij daar achteraan, Chris?'

'Goed.' Chris kauwde nog eens heftig.

'Er lag wel een blocnote op zijn bureau,' zei Sophie Byrne. 'Hoofdzakelijk lijstjes van dingen die hij moest doen of kopen. En er was ook een soort rooster, data en tijden met sterretjes erbij. Er stond "wh" boven.'

'wh?'

'Ja.'

'Oké. En hoe zit het met zijn telefoongesprekken, Glen, al iets wijzer op dat punt?'

'Ah.' Bryant keek opgewekt, schraapte zijn keel en pakte een stapeltje aan elkaar geniete papieren. 'Zijn mobiel is niet gevonden, zoals bekend. We hebben wel een overzicht van alle gesprekken die er het afgelopen halfjaar mee gevoerd zijn, dus sinds begin dit jaar.'

'En?'

'Meer dan een derde daarvan betrof één telefoonnummer.'

'En van wie was dat nummer?' vroeg Hussein, maar ze had al zo'n idee.

'Van Frieda Klein.'

'Ga je een persconferentie houden?' vroeg Bryant na de bijeenkomst aan Hussein.

'Ja, morgen.'

'Houden we haar aan?'

'Dokter Klein? Nog niet. Eerst moet ik nog een paar mensen spreken.'

Toen herinnerde ze zich iets wat in haar achterhoofd had zitten knagen.

'De eerste keer dat Frieda Kleins naam in het systeem opdook, was omdat ze iemand als vermist had opgegeven – Miles Thornton. Zou jij dat uit willen zoeken?'

'Kom binnen, kom binnen,' zei hij, en gaf Hussein zo'n stevige hand dat hij de hare bijna fijn kneep.

Hal Bradshaw liep op blote voeten, had bestudeerd slordig haar en een smalle rechthoekige bril waardoor zijn ogen niet als geheel te zien waren. Misschien wilde hij dat ook niet. Hij liet haar voorgaan naar zijn werkkamer, een lichte ruimte met een brede bank, boekenkasten, verscheidene ingelijste getuigschriften boven zijn bureau en een foto waarop hij de hand van een vooraanstaand politicus schudt. Hij gebaarde naar de bank. Ze ging in de hoek zitten en hij nam tamelijk dicht naast haar plaats. Hij rook naar sandelhout.

'Fijn dat u tijd voor mij hebt willen maken, dokter Bradshaw. En dan ook nog op zondag.'

'Ik ben professor. Sinds kort.' Hij glimlachte gemaakt bescheiden. 'Ik verwachtte al dat u zou komen.'

Verbaasd keek ze hem aan. 'Natuurlijk. Ik heb u gebeld.'

'Nee, ik bedoel zodra ik hoorde dat ze het lichaam van haar vriend had gevonden. Haar ex-vriend.'

'Mag ik u vragen hoe u dat wist?'

Bradshaw haalde zijn schouders op. 'Dat is nu eenmaal de afspraak.'

'Met de politie?'

'Inderdaad,' antwoordde hij. 'Ze houden me op de hoogte. In dit geval heeft de commissaris me persoonlijk gebeld.'

'Dokter Klein heeft Alexander Holland overigens niet zelf gevonden. Ze heeft hem geïdentificeerd.'

'Ja, ja,' zei hij, alsof ze zijn bewering bevestigde. 'Kan ik u een kop thee aanbieden? Of koffie?'

'Nee, dank u. Ik ben gekomen omdat commissaris Crawford dacht dat het nuttig zou kunnen zijn om wat achtergrondinformatie over dokter Klein in te winnen.'

Bradshaw schudde langzaam zijn hoofd. Zijn knappe gezicht had een peinzende, droevige uitdrukking aangenomen. 'Ik zal mijn best doen.'

'Ik heb het dossier gelezen dat ik van de commissaris heb gekregen. Misschien kunnen we beginnen bij de kwestie Dean Reeve?'

'Dean Reeve is dood.'

'Ja, dat weet ik, maar…'

'Maar Frieda Klein is ervan overtuigd dat hij nog leeft. En…' Hij boog zich naar Hussein, '… dat hij het op haar heeft gemunt.'

'Hebt u enig idee waarom ze dat denkt?'

'Ik heb er een heel boek over geschreven.'

'Misschien kunt u mij een samenvatting geven.'

'Mensen zoals zij – slimme, verbaal vaardige, neurotische, onzekere, defensieve mensen – kunnen iets ontwikkelen wat we "narcistische waan" noemen.'

'Bedoelt u dat ze dingen verzint?'

'Iemand als Frieda Klein wil dat alles om haar draait en is niet in staat fouten te erkennen en verantwoordelijkheid te nemen. Wat Dean Reeve betreft, wellicht is het u bekend dat hij als direct gevolg van haar inmenging een studente heeft vermoord.'

'Ik heb gelezen dat een zekere Kathy Ripon door Dean Reeve vermoord schijnt te zijn.'

'Dat heeft ze gecompenseerd door zichzelf wijs te maken dat

hij nog leeft en achter haar aan zit. Zo maakt ze van zichzelf een doelwit en een slachtoffer, de heldin van het verhaal, zou je kunnen zeggen, in plaats van de gevolgen van haar eigen daden onder ogen te zien.'

'Maar ze heeft Matthew Faraday gered, toch?'

'Ze bemoeit zich graag met het onderzoek, om vervolgens met de eer te gaan strijken. Dat komt vaker voor. Het is eigenlijk een van de symptomen. En bent u op de hoogte van dat andere slachtoffer, die arme Beth Kersey, die ze heeft vermoord?'

'Beth Kersey was psychotisch, heb ik gelezen, en het was zelfverdediging.'

'Ja, maar Frieda Klein zegt iets anders, nietwaar? Ze zegt dat ze Beth Kersey níét heeft vermoord, ook niet uit zelfverdediging dus. Dean Reeve heeft het gedaan. Begint u nu een patroon te zien?'

'Ik begrijp waar u heen wilt, maar misschien sprak ze wel de waarheid,' antwoordde Hussein.

Bradshaws wenkbrauwen gingen omhoog. 'Sarah,' zei hij. 'Mag ik je Sarah noemen?' Daar gaan we weer, dacht Hussein geërgerd. Ze gaf geen antwoord. 'Sarah, waarschijnlijk gelooft ze dat ze de waarheid spreekt. Haar versie van de waarheid. Ik ben mild in mijn oordeel en beschouw mezelf als een gevoelig man.' Even liet hij een stilte vallen, maar Hussein voelde zich niet geroepen er iets aan toe te voegen. 'Ook al heb ik reden om aan te nemen dat ze mijn huis in brand heeft gestoken.'

'Dat kunt u niet bewijzen.'

'Ik weet wat ik weet.'

'Waarom zou ze dat doen?'

'Misschien omdat ik bereikt heb wat zij had willen bereiken. Ik geniet respect en daar koestert ze wrok over.'

'Dus ze heeft uw huis uit afgunst in de as gelegd?'

'Dat is een theorie.'

'Wat wilt u nu eigenlijk zeggen, dokter Bradshaw?'

'Professor. Wees voorzichtig. Heel voorzichtig. Ze kan heel dwingend zijn en ze heeft zich omringd met mensen die haar bevestigen in haar waan dat ze belangrijk is. Je zult er ongetwijfeld een paar ontmoeten. Maar ze is niet alleen een onbetrouwbare getuige. Ze is gevaarlijk. Anderhalf jaar geleden maakte ze ophef over vermeende verkrachtingen en zijn twee mensen omgekomen. En je weet dat ze is aangehouden omdat ze die therapeut heeft aangevlogen? Misschien ook een rivaal. Hm?'

'Ze is niet aangeklaagd.'

'Ik ben ervan overtuigd dat haar gedrag escaleert. Ik was niet verbaasd toen ik hoorde dat haar ex-vriend dood was aangetroffen.'

'Wat wilt u hiermee zeggen?'

'Ik wil alleen dat je weet met wie je te maken hebt, Sarah.'

'Een gewelddadige pyromane met waandenkbeelden, die wellicht enkele doden op haar geweten heeft, bedoelt u? Ik zal oppassen.'

Bradshaw keek haar fronsend aan, alsof hij Husseins toon niet vertrouwde. 'Aan wiens kant sta jij eigenlijk?'

'Ik wist niet dat ik een kant moest kiezen.'

'De commissaris zal er niet blij mee zijn als je zijn waarschuwingen in de wind slaat.'

Hussein zag commissaris Crawfords rode hoofd voor zich. Ze herinnerde zich Frieda Kleins donkere ogen, haar roerloze gestalte en de nauwelijks waarneembare siddering die over haar gezicht trok toen ze naast het lichaam stond.

'Bedankt voor dit gesprek,' zei ze, en kwam overeind.

Bij de deur legde Bradshaw een hand op haar arm.

'Ga je ook met Malcolm Karlsson praten?'

'Misschien.'

'Die heeft natuurlijk met Klein samengewerkt.'

'Dat klinkt niet positief.'

'Met haar samengespannen.'

'Dat klinkt ronduit negatief.'

'Je moet je eigen oordeel maar vormen.'

'Wat zal ik ervan zeggen?' zei hoofdinspecteur Karlsson. 'Ze is een gewaardeerde collega en een vriendin.'

'Kende u Alexander Holland ook?'

'Sandy.' Karlsson sprak beheerst, maar hield zijn blik strak op haar gericht. 'Ja.'

'Ik weet niet of u op de hoogte bent van het feit dat hij is vermoord?'

Karlsson reageerde geschokt. Even wendde hij zijn blik af, om te bekomen. Toen begon hij vragen te stellen en moest Hussein alles vertellen, hoe het lichaam was ontdekt, de staat waarin het verkeerde, het plastic bandje om zijn pols met Frieda's naam erop, en Frieda's bezoek aan het mortuarium. Voorovergebogen in zijn stoel luisterde hij aandachtig.

'Kunt u mij iets vertellen over zijn relatie met dokter Klein?' vroeg ze.

'Nee, eigenlijk niet.'

'Maar u bent toch met haar bevriend, zei u?'

'Frieda is erg op zichzelf. Ze praat niet over dat soort dingen. Ruim een jaar geleden zijn ze uit elkaar gegaan, meer kan ik er niet over zeggen.'

'Wie verbrak de relatie?'

'Dat zult u aan Frieda moeten vragen.'

'Hebt u hem sindsdien nog gezien?'

Karlsson aarzelde. 'Een paar keer,' zei hij schoorvoetend. 'Even.'

'Had hij het er moeilijk mee dat het uit was?'

'Nogmaals, dat zult u aan Frieda moeten vragen. Ik kan hier niets over zeggen.'

'Het spijt me,' zei Hussein, 'maar ik vind dit geen acceptabel antwoord.'

'Wat ik bedoel is dat ik het echt niet weet. Dit soort dingen zou Frieda nooit met mij bespreken.'

'Volgens commissaris Crawford is dokter Klein op z'n zachtst gezegd onbetrouwbaar, maar waarschijnlijk gevaarlijk labiel.'

'O, dat weer.'

'Hij is uw baas.'

'Ja, nou, u moet dat zelf maar beoordelen.'

'Dat zal ik ook zeker doen. En dokter Bradshaw…' Ze grinnikte. 'Pardon, professor Bradshaw, was zelfs nog uitgesprokener.'

'U hebt het druk gehad.'

'U kunt mij helemaal niet verder helpen?'

'Nee.'

Ze had zich al omgedraaid om weg te lopen, toen ze bleef staan.

'Hebt u enig idee wat de letters WH zouden kunnen betekenen?'

Karlsson dacht een moment na.

'Misschien Warehouse,' zei hij.

'Wat is dat?'

'The Warehouse. Een kliniek voor psychotherapie.'

'Is dokter Klein daaraan verbonden?'

'Ze werkt er soms. En ze zit in de directie.'

'Bedankt.'

Ze werd uitgelaten door een zekere Yvette Long, een medewerkster die haar kwaad aankeek, alsof Hussein haar had beledigd.

Toen ze het gebouw uit liep belde Bryant. 'Die vermissing die dokter Klein heeft aangegeven.'

'Ja?'

'Miles Thornton. Dat was een patiënt van haar.'

'Was?'

'Hij was dan weer wel, dan weer niet in therapie – de laatste tijd meer niet dan wel omdat hij een paar weken gedwongen opgenomen is geweest. Hij was psychotisch en werd een gevaar geacht voor zichzelf en voor zijn omgeving. Nu schijnt hij te zijn verdwenen. Of in elk geval is hij al een tijdje niet gezien. Zijn familie maakt zich niet zo'n zorgen, die zeggen dat het eerder is gebeurd en dat hij wel weer boven water komt.'

'Maar dokter Klein heeft hem als vermist opgegeven.'

Even bleef het stil aan de andere kant van de lijn. Hussein zag Bryant voor zich, bedachtzaam op zijn duimnagel bijtend. 'Waarom is dit belangrijk?' vroeg hij ten slotte.

'Dat is het waarschijnlijk niet. Maar valt het je niet op dat ze erg veel ellende en geweld om zich heen meemaakt? Bradshaw zou er een bewijs voor haar narcistische waan in zien.'

'Wat?'

'Laat maar. Er zijn meer doktoren en professoren in deze zaak dan me lief is.'

6

Bryant had zich iets anders voorgesteld bij een therapeutische kliniek. Het interieur van The Warehouse, waarin blank hout, metaal en glas de boventoon voerden, deed eerder denken aan een kunstcentrum, zo'n plek waar je tijdens een schoolreisje werd rondgeleid. En de vrouw die hij de dag daarvoor aan de telefoon had gehad, Paz Alvarez, leek niet op een manager. Met haar donkere ogen en flamboyante kledij had ze meer weg van een flamencodanseres of een waarzegster. Toen Bryant zei dat hij over Frieda Klein wilde praten, keek ze hem argwanend aan. Reuben McGill was in gesprek met een patiënt. Hij zou moeten wachten.

Bryant wachtte in het kantoor van Paz. Zodra ze telefoneerde werd ze een ander mens, lachte behaagziek en praatte honderduit. Maar als ze daarna ophing, keek ze om zich heen en betrok haar gezicht. Bryant probeerde een praatje aan te knopen. Kende ze Frieda Klein? Uiteraard. Kende ze haar al lang? Een paar jaar. Zag ze haar vaak? Als ze in de kliniek was. Was dat vaak? Ze haalde haar schouders op.

Hij gaf het op en keek om zich heen. Er hing een wandkleed aan de muur en overal stonden beeldjes en metalen ornamenten. Er verscheen een man in de deuropening. Hij keek Paz aan, die naar Bryant knikte. Bryant stond op.

'Dokter McGill?'

'Kom verder.'

Bryant liep achter McGill aan naar een kamer die zeer sober

was ingericht. Er hing een reproductie van een abstract schilderij aan de muur en er stonden alleen twee houten stoelen tegenover elkaar.

'Ik had een divan verwacht,' zei Bryant.

McGill lachte niet, maar gebaarde naar een van de stoelen en ging zelf in de andere zitten. Ook McGill beantwoordde niet aan het beeld dat Bryant van een psychiater had. Hij droeg wandelschoenen, een grijze linnen broek en een overhemd van verschoten blauwe stof. Zijn dikke grijzende haar was naar achteren gekamd. De meeste mensen die een politieman op bezoek krijgen zijn nerveus of onrustig. Soms zelfs vijandig. McGill zweeg en zag er een beetje verveeld uit.

'We zijn bezig met het onderzoek naar de moord op Alexander Holland,' begon Bryant.

'Ik kende hem als Sandy,' zei McGill. 'Het klopt niet om hem Alexander te horen noemen. Ik kan het nog steeds niet geloven. Verschrikkelijk, vooral voor Frieda.'

'U kende hem?' vervolgde Bryant.

'Natuurlijk. Ik heb hem een paar jaar geleden leren kennen.'

'Via Frieda Klein?'

'Inderdaad. Ze hadden een relatie, maar die is alweer een tijdje voorbij.'

'We zijn op zoek gegaan naar mensen die hem goed hebben gekend. Zoals dokter Klein.'

'Ik snap het niet. Kunt u haar niet rechtstreeks benaderen?'

'Mijn baas praat vanmiddag met haar, maar uw naam kwam ook bovendrijven.'

'Hoezo?'

'Frieda Klein is psychoanalytica. Maar u was háár analyticus. Hoe zit dat?'

Tot Bryants ongenoegen keek McGill hem geamuseerd aan.

'Hoe dat zit? Ze kwam een paar keer per week voor een sessie. Maar dat is alweer jaren geleden.'

'Ik weet er niets van,' zei Bryant. 'Maar is het normaal in analyse te gaan bij iemand met wie je bevriend bent?'

McGill maakte een ongeduldig gebaar. 'Als je therapeut wil

worden, moet je eerst zelf in therapie.'

'Waarom?'

McGills gezicht klaarde een beetje op. 'Goeie vraag,' antwoordde hij. 'Ik denk dat dat is omdat je, als je zelf in therapie bent geweest en er veel tijd en geld in hebt gestopt, wel een brave, gehoorzame therapeut zal worden die geen ongemakkelijke vragen over de nestors van het vak zal stellen of de doelmatigheid van wat we doen in twijfel zal trekken. Ook is het handig om met je eigen hang-ups in het reine te komen, zodat die je niet in de weg zitten als je met patiënten te maken krijgt.' Hij fronste. 'We zijn later pas vrienden geworden. Eerst was ik haar analyticus, pas toen ze hier kwam werken zijn we bevriend geraakt.'

'En Alexander Holland hebt u via haar leren kennen.'

'Ja.'

'Ze waren een stel.'

'Ja.'

'En toen ging het uit.'

'Ja.'

'Weet u ook waarom?'

McGill sloeg zijn armen over elkaar. Bryant had het gevoel dat hij werd weggeduwd.

'U hebt vast ook vrienden.'

'Een paar.'

'Als hun relatie eindigt, weet u daar dan het fijne van?'

'Meestal wel. De een is vreemdgegaan of ze hadden steeds ruzie of de een raakte uitgekeken op de ander.'

'Nou, ik weet niet waarom het tussen hen stukliep.'

'Weet u wel wie het uitmaakte?'

McGill haalde zijn armen uit elkaar. 'Waarom wilt u dit allemaal weten? U vraagt me meer over Frieda dan over Sandy.'

'Holland is vermoord. We willen weten wat er speelde in zijn leven.'

'Frieda heeft het uitgemaakt.'

'Weet u waarom?'

'Ze is een zelfstandige vrouw. Misschien voelde ze zich gevangen. Ik heb geen idee.'

'Hoe vatte hij het op?'

'Wat denkt u? Hij was niet blij.'

'Hoe liet hij dat merken?'

McGill haalde zijn schouders op. 'Door niet blij te zijn. Zich te beklagen. Door te proberen haar op andere gedachten te brengen.'

'Heeft hij haar bedreigd? Was hij gewelddadig?'

'Niet dat ik weet.'

'Hebt u hem nog gesproken toen het uit was?'

'Een of twee keer.'

'Waarom?'

'Misschien dacht hij via mij tot Frieda door te kunnen dringen.'

'Hoe gedroeg hij zich?'

'Hoe hij zich gedroeg? Echt zo'n politievraag. Tja, wie kent het niet, het is de meest hopeloze bezigheid die je kunt verzinnen: iemand proberen over te halen weer van je te houden.'

Bryant haalde een kopie uit zijn map en gaf die aan McGill. 'Zegt dit u iets?'

McGill staarde naar het papier waarop Sandy data en tijdstippen in een kolom had gezet. Erboven stond WH. 'Nee, niks.'

'Het lijkt me aannemelijk dat WH Warehouse betekent.' McGill haalde zijn schouders op. 'Als we daarvan uitgaan, hebt u dan enig idee wat deze data en tijden zouden kunnen betekenen?'

'Nee.'

'Zouden het bijvoorbeeld de data en tijden kunnen zijn waarop dokter Klein hier werkte?'

'Dat zou ik na moeten kijken.'

'Graag,' zei Bryant.

'Maar het lijkt me eenvoudiger om het Frieda zelf te vragen.'

'Dat gaan we ook doen.' Hij keek in zijn notitieboekje. 'Nog één ding. Zegt de naam Miles Thornton u iets?'

'Ja,' zei McGill, duidelijk op zijn hoede. 'Hij is een patiënt van ons. Of was dat.'

'Er is aangifte gedaan van zijn vermissing.'

'Ja.'

'Waarom?'

'Omdat hij niet kwam opdagen bij een sessie.'

'Zijn sessies met dokter Klein.'

'Ja.'

'Wat is daar zo verontrustend aan? Ik neem aan dat het wel vaker gebeurt dat patiënten niet komen opdagen.'

'Wat heeft dit met Sandy's dood te maken?' Bryant, die hier geen antwoord op wist, bleef hem onverstoorbaar aankijken. 'Miles Thornton is een jongeman met ernstige psychische stoornissen. Misschien hadden we hem nooit als patiënt moeten aannemen en was hij beter af geweest in een kliniek. Hij is al eens opgenomen geweest op de psychiatrische afdeling van een ziekenhuis en toen hij werd ontslagen vonden we – Frieda vond dat vooral – dat we hem hadden verraden. Hij kon gewelddadig zijn, was soms psychotisch. Dus toen hij niet meer kwam…' Weer haalde hij zijn schouders op. 'Nou ja, dat was natuurlijk zorgelijk. En het was onze plicht zijn vermissing te melden.'

'Ik begrijp het.' Bryant kwam overeind. 'Laat me weten hoe het zit met die lijst. Ik laat hem hier. Is er nog iemand anders die ik te spreken kan krijgen?'

'U hebt Paz al ontmoet. En dan hebben we Jack Dargan nog, Frieda's voormalige stagiair. Die is hier nu in vaste dienst. Maar zij zullen hetzelfde zeggen als ik.'

Nu was het Bryants beurt om afkeurend te kijken. 'Dat zullen we dan wel zien.'

Jack Dargan was een opzichtig geklede jongeman. Bryant was graag onzichtbaar, of hij nu dienst had of niet, hij droeg donkere, ingetogen kleren zonder veel variatie. De man die de kamer binnenkwam had een dun geel vest aan op een kobaltblauw T-shirt en een slobberbroek die aan een pyjama deed denken. Misschien was dit het werktenue van therapeuten. Zijn haar was ook kleurrijk: bruinachtig oranje met een golving erin die hij benadrukte door er telkens als hem een vraag werd gesteld met zijn hand doorheen te gaan. Hij was zo onrustig dat het Bryant moeite kostte zich te concentreren op wat hij zei – maar het was duidelijk dat het antwoord *nee* was. Nee, hij wist niet waarom Frieda Kleins relatie met Alexander Holland was geëindigd; nee, hij was hem niet meer tegengekomen sinds Frieda het had uitgemaakt, hij had alleen een paar keer een glimp van hem opgevangen (nu wendde hij zijn blik even af); en nee, hij had niets toe te voegen aan Reuben McGills verklaring over Miles Thornton.

'Kwam Alexander Holland vaak naar The Warehouse?'

Jack beet op de knokkels van zijn hand en kneep zijn ogen samen.

'Nee.'

'U hebt nooit meegemaakt dat hij kwaad of gewelddadig was?'

'Gewelddadig? Nee, nooit.'

'Ook niet kwaad?'

'Ik kan maar niet geloven wat er gebeurd is,' zei Jack.

'Was hij kwaad?'

'Ik weet het niet. Hij was teleurgesteld, zoals je bent als een relatie stukloopt. Dat maken we allemaal weleens mee.'

'Hoe teleurgesteld was hij?'

'Hij was Frieda kwijt.'

'U kunt mij niets vertellen wat ons zou kunnen helpen bij ons onderzoek? En bedenk: we hebben het niet over winkeldiefstal. Een man die u hebt gekend is van het leven beroofd.'

'Dat ben ik me bewust. Ik vind het ook vreselijk en ben er geschokt over. Maar nee, ik kan echt niets bedenken waar u iets aan zou kunnen hebben. U zult het Frieda moeten vragen.'

Aldoor hetzelfde liedje: *vraag het aan Frieda.*

'Dit zal wel moeilijk voor u zijn,' zei Hussein.

Frieda was thee aan het schenken en het leek alsof ze het niet had gehoord. Ze legde een onderzetter voor de inspecteur op tafel en zette er een beker op. Toen nam ze een slokje van haar eigen thee. 'Hoe bedoelt u?'

'Alexander Holland was iemand om wie u hebt gegeven en...'

'Zou u hem Sandy willen noemen? Ik kende hem niet als Alexander; hij wordt een vreemde als u hem zo noemt.'

'Natuurlijk. Sandy was iemand om wie u hebt gegeven en nu is hij vermoord.'

'Wat me altijd opvalt,' zei Frieda, 'is dat als er iets is gebeurd de mensen er altijd deel van willen worden. Als iemand iets heel ergs meemaakt, willen andere mensen er een stukje van hebben, alsof het hun ook is overkomen. Wat er met Sandy is gebeurd is niet mijn drama. Het is Sandy's drama, en dat van zijn familie. Kunnen we het nu voor kennisgeving aannemen dat ik diep geschokt ben door wat er is gebeurd?'

'Dat klinkt een beetje kil.'

'Het spijt me, maar ik ben nooit goed geweest in huilen voor de camera.' Ze zweeg een moment. 'Ik begrijp dat ik kil op u overkom. Maar zoals u weet reageren mensen heel verschillend op boosheid en verdriet. Ik ben geneigd me in mezelf terug te trekken en dan kom ik hard over.'

'Oké, prima.'

'Het was een uitleg, geen verontschuldiging.'

'Ze zeiden al dat u moeilijk was,' zei Hussein geïrriteerd en een beetje van haar à propos gebracht.

'Wie hebben dat gezegd?'

'Commissaris Crawford. Hij heeft een boekje opengedaan over zijn samenwerking met u. En professor Bradshaw.'

Frieda's reactie verbaasde Hussein. Ze leek er niet mee te zitten en werd niet boos. Ze was alleen maar benieuwd.

'Hoe dat zo?'

'Uw naam kwam naar boven in het systeem. En Crawford vond het nodig mij over u in te lichten.'

'Nu is het me duidelijk.' Frieda lachte flauwtjes. 'Dit. Dat u hier bent.'

'Er is niets duidelijk. Alexander...' Ze corrigeerde zichzelf. 'Sandy Holland is dood aangetroffen. Vermoord. Hij had uw naambandje om zijn pols. U hebt een relatie met hem gehad. Het spreekt vanzelf dat ik u bij het onderzoek moet betrekken. En dan spreekt het ook vanzelf dat ik vragen voor u heb.'

'Kom maar op dan.'

'Hebt u onlangs nog contact gehad met het slachtoffer?'

'Ik had hem in geen maanden echt gezien.'

Even viel er een stilte. 'Kunt u daar nog iets meer over zeggen?'

'Hoe bedoelt u?'

'U zegt "echt gezien". Ik vroeg of u nog contact hebt gehad. Het is me niet duidelijk wat u met "echt" bedoelt.'

'Ik heb wel een glimp van hem opgevangen.'

'Een glimp?'

'Ja.'

'Meer niet?'

'Meer niet.'

'Bedoelt u dat u hem langs zag lopen toen u uit het raam keek? Of vanuit een bus? Aan de overkant van de straat? Of kwam u hem tegen bij een gemeenschappelijke kennis thuis?'

'Ik heb hem een paar keer in de buurt van mijn werk gezien.'

'The Warehouse.'

'Inderdaad. Daar ben ik twee of drie keer per week.'

'Maar u hebt hem niet gesproken.'

'Nee. Of althans, nauwelijks, hooguit een paar woorden.'

'Wanneer hebt u hem voor het laatst gezien?'

'Een paar weken geleden, denk ik. Ik weet het niet meer precies.'

'Een paar weken? De eerste week van juni?'

'Zou kunnen.'

'De exacte datum weet u niet meer?'

'Niet zo uit m'n hoofd.'

'Zijn zus heeft hem maandag 9 juni voor het laatst gezien. Was het daarna?'

Frieda dacht even na. 'Ik werk meestal op dinsdag in The Warehouse, het zou die dinsdag geweest kunnen zijn.'

'Niet later in de week?'

'Nee, dat denk ik niet. Ik ben er haast zeker van.'

'Dus dinsdag 10 juni. Een zekere dokter Ellison schijnt de politie te hebben gebeld, ze maakte zich zorgen omdat hij zich niet meer had laten zien. Haar aangifte is niet serieus genomen. Dat was op 16 juni, dus zes dagen later. U hebt na de tiende juni, toen u hem bij The Warehouse hebt gezien, echt niet nog een glimp van hem opgevangen?'

'Nee.'

'Dat weet u zeker.'

'Ik weet het zeker.'

'U hebt ook niet op een andere manier contact met hem gehad?'

'Sandy belde me af en toe.'

'Af en toe?'

'Soms.'

'U weet dat we inzage hebben in zijn gespreksgegevens?'

'Hij wilde contact houden.'

'U bedoelt dat hij de relatie met u wilde herstellen.'

Frieda aarzelde. 'Ik heb hem vanaf het begin duidelijk gemaakt dat het voorbij was.'

'Was hij daar kwaad over?'

Zich tot kalmte dwingend antwoordde Frieda: 'Ik gaf heel veel om Sandy, en dat is nog steeds zo. Ik wilde dat het goed met hem ging.'

'Ik heb zo'n gevoel dat er nu een "maar" komt.'

'Maar dit zijn altijd pijnlijke, moeilijke situaties. Je hoort weleens van relaties die beschaafd worden beëindigd, zonder verwijten. Ik heb dat nog nooit meegemaakt.'

Er werd aangebeld. Frieda stond op om open te doen. Hussein hoorde stemmen en even later kwam Frieda terug met een grote, indrukwekkende man. De kamer leek ineens een stuk kleiner. Hij droeg zware, bestofte laarzen, een spijkerbroek en ondanks de hitte een grijze wollen trui met ribbels. Zijn donkerbruine haar zat in de war en op zijn wangen gloorde een stoppelbaard.

'Dit is een vriend van mij,' zei Frieda. 'Josef Morozov. Josef, hoofdinspecteur Hussein. Zij is hier om over Sandy te praten.'

Josef stak zijn grote hand uit en toen Hussein hem schudde zag ze dat hij ruw en verweerd was, en vuil. 'Was heel slecht.' Hij keek Hussein achterdochtig aan.

'Ga zitten,' zei Frieda tegen Josef. 'We zijn bijna klaar.'

'Nog niet helemaal,' zei Hussein bits.

De stoel waarop Josef ging zitten bevond zich net buiten Husseins gezichtsveld. Ze twijfelde er niet aan dat hij op Frieda's verzoek gekomen was om bij dit gesprek aanwezig te zijn. Het gaf haar het gevoel dat ze werd gecontroleerd, en dat beviel haar helemaal niet. Ze keek om naar Josef, die haar onbewogen aankeek.

'Kende ú meneer Holland, meneer Morozov?'

'Drie jaar,' antwoordde hij. 'Vier jaar. Frieda's vriend is mijn vriend.' Hij knikte haar toe, alsof hij haar wilde waarschuwen.

'Woont u hier?' vroeg ze.

'Hier in Engeland?'

'Hier in dit huis.'

'Nee.'

Ze wendde zich weer tot Frieda. 'Uit zijn telefoongegevens blijkt dat een op de drie nummers die hij de laatste tijd gebeld heeft uw nummer was,' zei ze.

'Is dat een vraag?'

'Misschien wilt u er iets over zeggen.'

'Ik zou niet weten wat.'

'We hebben spullen in zijn woning gevonden die met u te maken hebben.'

'Wat voor spullen?'

'Foto's, onder andere.'

'Wanneer je jaren samen bent geweest, blijft er altijd wel iets achter.'

'Hebt u hier nog spullen van meneer Holland?'

'Vast wel.'

'Zoals?'

'Dat weet ik niet. Dat kan ik zo een-twee-drie niet zeggen.'

'U klinkt defensief.'

'Waarom zou ik me moeten verdedigen?'

'Weet u wat ik niet begrijp? Als het mij was overkomen dat iemand met wie ik close ben geweest zo afschuwelijk aan zijn eind was gekomen, ik hem had geïdentificeerd en de politie bij me langskwam om erover te praten, dan zou ik alles, maar dan ook alles uit de kast halen om ze te helpen. Ik zou mijn hersenen laten kraken om iets te bedenken waar ze mee verder konden. Ik zou zelfs zo mijn stinkende best doen dat het haast vervelend werd.'

'O, u vraagt mijn hulp?'

'Uit de verhalen die ik over u hoor, maak ik op dat dat uw gewoonte is. Zodra een zaak u interesseert, duikt u erin en bent u niet meer te stoppen.'

'Ik betwijfel of dat alles is wat u hebt gehoord. Ik neem aan dat u commissaris Crawford citeert en dat hij het niet complimenteus bedoelde. Maar als u mijn hulp nodig hebt, zal ik alles doen wat binnen mijn vermogen ligt. Uiteraard.'

'Dat wil ik niet,' zei Hussein. 'Ik wil alleen maar dat u uw burgerplicht doet.'

De blik waarmee Frieda Hussein aankeek had een scherpte die nieuw was. Haar gezicht was bleker geworden en ze klemde haar kaken op elkaar. 'Goed,' zei ze met een zachtere stem, waardoor Hussein zich naar voren moest buigen om haar te kunnen verstaan. 'Misschien is dit niet het soort hulp waar u op zit te wachten, maar ik denk dat ik weet wie Sandy heeft vermoord.'

'En wie is dat?'

'Een man genaamd Dean Reeve.' Frieda liet een stilte vallen, alsof ze een reactie verwachtte. 'Ik ben geen rechercheur, maar wanneer er in een moordzaak een verdachte wordt genoemd, verwacht ik toch op z'n minst dat die naam genoteerd wordt. Anders staat het straks niet in het dossier en ik wil dat dit officieel wordt vastgelegd.'

'Ik hoef dit niet vast te leggen, ik heb uw dossier gelezen.'

'Het verbaast me dat er een dossier over me is. Ik ben nooit ergens voor veroordeeld.'

'Als je informatie over iemand verzamelt en dat uitprint heb je algauw een dossier. En wat aan dit dossier opvalt zijn uw herhaalde beschuldigingen aan het adres van Dean Reeve. U hebt hem van diverse moorden en geweldplegingen beticht. Het probleem is alleen dat Dean Reeve al vijf jaar dood is.'

'Als u het dossier goed hebt gelezen, weet u ook dat ik niet geloof dat hij dood is.'

'Ja, dat heb ik gelezen.'

'Dean Reeve leeft nog en is heel gevaarlijk. Hij heeft het gestoorde idee dat hij voor me moet zorgen, of misschien wil hij me in zijn macht hebben. Als hij de indruk had dat Sandy mij lastigviel, zou hij er zijn hand niet voor hebben omgedraaid om hem te vermoorden. Met plezier zelfs.' Ze sloot haar ogen en toen ze ze weer opende, richtte ze haar blik op Hussein, in afwachting van een antwoord.

'Ik heb u gehoord,' zei Hussein ten slotte.

'Het enige wat ik vraag,' zei Frieda, 'is dat u het dossier over mij met uw eigen ogen bekijkt, niet met die van Crawford of Bradshaw.'

Hussein stond op. 'Goed,' zei ze. 'Dat zal ik doen. Maar ik verwacht van u dat u open kaart met mij speelt.'

'Open kaart? Waarom zou ik dat niet doen?'

'Dat zei ik u al. Ik heb uw dossier gelezen.'

7

Alexander Hollands benedenburen hadden hem niet goed gekend, maar hij was een aardige, rustige buurman geweest. Hij had weleens bezoek, maar dat was nooit luidruchtig, en vrouwen kwamen ook wel bij hem over de vloer, maar voor zover zij wisten waren het steeds andere geweest. Ze hadden hem vaak 's ochtends vroeg gezien, als hij ging joggen. Terry Keaton, zijn assistente op de universiteit, een vrij jonge vrouw met een rond gezicht en blond haar met een pony, had hem sinds het begin van de vakantie niet meer gezien. Ze was erg op hem gesteld en zijn dood had haar duidelijk aangegrepen. Ze wist niets van spanningen op het werk of in zijn privéleven, maar hij was erg op zichzelf, hoewel hij zich altijd vriendelijk en respectvol gedroeg. Frieda Klein had ze nooit ontmoet. Zijn oudste vriend, Daniel Lieberman, met wie hij op de basisschool had gezeten, zei dat hij hem zondag 8 juni voor het laatst had gezien, twaalf dagen voor zijn lichaam was gevonden. Ze hadden gesquasht en waren daarna nog wat gaan drinken; er was niets met hem aan de hand geweest. Ja, Lieberman had Frieda Klein een paar keer ontmoet. Hij bevestigde dat zijn vriend er ontdaan over was dat het uit was gegaan – hij voegde eraan toe dat hij uit de vs was teruggekeerd om bij haar te zijn, waardoor de klap nog groter was geweest toen de relatie stukliep. Toen Sophie Byrne hem vroeg wat hij van dokter Klein vond, trok hij een gezicht: 'Die moet je niet tegen je krijgen. Maar Sandy was gek op haar.'

Zijn collega's waren geschokt en begrepen er niets van. Zijn zus was intens verdrietig en zat vol met opgekropte woede jegens Frieda Klein, voor wie hij een prestigieuze baan in Amerika had opgegeven en die hun relatie kort daarna had verbroken. Zijn huisarts bevestigde dat hij gezond was, voor zover hij wist. Er stond geld op zijn bankrekening.

Er meldde zich een vrouw die gehoord had dat hij dood was. Ze had hem eind mei, vrijdag de dertigste, in een bar ontmoet. Ze was met hem mee naar huis gegaan en na nog een paar glazen te hebben gedronken, hadden ze de nacht samen doorgebracht. Ze had hem daarna niet meer gezien; hij was duidelijk alleen op een onenightstand uit geweest.

Op 11 juni, negen dagen voor zijn lichaam was gevonden, had hij tweehonderd pond opgenomen bij een pinautomaat. Hij had boodschappen gedaan bij een Turkse winkel op Caledonian Road. Diezelfde dag had hij twee sms'jes naar Frieda Klein gestuurd en haar een keer gebeld. Ook had hij, laat in de avond, zijn zus en een vriend in de vs gesproken. In de pub bij hem op de hoek meenden ze zich te herinneren dat hij daar nog was geweest. Zijn mail was na die dag niet meer geopend. Het was dus aannemelijk dat hij op 12 of 13 juni was vermoord.

'Dit is wat we nu hebben?' vroeg Hussein.

Maar er was nog iets. Die middag kwam er een vrouw naar het politiebureau van Altham die iemand wilde spreken over Alexander Holland. Hussein stond haar te woord. Aan de vrouw, Diane Foxton, was duidelijk te zien dat ze chemotherapie onderging, want ze was kaal, had paarse wallen onder haar ogen en was pijnlijk mager.

'Ik wist niet of ik het moest doen, waarschijnlijk betekent het niks, maar mijn man heeft me overgehaald, dus vandaar.' Ze gebaarde met haar benige handen.

'Gaat het over Alexander Holland?'

'Ja.'

'Hebt u hem gekend?'

'O, nee, dat niet. Maar toen ik zijn gezicht op de tv zag, herkende ik hem.'

'Waarvan?'

'Ik heb hem maar één keer gezien, maar dat zal ik niet licht vergeten. Ik was op weg naar huis en daar was hij ineens.'

'Zomaar ineens?'

'Ja. Hij stuiterde zo ongeveer over de stoep, ik ging zelf bijna onderuit. Hij schreeuwde. En dan bedoel ik echt schreeuwen. Hij keek zo kwaad dat het eng was. Ik dacht dat hij gewelddadig zou worden. Hij had een halfvolle vuilniszak in zijn hand en gooide die naar haar. Er vielen dingen uit: een T-shirt en een boek; hij bukte, raapte ze op en gooide ze ook naar haar. Hij leek wel gek.'

'Haar, zei u? Hij schreeuwde tegen een vrouw?'

'Ja.'

'En die zak gooide hij naar haar?'

'Ja. Het zag eruit alsof hij haar spullen terug kwam brengen, of zo.'

'Stond zij vlak bij hem?'

'Nee, bij een deur, zo'n twintig meter van de weg, en...'

'Wacht even, mevrouw Foxton. Kunt u mij precies vertellen waar het was? Welke deur het was?'

'Ik dacht dat ik dat al gezegd had. Van die kliniek in Primrose Hill.'

'Bedoelt u The Warehouse?'

'Ik weet niet hoe die heet. Bij Wareham Gardens.'

'Dat is The Warehouse. En wanneer was dit?'

'Dinsdag een week geleden – ik was op weg naar huis, ik was bij de dokter geweest. Rond halfvier.'

In gedachten zette Hussein alles op een rijtje: 10 juni dus. Tien dagen voordat Alexander Holland met doorgesneden keel uit de Theems was gehaald; dus hooguit drie dagen voor zijn dood. En de dag waarop Frieda verklaard had een 'glimp' van hem te hebben opgevangen.

'Hoe zag die vrouw eruit?'

'Ik heb niet echt op haar gelet. Bleek. Donker haar, geloof ik. In elk geval niet blond.'

'Enig idee hoe oud ze ongeveer was?'

'Nee. Niet heel jong maar ook niet oud. Halverwege de dertig, misschien veertig.'

'Reageerde ze?'

'Nee. Ik geloof niet dat ze veel zei, misschien wel niets. Er kwam iemand naast haar staan. Een man. Even leek het erop dat hij zich ermee ging bemoeien, maar ze hield hem tegen.'

'Hoe?'

'Door een hand op zijn arm te leggen, geloof ik. Ik weet het niet meer zeker. Ik was meer bezig met de man op de stoep. Hij was maar zo'n eindje van me verwijderd.' Ze hield haar handen omhoog om de afstand aan te geven. 'Ik kon er niet langs.'

'Wat gebeurde er toen?'

'Hij schopte tegen een vuilnisbak en beende weg. Zij pakte de vuilniszak, stopte het boek en het T-shirt er weer in, en bond hem dicht. Ze leek heel kalm. Kalmer dan ik zou zijn geweest. Toen ging ze naar binnen. Dat was het. Dus er is niet echt iets gebeurd. Ik dacht alleen eh… ik dacht dat u er misschien iets aan zou hebben. Maar misschien hou ik u alleen maar op.'

'U houdt ons helemaal niet op. We zijn u erg dankbaar, mevrouw Foxton.'

'Ik krijg helemaal de kriebels als ik aan zijn gezicht denk. Zo kwaad als hij was. En dan te bedenken dat hij vermoord is. Ik zou eerder hebben gedacht dat híj iemand had vermoord.'

Toen Hussein Frieda Klein weer sprak, de dinsdag nadat het lichaam was gevonden, was dat op het politiebureau en was er een advocaat bij aanwezig. Hussein zat aan de ene kant van de tafel en zij zaten tegenover haar. Niemand wilde thee of koffie, er werd niet gekeuveld.

Hussein had Tanya Hopkins een keer eerder ontmoet. Het was een mollige vrouw van middelbare leeftijd met grijzend haar en een onopgemaakt gezicht. Ze droeg zachte, kreukelige kleren en platte schoenen en hoewel ze iets moederlijks uitstraalde had ze een sluwe blik in haar grijze ogen en was ze vlijmscherp als het menens werd.

'Ik heb een aantal vragen,' zei Hussein.

Frieda Klein knikte en liet haar handen op de tafel rusten. Ze maakte geen nerveuze indruk en hield haar donkere ogen met een zekere berusting op Husseins gezicht gericht.

'Alexander Holland was duidelijk nog steeds door u geobsedeerd. Kunt u iets vertellen over deze obsessie?'

Hopkins boog zich naar Frieda Klein en mompelde iets wat Hussein niet kon verstaan. Klein gaf geen antwoord, ze keek haar alleen met een merkwaardig glimlachje aan.

'Dat kan ik wel,' zei ze tegen Hussein. 'Sandy en ik hebben al ongeveer anderhalf jaar geen relatie meer.'

'U hebt het uitgemaakt.'

'Ja. Hij kon moeilijk accepteren dat iets wat voor ons allebei zo belangrijk was geweest, voorbij was. Dat zou ik geen obsessie willen noemen.'

'Hij droeg uw oude ziekenhuisbandje om zijn pols.'

Frieda keek ernstig. 'Mensen doen soms rare dingen,' zei ze.

'Ja. Ik heb gehoord dat hij uit Amerika is teruggekomen om bij u te kunnen zijn.'

'Dat klopt.'

'En dat hij een grote steun voor u is geweest toen u betrokken raakte bij een zaak die pijnlijke herinneringen bij u opriep.'

'U mag het beestje wel bij de naam noemen: ik ben als tiener verkracht. Ik ben teruggegaan naar mijn geboorteplaats om uit te zoeken wie de dader was. Ja, Sandy is toen een grote steun voor mij geweest.'

'Toch hebt u er een punt achter gezet.'

Er viel een stilte. Hussein wachtte af. Frieda zei: 'Neem me niet kwalijk, ik wist niet dat het een vraag was. Ja, ik heb er een punt achter gezet. Je kunt niet alleen uit dankbaarheid bij iemand blijven.'

'Was hij daar kwaad over?'

'Hij was ontdaan.'

'Maar ook kwaad?'

'Soms uit zich dat in woede.'

'Was hij na anderhalf jaar nog steeds woedend?'

'Hij was nog steeds ontdaan.'

'Hebt u hem ooit aanleiding gegeven te denken dat hij nog een kans bij u had?'

'Nee,' klonk het afgemeten. 'Nooit.'

'U bent ook nooit meer samen geweest?'

'Nee.'

'Toch belde of sms'te hij u bijna dagelijks, soms wel een paar keer per dag.'

Frieda had snel en afgemeten gesproken. Nu zweeg ze een moment en toen ze weer begon te praten klonk het bijna als een zucht. 'Het was pijnlijk.'

'Voor u of voor hem?'

'Voor ons allebei natuurlijk. Maar waarschijnlijk vooral voor hem.'

Bryant kwam de kamer binnen en deed zachtjes de deur achter zich dicht. Hij knikte naar Frieda Klein, stelde zich aan Tanya Hopkins voor en trok een stoel bij. Hussein wachtte tot hij zat, toen ging ze verder.

'Stond u hem te woord als hij belde?'

'Meestal niet. Aanvankelijk wel, maar de laatste tijd niet meer. Het werkte…' Ze fronste. 'Averechts, vond ik,' zei ze ten slotte.

'Als u wel met hem praatte, hoe verliep dat dan?'

'Ik begrijp de vraag niet.'

'Die is toch vrij simpel. Smeekte hij, schreeuwde hij, schold hij u uit?'

'Sandy was erg trots.'

'Dat is geen antwoord op de vraag.'

'U doet net alsof hij…' Ze lichtte haar hand op en liet hem weer vallen, '… gestoord was.'

'Was hij gestoord?'

'Hij ging door een diep dal, dus waarschijnlijk heeft hij al die dingen gedaan. Meestal nam ik niet op, liet ik de voicemail aanslaan.'

Hussein pakte het papier met data en tijden dat in de woning van de dode was aangetroffen. 'Zegt dit u iets?'

Frieda keek ernaar.

'Dat zijn de dagen en tijden dat ik bij The Warehouse werk,' zei ze zacht.

'Hij was dus op de hoogte van uw bezigheden?'

'Dat moet haast wel.'

'Tijdens ons vorige gesprek zei u dat u hem al heel lang niet gesproken had, maar een paar weken voor hij gevonden werd wel – hoe noemde u het ook alweer – een "glimp" van hem had opgevangen. Op dinsdag 10 juni. Dit is een vraag,' voegde ze eraan toe toen Frieda haar alleen maar met haar verontrustende donkere ogen aankeek.

'Ja, dat klopt.'

'Ik wil nog meer weten over deze laatste ontmoeting met hem. In wat voor stemming was hij toen?'

Voordat Frieda iets kon zeggen werd er op de deur geklopt. Hussein keek geërgerd om. Ze knikte naar Bryant, die opstond en de deur opendeed. Hij zei iets tegen iemand die op de gang stond en kwam weer binnen, gevolgd door een man in een donker pak met een sobere donkerblauwe das. Hij had slordig grijs haar en droeg een bril met hoornen montuur, waardoor hij op een uil leek toen hij de kamer rond keek. Onder zijn arm had hij een bruin dossier.

'Ik zou er graag bij komen zitten,' zei hij.

'Dit is geen openbare gelegenheid,' zei Hussein.

'Weet ik, weet ik.' Hij zocht iets in zijn binnenzak en trok er een wit kaartje uit dat hij haar aanreikte. Terwijl Hussein het kaartje bekeek, keek hij om zich heen alsof hij niet precies wist waar hij was.

'U bent niet van de Met?' vroeg Hussein.

'Nee,' zei de man.

'Dan begrijp ik niet goed wie u bent.'

'Er staat een nummer op dat u kunt bellen als u dat wilt,' zei hij opgeruimd.

'Dat wil ik zeker. Hier, Glen.' Ze gaf het kaartje aan Bryant. 'Wil jij dit even uitzoeken alsjeblieft?' Ze keek de onbekende man aan. 'We wachten tot rechercheur Bryant terug is.'

'Natuurlijk. Het spijt me zeer dat ik de boel kom verstoren.'

Bryant verliet de kamer en terwijl ze wachtte balde Hussein haar vuisten op tafel, ontspande ze, en maakte opnieuw vuisten. Frieda Klein zat roerloos en kaarsrecht tegenover haar. Even later kwam Bryant terug met een haast komisch verbaasde uitdrukking op zijn brede gezicht, maar hij knikte naar Hussein en fluisterde iets in haar oor.

Hussein kneep haar lippen samen van woede. 'Uw vrienden verkeren kennelijk in hogere regionen dan de mijne,' zei ze.

'Ik zal me zo veel mogelijk op de achtergrond houden.'

Hij ging niet zitten, maar liep naar de verste hoek van de kamer en leunde tegen de muur, met gekruiste armen het dossier tegen zijn borst drukkend. Onbewogen keek hij voor zich uit.

'Geen zorgen,' zei hij tegen het gezelschap in de kamer. 'Negeer me maar gewoon, ik maak geen deel uit van het onderzoek.'

'Dat moest er nog bij komen.' Hussein wendde zich tot Frieda. 'Waar waren we gebleven?'

Frieda gaf niet direct antwoord, maar keek om naar de man die met een vaag lachje op zijn gezicht in de hoek stond. 'Ik heb liever dat u ergens gaat staan waar ik u kan zien.'

'Geen probleem.' De man ging ergens anders staan zodat Frieda hem kon zien. 'Zo beter?'

Frieda knikte en richtte haar blik weer op Hussein.

'U vroeg of ik me kon herinneren dat Sandy naar The Warehouse kwam,' zei Frieda. 'Het antwoord is: ja, dat herinner ik me.'

'Ook dat hij zich toen gewelddadig gedroeg?'

'Zo zou ik dat niet willen noemen.'

'Schreeuwen, een vuilniszak naar u gooien, tegen een vuilnisbak schoppen. Hoe noemt u dat dan?'

'Overstuur.'

'Oké, dan noemen we het overstuur. Waarom vond u het niet nodig om mij te vertellen over deze "glimp" van uw ex?'

'Het leek me niet van belang.'

'Beseft u dat dit, voor zover we weten, een van de laatste keren is geweest dat hij gezien is voor hij verdween? We kunnen er gerust van uitgaan dat hij niet meer lang te leven had. Eén dag, hooguit twee.'

Frieda staarde haar aan; haar gezicht een masker met flonkerende ogen.

'Anderhalf jaar lang valt Alexander Holland u lastig, en dan wordt hij vermoord. Wat hebt u daarover te zeggen?'

'Dat is geen serieuze vraag,' zei Hopkins.

'Oké. Wat me interesseert is het patroon van geweld en trauma's dat u omgeeft. We hebben het al gehad over uw verleden…'

'Ho, ho,' zei Hopkins. 'Alleen specifieke vragen met betrekking tot dit misdrijf zal dokter Klein beantwoorden.'

'Vertelt u me eens iets over Miles Thornton.'

Frieda Klein fronste en kwam iets naar voren. 'Miles? Is hij gevonden?'

'Nee,' zei Bryant, die nog niets had gezegd. 'Maar u hebt hem als vermist opgegeven en ik heb begrepen dat hij u óók gewelddadig heeft bejegend.'

Tanya Hopkins begon te praten, maar Frieda keerde zich naar haar toe. 'Laat maar, het geeft niet,' zei ze. 'Ik weet dat je me tegen mezelf in bescherming wilt nemen, maar ik wil deze vragen zelf beantwoorden. Ja, ik heb Miles als vermist opgegeven. Ja, hij kon gewelddadig en chaotisch zijn en soms was hij psychotisch.'

'We hebben dus niet één,' zei Hussein, 'maar twee mannen die u de afgelopen weken te lijf zijn gegaan. De ene is vermist, de andere vermoord.'

'Dit is de limit.' Tanya Hopkins kwam overeind en keek Frieda aan in de verwachting dat die hetzelfde zou doen.

'Ja, vind ik ook,' beaamde Frieda, maar ze bleef zitten. 'Ik wil alleen nog zeggen dat Miles een labiele jongeman is die een gevaar kan zijn voor anderen, maar vooral ook voor zichzelf. Daarom heb ik zijn vermissing bij de politie gemeld. Ik vind het erg dat hij nog niet gevonden is, of teruggekomen.' Voor het eerst leek ze te ontspannen en was haar toon minder kil en formeel. 'Eerlijk gezegd had ik hém onder dat laken in het mortuarium verwacht.'

'Miles Thornton?' Hussein herinnerde zich de huivering die over het gezicht van Frieda Klein was getrokken.

'Ja. Niet Sandy.'

'O.'

'Ik heb hem een paar maanden geleden gedwongen op laten nemen, en dat heeft hij als verraad ervaren. Ook wel terecht, natuurlijk. En in zekere zin heb ik Sandy ook verraden. In zijn ogen ben ik hartcloos en wreed geweest. In mijn eigen ogen soms ook.'

Tanya Hopkins zeeg weer neer op haar stoel. 'Het lijkt me niet zinvol om hierop door te gaan.'

'Dokter Klein, stemt u erin toe dat wij uw huis doorzoeken?'

'Mijn huis?' Ze schrok, even verkrampte haar gezicht. 'Waarom?' Zwijgend keek Hussein haar aan. 'Nee, ik denk het niet. Als u in mijn spullen wilt snuffelen, dan regelt u maar een huiszoekingsbevel.'

'Prima.'

'Nu gaan we echt.' Tanya Hopkins kwam voor de tweede keer overeind en Frieda Klein stond ook op. Eerst liet ze haar blik op Hussein rusten, toen op Bryant.

'Jullie zijn op het verkeerde spoor,' zei ze. 'En zolang daar geen verandering in komt, gaat Sandy's echte moordenaar vrijuit.'

'U bedoelt Dean Reeve.'

'Ja, ik bedoel Dean Reeve. U bent kennelijk niet iemand die openstaat voor de waarheid zoals een ander die ziet. Doe iets met de dingen die ik u heb verteld.'

'Dokter Klein…'

'Dat zalvende toontje ken ik, daar hoeft u bij mij niet mee aan te komen. U hebt allang besloten dat ik niet spoor.'

'Nee, het is nog erger. U pleegt obstructie.'

'Doelt u nu op dat huiszoekingsbevel? Oké.' Vermoeid haalde Frieda haar schouders op. 'Doorzoek mijn huis maar. Waar moet ik tekenen?'

'Soms,' zei Tanya Hopkins terwijl ze haar bij de arm pakte en meetrok naar de deur, 'moet een cliënt tegen zichzelf in bescherming worden genomen. We gaan nú weg.'

'Dokter Klein?'

Frieda, Hussein, Tanya Hopkins – ze keken alle drie om. Het

was de man die tegen de muur geleund stond.

'Ja?' antwoordde Frieda.

'Mag ik u iets vragen?' zei hij.

'Wie bent u?' vroeg Frieda. 'Ik heb geen idee wat u hier komt doen.'

De man knipperde met zijn ogen. 'Neem me niet kwalijk,' zei hij. 'Ik heb me niet voorgesteld. Levin is de naam. Walter Levin.'

'Wat ik bedoel is: wie bént u?'

'Ik heb niets met het onderzoek te maken. Ik ben gedetacheerd door Binnenlandse Zaken. Een beetje moeilijk uit te leggen.'

'Als u vragen hebt, gaan die via mij,' zei Tanya Hopkins.

'Het gaat niet over deze zaak.' Levin rechtte zijn rug. 'Ik heb uw dossier gelezen.' Hij straalde. 'Fascinerend! Absoluut fascinerend. Jeetje. Die zaak met dat meisje dat met uw hulp is teruggevonden. In dat huis in Croydon.'

'Alstublieft.' Hussein had het niet meer. 'We zijn bezig met een onderzoek.'

'Het geeft niet.' Voor het eerst bekeek Frieda zijn lachende gezicht en zijn scherpe ogen aandachtig. 'Wat wilt u weten?'

'Er is iets wat ik me afvraag,' zei hij. 'Het staat niet duidelijk in het dossier namelijk, maar waardoor kreeg u eigenlijk argwaan?'

Frieda dacht een moment na. Het leek al zo lang geleden, alsof het een ander was overkomen.

'Er kwam een patiënt op consult. Het bleek nep te zijn, het was voor een krantenartikel. Maar hij vertelde me dat hij als kind het haar van zijn vader had geknipt. Er was iets vreemds met dat verhaal, maar het kwam als echt op me over. Ik wilde weten waar het vandaan kwam. Dat was alles.'

'Goh,' zei Levin vaag.

'Is dat de reden waarom u erbij wilde zijn?' vroeg Hussein. 'Vanwege een onderzoek van twee jaar geleden?'

'Nee. Ik wilde dokter Klein in levenden lijve zien,' zei Levin. 'Zo fascinerend!'

'Maar waarom?' zei Hussein. 'Wat doet u hier, behalve gefascineerd zijn?'

Levin gaf geen antwoord. Hij keek Frieda alleen maar bevreemd aan. 'Het spijt me allemaal heel erg,' zei hij.

'Mij ook,' zei Frieda.

8

Het was niet de eerste huiszoeking waar Hussein bij betrokken was en ze kende de verschillende manieren waarop verdachten zich gedroegen. Sommige waren kwaad of ontdaan, andere vonden het zelfs traumatiserend. Dat vreemden je laden overhoop haalden waar je bij stond werd als een ernstige inbreuk op de privacy ervaren. Soms leidde een verdachte haar rond door het huis en vertelde er van alles over, alsof ze een potentiële koper was.

Frieda Klein reageerde anders. Terwijl Husseins collega's door het huis liepen, de keuken onder de loep namen, naar boven gingen en de inhoud van alle kasten en laden bekeken, zat zij doodleuk in de huiskamer aan een klein tafeltje een schaakpartij na te spelen met een concentratie die toch zeker niet echt kon zijn. Hussein keek naar haar. Was ze in een shock, was ze boos, dwars, verongelijkt, of verkeerde ze in een staat van ontkenning? Eén keer keek Klein haar aan en had Hussein het gevoel dat ze dwars door haar heen keek.

Er klonk gebonk van iemand die met twee treden tegelijk de trap af liep. Bryant kwam de kamer binnen en legde iets op de tafel. Het was een leren portefeuille.

'Die hebben we boven gevonden,' zei Bryant. 'In een la, tussen de kleren. Helemaal onderin, gewikkeld in een T-shirt. Drie keer raden van wie hij is.'

Hussein keek naar Frieda. Op haar gezicht was geen spoor van verbazing, schrik of ongerustheid te zien. 'Is deze van u?'

'Nee.'

'Weet u van wie hij wel is?'

'Nee.'

'Waarom hebt u hem dan hier? En waarom zo zorgvuldig weggestopt?'

'Ik heb het ding nog nooit eerder gezien.'

'Hoe is hij hier dan gekomen?'

'Dat weet ik niet.'

'Zullen we eens kijken wat erin zit?' vervolgde Hussein, en ze stond zichzelf een licht gevoel van triomf toe.

Frieda keek haar met haar donkere ogen indringend aan, maar zei niets.

Hussein trok haar rubber handschoenen aan, waarop Bryant haar de portefeuille aangaf. Hij grijnsde breed. Ze sloeg de portefeuille open.

'Geen geld,' zei ze. 'Geen creditcards. Wel lidmaatschapskaarten.' Ze trok er een uit en hield hem omhoog, zodat Frieda hem kon zien. 'Van de British Library,' zei ze. 'Alexander Holland; geldig tot maart 2015.' En nog een: 'The Tate; geldig tot november 2014. Geen oude portefeuille dus.' Ze keek Frieda aan. 'U bent niet erg verbaasd, geloof ik. Hoe is deze portefeuille hier terechtgekomen, dokter Klein?'

'Dat weet ik niet, maar ik heb wel een idee.'

'En dat is?'

'Iemand anders heeft hem hier neergelegd, natuurlijk.'

'Natuurlijk.'

'Dean Reeve.'

Glen Bryant snoof luidruchtig. Hussein legde de portefeuille op de tafel.

'Als ik u was, zou ik mijn advocaat maar weer bellen.'

Tanya Hopkins keek niet-begrijpend toen Frieda de donderdagochtend dat ze hadden afgesproken vergezeld werd door een man van middelbare leeftijd in een pak, maar haar gezicht betrok toen hij aan haar werd voorgesteld als hoofdinspecteur Malcolm Karlsson.

67

'Ik begrijp het niet,' zei Hopkins.

'Ik ben hier als vriend,' zei Karlsson. 'Om raad te geven.'

'Ik dacht dat dat míjn werk was.'

'Het is geen wedstrijd.'

Hopkins keek sceptisch. 'Als hoofdinspecteur Hussein erachter komt dat een collega van haar aanwezig is geweest bij een gesprek tussen een verdachte en haar advocaat…'

'Vandaag is mijn vrije dag. Ik heb gewoon een afspraak met een vriendin.'

Hopkins keek naar Frieda, die naar het raam was gelopen en naar buiten stond te kijken. Het kantoor van Hopkins keek uit over het brede kanaal van Islington. Kinderen in helgele zwemvesten peddelden in twee kano's voort.

'Ben je op wat voor manier dan ook bij dit onderzoek betrokken?'

'Nee.'

'Heb je toegang gehad tot vertrouwelijke informatie?'

'Nee.'

'Het is dat ik Frieda's advocaat ben, niet de jouwe, anders zou ik je nú de deur uit gooien.'

'Dan ben ik gewaarschuwd.'

Hopkins knikte naar Frieda, waarna ze gedrieën rond een lage glazen tafel gingen zitten. Hopkins sloeg een blocnote open, pakte haar pen en schroefde het dopje eraf. 'We moeten ons morgen om tien uur op het politiebureau van Altham melden. We kunnen ervan uitgaan dat je wordt aangeklaagd voor de moord op Alexander Holland.'

Ze keek om zich heen alsof ze een reactie verwachtte, maar die kwam niet. Karlsson staarde naar de grond. Frieda leek diep te peinzen, maar zei niets.

'Je komt weliswaar op borgtocht vrij,' zei Hopkins. 'Maar dan zul je je paspoort moeten inleveren. Er zijn ongetwijfeld voorwaarden aan verbonden, maar daar is wel mee te leven. Nu moeten we onze strategie bepalen.'

'Onze strategie?' zei Frieda.

'Ik heb al een goede strafpleiter in gedachten. Jennifer Sidney lijkt me hier geknipt voor.'

'Die heeft Somersham toen verdedigd,' zei Karlsson met een grimmig lachje.

'Is daar iets grappigs aan?' vroeg Frieda.

'Laat ik het zo zeggen: als je Andrew Somersham vrij krijgt, krijg je iedereen vrij.'

'Het was een juist vonnis,' zei Hopkins. 'Gezien het bewijsmateriaal.'

'Zo kun je het ook zien.'

'Nou, wij willen ook een juist vonnis.'

'Waar heb ik eigenlijk een strafpleiter voor nodig?' vroeg Frieda.

'Wat?'

'Mocht ik in staat van beschuldiging worden gesteld...'

'Dat word je zeker.'

'Oké, wanneer ik in staat van beschuldiging word gesteld, wil ik in de rechtszaal gewoon eerlijk mijn verhaal doen en dan moeten zij maar bepalen of ze me geloven of niet.'

Langzaam legde Hopkins haar pen neer. Haar gezicht was wit weggetrokken, zag Karlsson. 'Frieda,' zei ze kalm. 'Dit is niet het moment om de held uit te gaan hangen of een filosofische verhandeling te houden. We hebben een accusatoir rechtssysteem. Het OM moet de aanklacht hard zien te maken. Het enige wat jou te doen staat is hun specifieke beschuldigingen onderuithalen. Je hoeft je onschuld niet te bewijzen en je hoeft ook niet de eerste prijs voor deugdzaamheid te winnen. Je moet er alleen voor zorgen dat ze je schuld niet kunnen aantonen, dat is alles. Zo werkt het systeem.'

Frieda wilde iets zeggen, maar Hopkins stak haar hand op.

'Wacht,' zei ze. 'Tot dusver heb ik moeten toezien hoe jij je eigen glazen ingooit. Als je ervoor kiest om daarmee door te gaan, zul je een andere advocaat in de arm moeten nemen, of helemaal geen advocaat. Maar laat mij eerst mijn verhaal doen.'

Frieda knikte berustend en Hopkins vervolgde: 'De basisstrategie ligt voor de hand. De portefeuille staat centraal. Ze hebben verder wel allerlei dubieus bewijs – als je dat tenminste bewijs kunt noemen – maar in de rechtszaal kunnen ze daar niks mee.

Zolang jij je maar inhoudt.'

'Wat bedoel je daarmee?'

'Dat je niet over je Dean Reeve-theorie begint.'

'Waarom niet?'

'Zodra je zijn naam ook maar noemt, geef je hun de gelegenheid om alles weer naar boven te halen. Je betrokkenheid bij de dood van Beth Kersey, de dood van Ewan Shaw, de brandstichting bij Hal Bradshaw en je aanhoudingen voor mishandeling.'

'En wat dan nog?'

'En wat dan nog?' zei Hopkins. 'Als al deze incidenten worden opgedist voor een jury, kun je er donder op zeggen dat je voor vijftien tot twintig jaar achter de tralies verdwijnt. Maar zoals ik al zei, is er geen enkele reden om het op te rakelen. Het enige harde feit is die portefeuille. Zou het trouwens niet kunnen dat meneer Holland die bij jou heeft laten liggen, de laatste keer dat hij bij je was?'

'Nee,' zei Frieda.

Er viel een stilte.

'Frieda,' zei Karlsson. 'Ik vraag me af of de ernst van de situatie wel tot je doordringt.'

'Ze hebben de portefeuille gevonden in een la,' zei Frieda. 'Als het had gekund dat Sandy hem daar had achtergelaten – zonder geld en creditcards – dan had ik dat wel gezegd.'

'Die huiszoeking zit me al helemaal niet lekker. Hebben ze je eigenlijk op je rechten gewezen voor ze over die portefeuille begonnen?'

'Nee.'

'Mooi zo.'

'Sandy heeft hem niet laten liggen,' zei Frieda. 'Hij is al een jaar, anderhalf jaar niet bij mij thuis geweest. Alles wat erin zat was recent.'

Opnieuw viel er een stilte. Een langere stilte. Karlsson en Hopkins wisselden een blik. Toen Karlsson het woord nam, klonk hij aarzelend, bijna vreesachtig.

'Frieda, er is een voor de hand liggende vraag, maar ik weet niet of ik hem wil stellen.'

'Pas op,' zei Hopkins.

'Zoals ik al zei: ik weet niet hoe die daar is gekomen.' Frieda keek hen aan. 'Maar ik kan het wel raden.'

'Alsjeblieft,' zei Tanya Hopkins scherp. 'Laten we ons richten op wat we weten, en niet op jouw theorieën. De laatste keer dat je Sandy zag. Die scène bij de klinick. Hij laat zijn portefeuille vallen, jij raapt hem op. Je neemt hem mee naar huis om hem later aan hem terug te geven.'

Frieda schudde haar hoofd. 'Ik ga niet iets zeggen wat niet waar is.'

Hopkins fronste en keek ontevreden. 'Kan het niet dat je hem later nog een keer hebt gezien en dat je ons dat nog niet verteld hebt?'

'Nee.'

'Je bedoelt dat je hem niet meer hebt gezien?'

'Ja, dat bedoel ik. De laatste keer was die dinsdag, op de stoep voor The Warehouse.'

'Wat me helemaal niet bevalt aan deze zaak is dat je steeds met nieuwe dingen op de proppen komt. Ongunstige dingen.'

'Je had het over strategieën,' zei Frieda. 'Welke zijn er nog meer?'

'Als je geen verdediging wilt, kunnen we overwegen het op doodslag te gooien. Als je dat bekent, weet ik wel een paar psychologen die bereid zijn als getuige-deskundigen verzachtende omstandigheden aan te voeren.'

Karlsson keek nerveus naar Frieda. Voor het eerst zag ze er oprecht verbijsterd uit. 'Wat zouden die dan zeggen?'

Hopkins pakte haar pen en tikte er bedachtzaam mee op het tafelblad.

'Je bent ooit verkracht,' zei ze. 'Je bent slachtoffer geweest van een gewelddaad die je bijna het leven heeft gekost. En er zijn mensen die kunnen getuigen dat Holland met geweld heeft gedreigd.'

'Hij heeft me niet bedreigd...'

'Ik kan je bijna garanderen dat je een voorwaardelijke straf krijgt.'

'Dus ik hoef alleen maar te bekennen dat ik Sandy heb gedood,' zei Frieda. 'En dan kom ik ermee weg.'

'Je komt er niet mee weg,' zei Hopkins. 'Je staat voor de rest van je leven onder toezicht. Je hebt een strafblad, bent veroordeeld voor een ernstig misdrijf. Maar het lijkt me te verkiezen boven het alternatief.'

'Het klinkt alsof ik er blij mee moet zijn,' zei Frieda.

'Ik probeer je alleen duidelijk te maken wat je mogelijkheden zijn.'

Frieda keek naar Karlsson, die ongemakkelijk in zijn stoel zat te schuiven. 'Wat vind jij?'

'Ik heb een beetje rondgevraagd,' zei hij. 'Die Hussein is goed. Ze is slim en gaat grondig te werk. Ze staat sterk in deze zaak. Ik wil je waarschuwen, ik ken deze strategie uit ervaring, dus vanuit het perspectief van de tegenpartij. Je zet vraagtekens bij bewijsmateriaal, bij bepaalde procedures, en beetje bij beetje wordt de hele aanklacht onderuitgehaald.' Hij keek naar Hopkins. 'Je hebt waarschijnlijk ook overwogen te beweren dat de portefeuille er door de politie is neergelegd.'

'Dat is in me opgekomen,' zei Hopkins.

'Zou ik voorzichtig mee zijn,' zei Karlsson. 'Het is een gevaarlijke zet, een die als een boemerang kan werken.'

'Zíj hebben hem daar niet neergelegd,' zei Frieda.

'Was je erbij toen ze hem vonden?' vroeg Hopkins.

'Niet in dezelfde kamer.'

'Nee? Dat kunnen we misschien nog gebruiken. Als alles misloopt.'

'Het goede nieuws over al deze mogelijkheden is dat ze sowieso werken, of ik het nu gedaan heb, of niet.'

Hopkins, die net een ingewikkeld patroon van buizen en kegels had zitten tekenen, keek op. 'Als ik niet zo'n zachtmoedig mens was, zou ik je nu een preek geven over het belang van een rechtsstelsel dat de beklaagde het voordeel van de twijfel geeft en haar niet dwingt tegen zichzelf te getuigen of irrelevante informatie over zichzelf te onthullen.' Ze glimlachte. 'Maar dat ben ik wel. Dus dat zal ik niet doen.' Ze kwam overeind. 'We zien elkaar morgenochtend om halftien. Er is een café aan het kanaal, een paar honderd meter van het politiebureau, The Waterhole heet het. Ik zie je daar. Dan gaan we samen naar het politiebureau en zeg jij helemaal niets, behalve dat wat we van tevoren hebben afgesproken.'

Ze schudde Frieda de hand.

'Ik weet dat het moeilijk voor je is,' zei Hopkins. 'Maar ik ben ervan overtuigd dat we tot een oplossing kunnen komen waar we ons allemaal in kunnen vinden.'

'Het spijt me,' zei Frieda.

'Wat bedoel je?'

'Ik ben niet zo'n goeie cliënt geweest, maar ik wil je bedanken voor wat je voor me gedaan hebt.'

'Laten we niet op de zaken vooruitlopen.'

'Dat is het 'm juist,' zei Frieda. 'Ik wil je nu zeggen dat ik je dankbaar ben, wat er ook gebeurt.'

Karlsson en Frieda liepen samen de trap af. Toen ze op de stoep stonden wisselden ze een blik van verstandhouding.

'Wat was dat nou allemaal?' vroeg Karlsson.

Frieda liep op hem toe, drukte hem even tegen zich aan en stapte weer terug.

'Waar was dit voor?' zei hij met een nerveus lachje.

'Er was daarbinnen maar één ding van belang,' zei ze.

'Wat dan?'

'Dat jíj er was.'

'Maar ik heb helemaal niets gedaan.'

'Jawel. Je bent gekomen. Dwars tegen alle regels en beroepscodes in.'

'Ja, ik dacht wel dat dat je zou bevallen.'

'Ik meen het. Ik weet niet wat je boven het hoofd hangt als dit uitkomt. Het kwam uit de goedheid van je hart, uit vriendschap voort en dat zal ik nooit vergeten.'

'Klinkt een beetje als een afscheid.'

'Ach, je weet toch dat je elk moment moet beleven alsof het je laatste is?'

Karlsson kneep zijn ogen samen en keek haar argwanend aan.

'Gaat het wel goed met je?'

'Ik ga nu naar huis wandelen, alleen, langs het kanaal. Waarom zou het niet goed met me gaan?'

Karlsson zag haar weglopen, kaarsrecht en met de handen in haar zakken. Hij huiverde, alsof het weer plotseling was omgeslagen.

9

Frieda Klein had die middag één consult, met Joe Franklin, die al jaren bij haar liep. Als hij binnenkwam was één blik op zijn gezicht, de stand van zijn schouders en de zwaarte van zijn tred voldoende om te weten in wat voor stemming hij verkeerde. Vandaag was hij stil en somber, maar niet wanhopig. Zacht en langzaam praatte hij over de dingen die hij verloren had door zijn depressie. Hij vertelde over de hond die hij als kind had gehad, een bruin vuilnisbakje met smekende ogen.

Toen hij wegging zei Frieda: 'Waarschijnlijk zal ik je een tijdje geen therapie kunnen geven.'

'Geen therapie? Hoelang?'

'Dat weet ik niet.'

'Maar...'

'Ik weet dat het pijnlijk voor je is, en als ik het had kunnen voorkomen had ik dat zeker gedaan. Maar ik verwijs je door naar een collega. Ik ken haar en vertrouw haar. Ik wil dat je haar morgen belt, ik zal zorgen dat ze op de hoogte is. Ik wil dat je naar haar toe gaat tot ik terug ben.' Ze gaf hem een papiertje met een naam en een telefoonnummer.

'Maar wanneer is dat? Wanneer kom je terug? Waarom ga je weg?'

'Er is iets gebeurd.' Rustig keek ze hem aan. 'Dat kan ik nu niet uitleggen, Joe. Maar je bent in goede handen. We hebben het goed gedaan samen, jij en ik. Je bent verder gekomen en ik weet zeker dat je je zult redden.'

'Denk je?'

'Ja. En vergeet dat nummer niet te bellen. Zorg goed voor jezelf.'

Ze stak haar hand uit. Normaal gesproken vermeed ze lichamelijk contact met haar patiënten en Joe hield haar hand dan ook even vast, haar verbouwereerd aankijkend. 'Ik wil niet dat je weggaat,' zei hij.

De rest van de middag was Frieda bezig de consulten van haar patiënten af te zeggen en vervanging te regelen. Tegen iedereen zei ze hetzelfde: dat ze voor onbepaalde tijd afwezig zou zijn. Ze had voor iedereen een alternatief bedacht en belde de collega's aan wie ze haar patiënten toevertrouwde tot ze terugkwam.

Pas toen ze zeker wist dat ze iedereen had gehad, liep ze door de kleine straatjes naar huis. Bij de koffiebar van haar vrienden bleef ze staan. Ze ging er bijna dagelijks heen, maar vandaag waren ze gesloten en zag het er troosteloos uit. Even later liep ze over de kinderkopjes van het straatje waar haar smalle huis stond ingeklemd tussen winkelpanden aan de ene kant en sociale woningbouw aan de andere. Ze draaide de sleutel om, duwde de deur open en stapte de koele gang in met de opluchting die ze dan altijd voelde. Nu zag ze haar huis echter met andere ogen: de huiskamer met het schaaktafeltje en de haard die ze 's winters elke dag stookte, de badkamer met het koninklijke bad dat haar vriend Josef zonder haar toestemming had geïnstalleerd, wat de nodige chaos had veroorzaakt, en de kleine werkkamer onder de hanenbalken waar ze zich terugtrok om na te denken en houtskool- en pentekeningen te maken. Ze wist niet wanneer ze dat allemaal terug zou zien.

Ze zette een pot thee, ging zitten en met de lapjeskat, die ze tegen haar zin had geërfd, op haar schoot dacht ze na en maakte in haar hoofd een lijst. Ze had nog zoveel te doen. Om te beginnen moest iemand haar kat eten geven en de planten verzorgen. Dat was niet zo moeilijk. Ze pakte de telefoon en toetste een nummer in.

'Frieda, met mij. Alles goed?' Hij kwam uit Oekraïne en hoewel hij al een paar jaar in Londen woonde, had hij nog steeds een zwaar accent.

'Ik moet je iets vragen.'

'Zeg maar, alles.' Ze zag voor zich hoe hij dat zei, met zijn grote hand op zijn hart.

'Morgenochtend heb ik een afspraak met de politie. Ze gaan me aanklagen voor de moord op Sandy.'

Even bleef het stil, toen klonk er een luid protest. Ze kon niet verstaan wat hij zei, maar er waren duidelijk doodsbedreigingen bij en beloften om haar te beschermen.

'Nee, Josef, dat is niet...'

'Ik kom nu. Dit moment. Met Reuben. En ook met Stefan, ja?' Stefan was zijn Russische vriend, een grote, sterke man die zich met dubieuze zaken bezighield. 'Wij lossen het op.'

'Nee, Josef. Ik heb je hulp nodig, maar niet op die manier.'

'Vertel dan.'

'Er moet iemand voor mijn kat zorgen en...'

'De kat! Frieda, je maakt een grapje.'

'Nee, en de planten moeten water hebben. En,' vervolgde ze, door zijn uitroepen heen, 'er is nog iets wat ik je wil vragen.'

Ze werkte haar lijst af: eerst schreef ze een lange, zorgvuldige e-mail aan haar nichtje Chloë, die ze onder haar hoede had genomen sinds Chloë's vader – Frieda's broer David, met wie ze amper nog contact had – Olivia had verlaten. Chloë was een zorgenkindje geweest en een roekeloze, onzekere tiener, maar nu was ze twintig, had haar medicijnenstudie eraan gegeven en wilde timmervrouw worden. Vervolgens schreef ze een veel kortere, maar niet minder zorgvuldige mail naar Olivia, die ze liever niet wilde spreken, omdat ze waarschijnlijk hysterisch zou reageren, zich zou bezatten en huilend op haar stoep zou staan. Ze wilde Reuben bellen, maar hij was haar voor, want Josef had hem inmiddels ingeseind. Tot haar verbazing bleef Reuben kalm. Hij bood aan de volgende morgen met haar mee te gaan naar het politiebureau, maar Frieda zei dat haar advocate haar van tevoren nog moest spreken. Hij zei dat hij meteen naar haar toe zou komen om haar gezelschap te houden, maar ze antwoordde dat ze die avond alleen wilde zijn en hij drong niet aan. Hij was rustig, troostend, en Frieda herinnerde zich weer hoe goed hij was geweest toen ze vele jaren geleden bij hem in leertherapie was.

Toen ze had opgehangen zat ze enkele minuten in gedachten verzonken. Niemand – haar advocate, Karlsson, Reuben noch Josef – had gevraagd of ze Sandy had vermoord. Dachten ze dat ze het had gedaan, dachten ze van niet, wilden ze het niet weten of durfden ze het niet te vragen? Of misschien deed het er niet toe: wat ze al dan niet gedaan had, ze stonden als één man achter haar, onvoorwaardelijk. Met nietsziende ogen staarde ze naar de lege haard alsof ze daar het antwoord zou vinden.

Er was nog iemand die ze het moest vertellen, en dat kon niet telefonisch of via de mail. Ze had een bezwaard gemoed.

Ethans oppas, Christine, deed open. Frieda had haar een paar keer ontmoet, alleen altijd vluchtig. Ze was lang en zag er vitaal uit, met sterke armen. Ze droeg haar haar altijd strak naar achteren, waar het met diverse klemmen op zijn plaats werd gehouden, en de manier waarop ze door het huis beende had iets zakelijks en doelgerichts. Frieda had de indruk dat Sasha zich geïntimideerd door haar voelde en vroeg zich af hoe Ethan haar vond.

'Ja?' zei Christine, alsof ze Frieda nooit eerder had gezien. 'Sasha is nog niet thuis.'

'Dan ben ik zeker een beetje vroeg.'

'Nee, zij is laat. Alweer.'

'Ze zal zo wel komen. Ga maar weg als je wilt, dan blijf ik zolang wel bij Ethan.'

'Dat zou fijn zijn.'

'Het zal Sasha wel niet meevallen, nu ze alleen is,' zei Frieda.

'Vertel mij wat.'

Christine trok de deur verder open en Frieda liep achter haar aan naar de keuken. Ethan zat in zijn kinderstoel vastgesnoerd. Hij had rode vlekken op zijn wangen en de opstandige blik in zijn ogen kende Frieda maar al te goed.

'Hallo Ethan, wij zijn nu even met z'n tweetjes.'

'Frieda,' zei hij. Hij had een merkwaardig hese stem voor een peuter.

Christines blik ging van het kind naar de troep op de grond, waar zijn bord en beker omgekeerd terecht waren gekomen. 'Je bent een stout kind,' zei ze met een koele stem, niet boos maar onverbiddelijk.

'Ik neem het wel over,' zei Frieda. 'En je moet een kind niet zomaar stout noemen.'

'Jij hoeft de troep niet op te ruimen.'

'Nu wel. Ga nou maar.'

Toen Christine vertrokken was ging Frieda naar Ethan toe, kuste hem op zijn bezwete voorhoofd, maakte hem los en zette hem op de grond. Hij legde zijn kleverige handje in de hare. Hij had Franks donkere haar en ogen, en de bleke huid en slanke bouw van Sasha; de sterke wil van Frank en Sasha's beminnelijkheid. Frieda had hem voor het eerst gezien toen hij nog geen dag oud was: een schriel, verkreukeld wezentje met het gezicht van een angstig oud mannetje. Ze had zijn luiers verschoond (iets wat ze nog nooit eerder had gedaan), had op hem gepast als Sasha te ziek en te triest was om het zelf te doen, was met hem uit wandelen gegaan en had hem voorgelezen. Toch bleef hij een mysterie voor haar.

'Wat zullen we doen tot Sasha thuiskomt?'

Voordat Ethan ook maar iets kon zeggen, hoorde ze de voordeur met een klap opengaan.

'Sorry!' riep Sasha. 'De bus was laat.'

Frieda liep naar de deur. Met een warrig kapsel en hoogrood hoofd stond haar vriendin in de hal. 'Hoi Sasha.'

'O, god, Frieda. Ik ben zo snel mogelijk gekomen.'

'Geeft niet. Je bent maar een paar minuten te laat.'

Sasha boog voorover en nam Ethan in haar armen, maar hij begon ongeduldig te kermen en ze zette hem weer neer. Hij zakte door zijn knietjes en verdween op handen en voeten onder de tafel, zijn favoriete plekje. Hij kon daar uren doorbrengen; met het tafelkleed als een soort tent om zich heen schoof hij zijn houten beestjes heen en weer, zachtjes maar dringend tegen ze fluisterend.

'Waar is Christine?'

'Ik heb haar naar huis gestuurd.'

'Was alles goed met haar?'

'Ja, hoor,' zei Frieda. 'Ze deed een beetje kortaf.'

'Ik ben altijd bang voor haar als ze boos is.'

'Dat klinkt niet als een gezonde werkrelatie.'

'Nee,' zei Sasha mistroostig. 'Sinds Frank weg is lijkt het alsof ik voortdurend een halfuur te laat ben met alles. Logisch dat ze ongeduldig wordt.'

'Kom, laten we een kop thee drinken. Ik moet je wat vertellen.'

Sasha zette de ketel op en deed een paar theezakjes in de pot. Frieda zat naar haar te kijken en het viel haar op hoe mooi haar vriendin was, maar ook dat ze er kwetsbaar uitzag. Ze hadden elkaar leren kennen toen Sasha bij haar in therapie kwam na een rampzalige verhouding met haar vorige therapeut. Later had Sasha Frieda professioneel geholpen en langzaamaan waren ze bevriend geraakt. Toen Sasha Frank leerde kennen was ze een tijdje stralend gelukkig geweest, maar op de geboorte van Ethan was een zware postnatale depressie gevolgd waarvan ze nog steeds niet helemaal hersteld was.

'Frank komt over een halfuur of zo. Donderdagavond is zijn avond met Ethan.'

'Ik weet niet of ik hier dan nog ben.'

'Je gaat hem denk ik liever uit de weg, na vorige keer.'

Frank was Ethans vader, Sasha's ex, en was een tijdje een vriend van Frieda geweest. Maar dat was voordat zijn relatie met Sasha begon te ontsporen. Aanvankelijk had Frieda aan de zijlijn moeten toezien hoe haar vriendin steeds ellendiger en wanhopiger was geworden. Het deed haar denken aan toen ze elkaar hadden leren kennen en Sasha breekbaar tegenover haar had gezeten. Uiteindelijk had ze tegen Sasha gezegd dat ze niet bij iemand hoefde te blijven die haar het gevoel gaf dat ze waardeloos was, dat het misschien niet zo voelde op dit moment, maar dat ze altijd een keuze had. Ze kon ervoor kiezen om te blijven, ze kon ook vertrekken.

'Ik vind het niet erg om hem te zien,' zei Frieda. 'Maar ik wil geen toestanden waar Ethan bij is.'

'Natuurlijk niet.' Sasha zette een beker thee voor Frieda neer en ging tegenover haar zitten. 'Wat kwam je vertellen?'

Toen Frieda het uitlegde, leek het alsof Sasha niet begreep wat ze zei. Met een angstige uitdrukking op haar smalle gezicht keek ze haar met grote ogen aan.

'Hoe kunnen ze zoiets denken?'

'Dat begrijp ik wel,' zei Frieda. 'Zijn portefeuille lag bij mij in een la, om maar iets te noemen.'

'Hoe is die daar gekomen?'

Frieda haalde haar schouders op. 'Laten we het daar maar niet over hebben,' zei ze. 'Waar het om gaat is dat ik morgenochtend naar het politiebureau moet en dat ik, volgens mijn advocate, die weet waar ze het over heeft, zal worden aangeklaagd.'

'En wat gebeurt er dan?'

'Dat weet ik niet precies.'

'Ik weet niet wat ik zeggen moet.'

'Je hoeft niets te zeggen.'

'Wel.' De tranen sprongen haar in de ogen. 'Je bent mijn vriendin, mijn liefste vriendin en je hebt me gesteund, door dik en dun.'

'We hebben elkáár gesteund.'

'Door dik en dun,' herhaalde Sasha. 'Vanaf het moment dat we elkaar leerden kennen, toen je die griezel van een therapeut een dreun verkocht en in de cel belandde, tot nu, de hele periode na de breuk met Frank, heb je me geholpen. Ik weet niet hoe ik erdoorheen was gekomen, hoe ik me als alleenstaande moeder had gered zonder jou.'

'Je had je heus wel gered.'

'Dat denk ik niet. Ik kan dit niet gewoon laten gebeuren. Vertel wat ik nu voor je kan doen. Hoe ik je kan helpen.'

'Zorg dat het goed met jullie gaat, met Ethan en jou.'

'Wat klinkt dat ernstig, Frieda.'

Frieda glimlachte. 'Het is ook ernstig,' zei ze. 'Ik sta op het punt te worden aangeklaagd voor de moord op een man van wie ik ooit gehouden heb.'

'Maar het komt toch niet voor de rechter? Natuurlijk word je niet veroordeeld! Ze zullen je laten gaan.'

'Misschien.'

'Je advocate…'

'Mijn advocate maakt een heel kundige indruk. Maar er is een grens aan wat zij kan bereiken.'

'Ik kan niet geloven dat dit werkelijk gebeurt.'

'Het is ook vervreemdend. Het lijkt wel een droom,' zei Frieda. 'Iets wat andere mensen overkomt.'

'Hoe kun je er zo kalm onder blijven?'

'Ben ik kalm? Ja, ik geloof dat je gelijk hebt.'

'Ik wil alles voor je doen. Alles. Je zegt het maar.'

'Er valt niets te doen. Ik wou dat er iets was. Ik ben nogal moe.'

Sasha zakte neer op de stoel naast Frieda, pakte haar hand vast en bleef zo zitten. Hoe dan ook, je kunt het mij wel vertellen,' zei ze ten slotte.

Frieda keek haar verwonderd aan. 'Wat?'

'Je weet wel.'

'Je bedoelt: of ik Sandy heb vermoord?'

Sasha knikte. 'Ik zou het kunnen begrijpen als dat zo was. Het zou niets veranderen tussen ons. Ik wil zo graag dat je het gevoel hebt dat je daarmee bij mij terechtkunt.'

'Dat heb ik,' zei Frieda. Er viel een stilte; onder de tafel scharrelde Ethan, ze hoorden het zachte getik van houten voorwerpen die op de tegels werden gelegd.

'Nou?' zei Sasha.

'Ik heb niet zoveel te zeggen, behalve dat ik al een hele tijd het gevoel heb dat Sandy beter af was geweest als hij mij nooit was tegengekomen. Hij zou zonder mij een veel gelukkiger leven hebben gehad. Dat hij zo ongelukkig was lag aan mij en ik voel me verantwoordelijk voor zijn dood.'

'Daar moeten we het zeker over hebben,' zei Sasha. 'Maar je hebt nog geen antwoord gegeven op mijn vraag.'

Frieda keek haar glimlachend aan. 'Je bent de enige die me die vraag durft te stellen.'

Plotseling trok Sasha wit weg. 'Het spijt me,' zei ze. 'Ik heb het gevoel...'

Ze zweeg abrupt.

'Wat?'

Er werd een paar keer hard op de voordeur geklopt, en meteen weer een paar keer.

'Dat is Frank,' zei Sasha en ze stond op. 'Zo klopt hij altijd, heel ongeduldig, alsof ik hem laat wachten.' Maar haar toon was mild.

Ze ging opendoen en Frieda stak haar hoofd onder het tafelkleed.

'Frank is er,' zei ze.

Ethan keek op. Zijn gezicht was heel dicht bij het hare en ze zag zichzelf weerspiegeld in zijn grote bruine ogen. 'Kom in mijn grot,' zei hij. 'Het is veilig.'

Om vijf voor halftien de volgende morgen, vrijdag 27 juni, een week nadat Sandy met doorgesneden keel in de Theems was gevonden, arriveerde Tanya Hopkins bij café The Waterhole en nam een tafeltje met uitzicht over het kanaal. Het was een prachtige dag, schoon en fris en op dit vroege tijdstip was de lucht nog zacht. Er liepen, jogden en fietsten mensen langs het raam. In het glanzende bruine water dobberden eendjes tussen het afval.

Tanya Hopkins bestelde een cappuccino en een appelflap. Ze keek op haar mobiel of er berichten waren, maar er was niets belangrijks. Ze dronk haar koffie en scheurde stukjes van haar appelflap. Toen pakte ze haar opschrijfboekje, legde het voor zich op tafel en sloeg het open. Nogmaals checkte ze haar telefoon. Het was tien over halftien. Ze toetste Frieda's nummer in en nadat de telefoon een paar keer was overgegaan sloeg de voicemail aan. Ze liet een kort bericht achter.

Boven aan een nieuwe pagina van haar opschrijfboekje schreef ze de datum en trok er een streep onder. Ze dronk haar cappuccino op en overwoog er nog een te bestellen. Nee, ze zou wachten tot Frieda er was. Ze trok schaduwlijntjes om de letters en cijfers, arceerde ze en streepte vervolgens alles ongeduldig door.

Toen ze weer op haar telefoon keek, was het kwart voor tien. Over een kwartier moesten ze op het politiebureau zijn. Nogmaals toetste ze Frieda's nummer in, maar deze keer liet ze geen bericht achter. Haar ergernis had plaatsgemaakt voor een woede die als een steen op haar maag lag.

Om vijf voor tien rekende ze af. Buiten tuurde ze het jaagpad naar beide kanten af, op zoek naar haar cliënte. Ze liep de treden op naar het water en keek om zich heen. Een laatste keer belde ze Frieda, zonder er iets van te verwachten. Om drie minuten over tien liep ze het politiebureau in en meldde zich. Ze werd naar de kamer van hoofdinspecteur Hussein gebracht.

'Er moet iets zijn gebeurd waardoor Frieda is opgehouden,' zei ze opgewekt. 'We zullen de afspraak moeten verzetten.'

Van achter haar bureau keek Hussein haar aan. Ze verroerde zich niet en haar gezicht stond grimmig. 'O,' zei ze ten slotte. 'Is het heus?'

10

Commissaris Crawford wees met een trillende vinger naar een stoel en Karlsson ging zitten.

'Weet je waarom je hier bent?'

'Ik heb wel een idee, ja.'

'Alsjeblieft, niet zo ironisch. Natuurlijk weet je het. Je vriendin Frieda Klein is ervandoor. Verdwenen. Pleite. Weg.'

Karlsson bleef roerloos zitten. Hij vertrok geen spier, maar staarde naar het gezicht van de commissaris dat zo rood was dat de stoom er haast af kwam. In zijn hals, boven de boord van zijn overhemd, was de vloedlijn van zijn woede duidelijk te zien. 'Wist jij hiervan? Ik vraag je iets, *wist jij hiervan?*'

'Ik wist dat ze weg was.'

'Nee.' Crawford sloeg zo hard met zijn vuist op de tafel dat zijn lege kopje rinkelde en de pennen van hun plaats kwamen. 'Ik bedoel: wist jij dat ze dit van plan was?'

'Nee, dat wist ik niet.'

'Ik weet dat je haar gesproken hebt.'

'Als vriend.'

'Vriend!' Crawfords cynische toon deed Karlsson verstijven; zijn mond verstrakte. 'Daar weten we alles van, van jouw vriendschap met dokter Klein.'

'Ik heb met haar gesproken op persoonlijke titel.'

'En met haar advocate. Goddomme, je hebt met haar en haar advocate gepraat. Jezus, Mal, nu zit je echt goed in de shit. Tot aan je nek.'

'Frieda Klein is een collega én een vriendin van mij. In het korps horen we elkaar te steunen.'

'Ze is een éx-collega.'

'Ik weet dat het tussen jullie niet altijd boterde...'

'Hou op, Mal. Deze vriendin, deze collega, heeft een man vermoord en nu is ze ertussenuit geknepen voor ze kon worden aangeklaagd.'

'Ik weet zeker dat er een verklaring voor is.' De doffe pijn achter Karlssons ogen had zich inmiddels door zijn hele hoofd verspreid. Hij moest denken aan Frieda's omhelzing de vorige dag – terwijl ze elkaar nooit aanraakten, afgezien van een hand op een schouder – en hoe ze hem bedankt had. Het drong tot hem door dat het een afscheid was geweest. Door de bonkende hoofdpijn heen hoorde hij zijn eigen stem. 'Ik vertrouw haar,' zei hij.

'Rot nou maar op. Als ik er ooit achter kom dat je haar op wat voor manier dan ook hebt geholpen, zijn je dagen hier geteld.'

Op de gang kwam hij een grijzende man met een hoornen bril tegen die een dossier onder zijn arm geklemd hield. 'Bent u soms Malcolm Karlsson?'

'Ja. Kan ik u ergens mee helpen?'

De man keek hem peinzend aan, alsof hij zijn best deed iets te bedenken wat Karlsson voor hem zou kunnen doen.

'Nee, nee. Op dit moment niet.'

'Neem me niet kwalijk, maar wie bent u eigenlijk?'

'O, let maar niet op mij. Ik ben hier maar even.'

Hussein keek naar Reuben, die aan de andere kant van de tafel zat. Reuben keek niet naar haar. Ze zaten in de vergaderzaal van The Warehouse. Eén wand was helemaal van glas en het uitzicht over de stad, in zuidelijke richting, benam bezoekers altijd de adem. Op een heldere dag – en het was een heel heldere dag – kon je de heuvels van Surrey zien, dertig kilometer verderop. Na een volle minuut richtte Reuben zijn blik op de hoofdinspecteur. 'Ik heb over een paar minuten een patiënt,' zei hij. 'Dus als u vragen hebt, moet u ze nu stellen.'

'Is het u bekend dat het belemmeren van de rechtsgang strafbaar is?'

'Ik weet dat het niet mag.'

'De maximale straf is levenslang.'

'Ik geloof onmiddellijk dat het een ernstig vergrijp is.'

'Wist u dat er voor Frieda Klein een arrestatiebevel is uitgevaardigd?'

'Nee.'

Hussein wachtte even. Aandachtig keek ze naar Reubens gezicht omdat ze wilde zien hoe hij zou reageren op wat ze ging zeggen. 'Weet u dat ze de benen heeft genomen?'

'De benen genomen? Hoe bedoelt u?'

'Ze had zich vanmorgen moeten melden op het politiebureau, samen met haar advocate. Ze is niet komen opdagen.'

'Dan moet er iets tussen zijn gekomen. Of er is een ongeluk gebeurd.'

'Ze heeft vanmorgen iets meer dan zevenduizend pond van haar rekening opgenomen.'

Reuben zei niets. Hij wreef over zijn gezicht, alsof hij zichzelf wakker maakte.

'U neemt het erg kalm op,' zei Hussein.

'Ik zit te denken.'

'Ik zal u zeggen waar u over na moet denken. Als u dokter Klein op enigerlei wijze hebt geholpen, als u dit met haar besproken hebt, dan geldt dat als belemmering van de rechtsgang en is dat een strafbaar feit. Als u iets gedaan hebt, als u ook maar enig vermoeden hebt waar ze kan zijn, moet u dat nu tegen mij zeggen.'

Heel zacht beroerde Reuben het tafelblad met zijn vingertoppen.

'Denkt u nou echt dat ze Sandy heeft vermoord?' vroeg hij.

'Wat ik denk doet er niet toe. We hebben een zaak en het OM gaat tot vervolging over.' Ze boog zich over de tafel. 'Dit wordt niks, geloof me nou maar. We leven niet meer in de negentiende eeuw, niet eens meer in de jaren negentig. Iemand als Frieda Klein kan niet zomaar verdwijnen. Wat ze gedaan heeft is niet alleen tegen de wet, het is krankzinnig. Als ze gepakt wordt – en dat wordt ze – zal ze hier heel erg voor moeten boeten, en dat geldt ook voor iedereen om haar heen die iets met haar vlucht te maken heeft. Begrijpt u me?'

'Ja, ik begrijp het.'

'Mooi. Weet u waar ze is?'

'Nee.'

'Of zou kunnen zijn?'

'Nee.'

'Wist u dat ze van plan was ervandoor te gaan?'

'Nee.'

'Is er iemand naar wie dokter Klein toe zou gaan?'

'Dat weet ik niet. Ze is een uiterst onafhankelijke vrouw.'

'Toen ik haar sprak, was er een man bij haar, een buitenlander.'

'Bedoelt u Josef?'

'Ja, zo heette hij. Wie is dat?'

'Een vriend van Frieda. Een bouwvakker. Hij komt uit Oekraïne.'

'Waarom zou zo iemand bevriend zijn met Frieda Klein?'

'Moeten Oekraïners of bouwvakkers zich nu beledigd voelen?'

'Hoe kan ik met hem in contact komen?'

Reuben dacht een moment na, pakte zijn mobiel, schreef een nummer op een papiertje en schoof het over de tafel naar haar toe.

'Wie zou haar nog meer kunnen helpen?'

'Moet ik namen noemen, zodat u ze kunt bedreigen?'

'U moet zich aan de wet houden. Heeft ze naaste familie?'

Reuben schudde zijn hoofd. 'Eén broer die in het buitenland woont en een in de buurt van Cambridge. Naar hem gaat ze zeker niet toe en hij zou haar trouwens ook niet helpen als ze het wel deed.' Reuben dacht even na en keek weer op zijn telefoon. Hij nam het papiertje terug en schreef er een naam en een telefoonnummer op. 'Ze heeft een schoonzus die ze regelmatig ziet. Olivia Klein. Als u uw tijd wilt verdoen, zou u met haar kunnen gaan praten.'

Hussein pakte het papiertje en stond op. 'U bent haar therapeut geweest,' zei ze. 'Ik dacht dat mensen hun therapeut altijd alles vertelden?'

Reuben schoot in de lach. 'Dat was jaren geleden en zelfs toen vertelde ze me alleen wat ze kwijt wilde.'

'Ik weet dat het u niet interesseert wat ik denk,' zei Hussein. 'Maar er is een man vermoord en uw vriendin Frieda Klein is verdwenen en heeft zich ergens ingegraven. Ze saboteert een moordonderzoek en overtreedt de wet – en waarom?'

Reuben stond op. 'U hebt gelijk. Wat u denkt interesseert me niet.'

Olivia Klein woonde ook in Islington; iets oostelijker, maar hooguit anderhalve kilometer van Sandy's huis verwijderd. Toen ze opendeed en Hussein zich voorstelde, was ze meteen in tranen. Bij het horen van Sandy's naam begon ze te snikken en moest Hussein haar bij de arm nemen en naar de zitkamer begeleiden, waar ze op de bank neerzeeg. Hussein liep naar de keuken en kwam na enig zoeken terug met een doos Kleenex. Olivia trok er een handvol tissues uit, veegde haar tranen weg en snoot haar neus.

'U moest eens weten wat Frieda de afgelopen jaren voor mij gedaan heeft. Ze heeft me gered. Niets minder dan dat. Toen David vertrok was ik totaal... maar dan ook totaal...' Ze barstte weer in snikken uit. 'En dan mijn dochter, Chloë, die ging door een vreselijke periode, een ongeleid projectiel was het, en Frieda hielp haar met haar huiswerk en praatte met haar. Ze heeft haar zelfs een tijdje in huis genomen, daar zou ze voor geridderd mogen worden.'

'Ze had waarschijnlijk een vader nodig.'

'Ze had net zo hard een moeder nodig, maar ik kon niks met haar. Toen Frieda Sandy had leren kennen dacht ik dat ze eindelijk iemand had gevonden, maar toen ging het uit, en nu dit. Het is zo...'

Weer verdween haar gezicht in de tissues.

'Mevrouw Klein...'

'Ik weet niks. Ik kende Sandy niet goed en ik heb hem al een jaar niet gezien. Twee jaar. Heel lang in elk geval.'

'Daar gaat het niet om.'

'Waar gaat het dan om?'

Hussein durfde het haast niet te vertellen omdat ze wist wat er dan zou gebeuren. Maar dat gebeurde niet. Toen ze Frieda's verdwijning beschreef, keek Olivia zo geschokt dat Hussein zich afvroeg of ze de informatie wel in zich opnam. Met dat bleke, vlekkerige gezicht zag ze eruit als een kind, een kind dat zo hard en lang had gehuild dat ze geen tranen meer overhad.

'Maar waarom?' vroeg Olivia met een klein stemmetje. Ze leek alleen nog maar te kunnen fluisteren. 'Waarom zou ze dat doen?'

'Ik had gehoopt dat u me dat kon vertellen.'

'Hoe moet ik dat weten? Ik weet nooit waarom Frieda doet wat ze doet, zelfs achteraf niet.'

'Ze heeft dit gedaan...' Hussein sprak elk woord luid en duidelijk uit, zodat er geen misverstand kon ontstaan, '... omdat ze wist dat ze elk moment voor een ernstig misdrijf zou worden aangehouden.'

'Maar u denkt toch niet dat zij het gedaan heeft? Onmogelijk.'

'Laat me heel duidelijk zijn,' zei Hussein. 'Als u hier iets van weet, als u Frieda op wat voor manier dan ook hebt geholpen, dan moet u me dat vertellen, dat is heel belangrijk.'

'Wat, ik?' riep Olivia plotseling uit. 'Ik weet niet eens hoe de dvd-speler werkt. Als Chloë naar school is en ik iets wil kijken, moet ik haar bellen en dan geeft ze me stap voor stap instructies die ik nog steeds niet kan onthouden. Denkt u nou echt dat Frieda míj zou vragen haar te helpen vluchten? Ik ben zelf een drenkeling. Er zit een drenkeling tegenover u, echt. Zo nu en dan trekt Frieda me aan wal, maar dan raak ik weer te water. Ik kan u wel zeggen dat áls Frieda mij om hulp had gevraagd, ik alles voor haar zou hebben gedaan wat binnen mijn vermogen lag.'

'Dat zou dan een misdrijf zijn geweest.'

'Jammer dan. Maar ze heeft me niet om hulp gevraagd, ze is niet gek.'

Het huis in Belsize Park zag eruit alsof het van binnenuit gesloopt werd. Er stonden vier afvalcontainers langs de stoep. Oude planken, gipsplaten en kabels werden door de voordeur naar buiten gedragen. Intussen werd er een steiger gebouwd waarvan de onderdelen uit een busje werden geladen. Hussein moest een helm op en Josef, die ergens ver weg in het huis aan het werk was, werd geroepen. Ze was eraan gewend dat mensen soms vreemd reageerden wanneer ze met de politie in aanraking kwamen, maar toen Josef in de deuropening verscheen en haar zag staan, glimlachte hij alsof hij haar had verwacht. Ze volgde hem door het huis naar de grote, diepe tuin aan de achterkant.

'Lijkt me een grote klus,' zei ze.

Hij keek naar de achtergevel alsof hij die voor het eerst zag. 'Ja, groot.'

'Het lijkt wel alsof ze niets heel laten.'

'Strippen. Ja.'

'Dure grap.'

Josef haalde zijn schouders op. 'Je geeft vijftien, twintig miljoen uit aan een huis, nog twee of drie erbij is niet veel.'

'Voor mij wel.'

'Mij ook.'

'We zijn op zoek naar Frieda. Weet u waar zij is?'

'Nee.'

Hussein verwachtte dat hij nog iets zou zeggen, of zou protesteren, maar hij deed er verder het zwijgen toe, alsof alles was gezegd.

'Toen ik u met dokter Klein meemaakte, had ik het gevoel dat u er was om haar bij te staan, als dat nodig mocht zijn.'

'Vriend. Alleen maar vriend.'

'Ik heb het politiedossier van dokter Klein gelezen. Uw naam komt erin voor.'

Josef glimlachte bij de herinnering. 'Ja. Grappig.'

'U bent ernstig gewond geraakt.'

'Nee, nee. Niet erg.' Hij raakte zijn arm even aan en maakte een puffend geluid.

'U weet dat dokter Klein voortvluchtig is?'

'Voortvluchtig?'

'Op de vlucht. We willen haar arresteren.'

'Arresteren?' Hij keek ontdaan. 'Niet goed.'

'Nee, niet goed. Heel ernstig.'

'Ik moet nu werken.'

'U komt uit Oekraïne?'

'Ja.'

'Als u iets weet over Frieda Kleins verblijfplaats en dat verzwijgt, of haar op enigerlei wijze geholpen hebt, is dat strafbaar. Dat betekent dat u wordt veroordeeld en het land uit wordt gezet. Begrijpt u me? Dan wordt u teruggestuurd naar Oekraïne.'

'Is dit…' Hij zocht naar het woord. 'Dreigement?'

'Het is de waarheid.'

'Sorry. Ik moet werken.'

Hussein haalde een kaartje uit haar zak en gaf het aan Josef. Hij bekeek het alsof het hem interesseerde.

'Als u iets hoort, wat dan ook…' zei ze.

Toen Hussein weg was bleef Josef nog een paar minuten in de tuin staan. Terug in het huis praatte hij even met Donald, de opzichter. Toen ging hij naar buiten, liep de straat uit, sloeg op Haverlock Hill rechts af en liep de heuvel af naar de ijzerhandel. De grote, kaalgeschoren man achter de toonbank knikte Josef toe. Sinds hij aan deze klus werkte, was hij daar elke dag geweest. De bestelling lag klaar. Josef haalde zijn telefoon uit zijn zak en keek hoe laat het was.

'Ik ben over een halfuur terug,' zei hij.

Hij stak de straat over, naar Chalk Farm Station, waar hij de metro naar het zuiden nam, één halte maar, tot Camden Town. Vlak voor de deuren dichtgingen stapte hij snel uit en keek om zich heen. Afgezien van een groep tieners, waarschijnlijk op weg naar de markt, was er bijna niemand op het perron. Hij verliet het station en liep in noordelijke richting Kentish Town Road op, tot hij via een paar treden naar beneden bij het kanaal kwam. In de verte zag hij de markt, maar hij sloeg links af en liep onder de brug door. Af en toe jogde er iemand voorbij en toen hij een fietser hoorde bellen, ging hij aan de kant. Een boot tufte hem tegemoet, op de achterplecht stond een oude man met een grijze baard aan het roer. Josef bleef staan om de boot langs te zien varen, en glimlachte toen hij de bontgekleurde krullen zag waarmee het vaartuig was opgesierd. De man zwaaide naar hem en hij zwaaide terug. Iets verderop zag hij onder de brug een bekend silhouet. Toen hij dichterbij kwam, draaide Frieda zich om. Josef haalde een briefje uit zijn zak en gaf het aan haar. Ze keek ernaar.

'Een vriend van je?'

Josef knikte.

Frieda stopte het briefje in haar zak. 'Dank je wel,' zei ze.

'Ik ga mee naar hem.'

'Nee. Je mag niet weten waar ik ben. Of hoe je me kunt bereiken.'

'Maar Frieda…'

'Je moet niets te verbergen hebben en niets om over te liegen.' Ze keek naar zijn mistroostige gezicht en zwichtte. 'Als ik je nodig heb beloof ik dat ik het je laat weten. Maar je moet niet naar me op zoek gaan. Oké?'

'Oké. Ik vind het niet leuk, maar oké.'

'Beloof het me.'

Hij legde zijn hand op zijn hart en maakte een lichte buiging. 'Ik beloof het,' zei hij.

'Zijn ze al bij je geweest?'

'De vrouw. Ja.'

'Het spijt me. Weet je, Josef, ik ben niet goed in…'

Josef hief zijn handen op. 'Ooit lachen we erom.'

Maar Frieda schudde haar hoofd en wendde zich af.

II

Frieda liep langs het kanaal en even later kocht ze in een klein winkeltje op Caledonian Road een prepaid telefoon. Ze belde het nummer en na een kort gesprek nam ze de trein die bovengronds de East End doorkruiste, een paar keer heen en weer het kanaal over ging en langs achtertuinen, sloperijen, pakhuizen en volkstuincomplexen reed. Daarna ging de trein ondergronds, om een paar minuten later op te duiken in een ander land: Zuid-Londen. Toen Frieda bij Peckham Rye was uitgestapt had ze een plattegrond nodig om kriskras door een woonwijk, langs een school en kleine werkplaatsen onder het spoorviaduct het woningbouwcomplex te vinden waar ze moest zijn. Elk woonblok had een naam: Bunyan, Blake en – haar bestemming – Morris.

Op de stoep voor het pand stond een man te bellen. Met zijn sportschoenen, trainingsbroek, gele voetbalshirt met voorop de naam van een energiebedrijf en zwarte jack zag hij eruit alsof hij eerder langs de lijn van een voetbalveld thuishoorde. Hij was lang en had zijn haar in een staartje gebonden waardoor de ringetjes in zijn oren goed te zien waren. Ook in een van zijn wenkbrauwen had hij een piercing. Misschien wilde hij een baardje en een snor laten staan, maar het kon ook dat hij zich gewoon een paar dagen niet had geschoren. Toen hij Frieda zag, stak hij zijn vrije hand naar haar op, een gebaar waarmee hij haar groette, zich verontschuldigde en duidelijk maakte dat ze even moest wachten. Hij gaf een ingewikkelde bestelling door. Toen hij klaar was, borg hij zijn mobiel op en maakte een moedeloos gebaar.

'Tegen de tijd dat ze het begrijpen, had ik het zelf kunnen halen.'

Zijn accent was een mengeling van Zuid-Londens en iets Oost-Europees. Ze gaven elkaar een hand.

'Deze kant op,' zei hij en ze liepen over een binnenplaats die Blake en Morris van elkaar scheidde.

'Vriendin van Josef?' zei de man. Frieda knikte. 'Lev,' zei hij.

'Frieda. Komt u ook uit Oekraïne?'

'Oekraïne?' Levs gezicht brak open in een glimlach. 'Ik kom uit Rusland. Maar we zijn als broers.'

'Ja, daar heb ik over gelezen in de krant.'

Lev keek haar fronsend aan, alsof hij dacht dat hij in de maling werd genomen, en het kwam in Frieda op dat ze hem maar beter niet tegen zich in het harnas kon jagen. Lev ging haar voor, een trap op, en nog een, tot ze op de derde etage waren. Ze liepen over een galerij langs woningen waarvan de meeste met blauwgrijze stenen waren dichtgemetseld.

'Die zijn goed afgesloten,' zei Frieda.

Lev bleef staan, liet zijn handen op de reling rusten en keek als een bezorgde huiseigenaar naar Blake House aan de overkant. 'Ze zetten de mensen eruit,' zei hij. 'Dan komen de stenen.'

'Wat gaan ze hier doen?'

'Het blok op de hoek is al leeg. Wordt gesloopt volgend jaar, en dan nieuwbouw. Over twee, drie jaar deze ook.'

Ze liepen door tot ze bij een deur kwamen die met zo'n dun laagje witte verf was bedekt dat de donkere ondergrond nog goed te zien was. Lev haalde een ring met twee sleutels tevoorschijn waar een naakt vrouwenfiguurtje als sleutelhanger aan hing. Hij haalde een van de sleutels van de ring en keek ernaar. 'Ik geef jou de sleutel,' zei hij. 'En jij geeft mij…' Hij dacht een moment na. 'Driehonderd.'

Frieda haalde een stapeltje bankbiljetten uit haar zak en nam er vijftien af. Ze gaf ze aan Lev, die ze meteen in zijn zak stopte.

'Voor de…' Hij maakte een gebaar met zijn hand, op zoek naar het woord.

'Onkosten?' hielp Frieda.

'Ja, wat dingen te betalen.'

Hij haalde de deur van het slot. 'Welkom,' zei hij, en stapte opzij om haar voor te laten gaan.

Frieda stond in een halletje. Het rook er naar vocht en urine en nog iets anders, iets zoets en ranzigs. Het zag eruit alsof de vorige bewoners overhaast waren vertrokken. Wat er aan de muur had gehangen leek eraf te zijn gerukt, waardoor er scheuren en putjes in het pleisterwerk te zien waren. Ze drukte twee keer op een lichtknopje. Gelukkig, er was stroom. Ze zette haar tas neer en liep door de kamers. Er stonden een bank en een tafel in de zitkamer en een eenpersoonsbed in een achterkamertje; de badkamer en keuken waren leeg. Geen tafel, geen stoel, geen pot, geen pan.

'Is deze woning van jou?' vroeg Frieda.

Lev trok een grimas. 'Ik pas op,' zei hij.

'En stel dat er iemand komt die vraagt wat ik hier doe?'

'Niemand komt, waarschijnlijk.'

'Als ernaar gevraagd wordt, noem ik dan jouw naam?'

'Geen namen.' Lev boog zich over een elektrisch kacheltje in de hoek van de zitkamer. Hij keek op. 'Als je weggaat, deze niet aan laten,' zei hij. 'Is misschien probleem. Ook beter niet als je slaapt denk ik.'

'Oké.'

'Jij blijft drie weken, vier weken?'

'Dat denk ik. Wie woont hier verder nog?'

'Alleen jij.'

'Ik bedoel in het gebouw.'

'Allerlei. Syrië nu. Roemenië. Altijd de Somaliërs. Die komen en gaan. Behalve een oude vrouw, heel oud. Engels, van lang geleden.'

'Is er verder nog iets wat ik moet weten?'

Lev keek peinzend.

'Altijd de deur binnen op slot doen. Soms veel harde muziek, beter oren dichtstoppen dan klagen.'

Hij gaf Frieda een hand.

'Wat doe ik met de sleutel als ik de flat niet meer nodig heb?'

Hij maakte een wegwerpgebaar. 'Gooi maar in vuilnisbak.'

'En als er een probleem is, hoe kan ik je dan bereiken?'

Hij ritste zijn jack dicht. 'Als er een probleem is, het beste is verhuizen.'

'Heb ik je nummer niet nodig?'

'Waarvoor?'

Frieda kon geen reden bedenken. 'En de volgende huur?'

'Er is geen huur.'

'Nou, bedankt, voor alles.'

Hij haalde zijn schouders op. 'Nee, nee. Dit was als dank voor mijn vriend Josef.'

Frieda dacht er maar niet over na wat Josef voor Lev gedaan had om op deze manier te worden bedankt. Ze hoopte maar dat het een goedkope verbouwing was geweest.

'Nou,' vervolgde hij. 'Het beste.' Hij liep naar de voordeur. 'Nu ik denk, misschien de kachel helemaal niet gebruiken. Is niet zo goed. En het is zomer, dus niet nodig.' Toen verdween hij en was Frieda alleen.

Ze liep heen en weer door de flat. In de zitkamer bleef ze staan en keek naar een hoek waar het behang was losgeraakt. De hele woning maakte een verlaten indruk, treurig, verwaarloosd. Een perfecte schuilplaats.

Nu moest ze aan de slag. Ze haalde een blocnote en een pen uit haar schoudertas en maakte een lijst. Toen ging ze naar buiten, draaide de deur achter zich op slot, liep de drie trappen af en stak de binnenplaats over naar de straat. Ze volgde de weg terug die ze gekomen waren en even later stond ze in de winkelstraat. Onder de strakblauwe hemel zag de omgeving er armoedig uit.

Ze ging een bazaar in die afgeladen was met artikelen die lukraak bij elkaar leken te zijn geraapt. Er was een afdeling met alleen maar Tupperware, en schappen vol met waterpistolen. Er waren papieren bordjes, badeendjes, serpentines, allerlei soorten hengels, ragebollen, badschuim, fotolijsten en bont versierde kopjes, plastic bloemen, wc-borstels en gootsteenontstoppers en allerlei andere keukenspullen. Frieda kocht papieren bordjes, plastic bestek, afwasmiddel, wc-papier, een witte beker, een glaasje en een kleine waterkoker in een afzichtelijke kleur roze.

Ze was niet van plan veel tijd in haar nieuwe onderkomen door te brengen, en er was geen koelkast of fornuis, dus kocht ze in een kleine supermarkt een paar honderd meter verderop alleen een pak gemalen koffie, theezakjes, een klein pak melk, een doosje lucifers en een zak waxinelichtjes.

Beladen met tasjes liep ze terug naar de flat en legde haar aankopen op tafel. Uit haar weekendtas haalde ze een fles whisky en zette die ook op tafel. Ze had maar weinig meegenomen: een paar kleren, een essaybundel over de psychotherapeutische praktijk, een bloemlezing van gedichten, toiletartikelen, een schetsblok en een paar zachte potloden.

Ze vulde de waterkoker met water dat gutsend uit de kraan kwam en duwde de stekker in het stopcontact. Toen ze thee had gezet ging ze op de bank zitten, uit de buurt van een verdachte vlek in de bekleding, en keek om zich heen. De zon scheen door het vuile raam en viel in banen op de kale vloer. Zo voelde het dus om vrij te zijn, dacht ze; ze had alle banden verbroken en ging het onbekende tegemoet.

Een kwartier later was ze terug in de winkelstraat en ging ze een zaak binnen die KAMPEERWINKEL op de pui had staan en waar spotgoedkope tenten, rubberlaarzen, voetballen, visnetjes voor kinderen, fleece vesten met een rits, waterdichte regenjacks en T-shirts voor een habbekrats te koop waren. In een schemerig hoekje achter in de winkel vond ze wat ze zocht: een slaapzak voor tien pond.

Ze had de Primark al gezien toen ze het metrostation uit kwam. Het was een winkel waar ze zelf nog nooit was geweest, maar waar Chloë vroeger haar halve garderobe vandaan haalde: sandalen, leggings en stretchjurkjes die haar billen amper bedekten en waar ze triomfantelijk mee liep te pronken. Frieda ging de winkel in en werd verblind door de felle verlichting waardoor het interieur aan een overbelicht toneel deed denken. Even werd ze overdonderd door de enorme hoeveelheid kleren overal om haar heen, op schappen, aan rekken en in bakken. Ze stuitte op een spiegel en bekeek zichzelf. Een sober geklede vrouw, bleek, zonder make-up, het haar strak naar achteren gekamd: dat kon zo niet.

Een halfuur later stond ze buiten met een rode rok, een bloemetjesjurk, een legging met een patroontje, een hip gestreept blazertje, teenslippers met een bloem bovenop, drie T-shirts in felle kleuren (twee met een logo dat ze niet eens gelezen had) en een schoudertas met noppen en kwastjes. De kleren waren haar smaak niet en de tas vond ze helemaal afschuwelijk, maar dat was misschien juist goed: de kleren vertegenwoordigden iemand die zij niet was, ze hoorden bij de rol die ze zou gaan spelen. Nu was er nog één ding dat ze moest doen.

'Hoe wilt u het hebben?'

'Kort.'

'Hoe kort? Boblijn? Met een onregelmatige pony?'

'Nee, gewoon kort.' Ze keek om zich heen en wees naar een foto. 'Zoiets.'

'Beetje jongensachtige look?'

'Ik vind het best.'

Het meisje dat naast haar stond bekeek haar kritisch in de grote spiegel. Frieda had er de pest aan om bij de kapper in het harde licht te zitten en haar gezicht eindeloos in de spiegels herhaald te zien. Ze leunde naar achteren, liet haar nek tegen de gebutste rand van de wasbak rusten en sloot haar ogen. Lauw water stroomde over haar haar en drupte in haar hals. De vingers van het meisje masseerden haar hoofdhuid. Het was te intiem. Frieda rook een mengeling van sigaretten en een zoetig parfum. Toen ze weer rechtop ging zitten, hield ze haar ogen dicht. Het koude metaal van de schaar die zich een weg door haar haar knipte drukte tegen haar nek en ze zag de lokken voor zich die in vochtige plukken op de grond vielen. Sinds haar jeugd had ze geen kort haar meer gehad en ze kwam zelden bij de kapper – af en toe werd ze door Sasha, Chloë of Olivia geknipt. Ze moest aan hen denken, bezig met hun eigen leven. Alles leek ver weg; de wereld aan de andere kant van de rivier, de straten waar ze 's avonds wandelde, haar kleine huisje, de rode leunstoel in haar spreekkamer, haar oude, vertrouwde zelf.

Ze deed haar ogen open en zat oog in oog met een vrouw met kort, donker haar dat in sliertjes een gezicht omlijstte dat smaller en misschien jonger leek, met grote donkere ogen. Gespannen, alert, vreemd. Ze was het, maar ze was het ook niet; Frieda die Frieda niet meer was. Toen ze weer buiten in de onbekende straat stond, haalde ze een bril met een dik montuur uit haar tas en zette hem op. Het was er een met vensterglas, maar toch zag de wereld er totaal anders uit.

Ze stak de straat over naar een kleine supermarkt. In een schap met kantoorartikelen vond ze een opschrijfboekje met een paard op het omslag en een doosje met pennen. Ze rekende af en liep verder langs een wedkantoor en een showroom met tweedehandskantoormeubels. Op de hoek was een winkel met op een groot, oranje uithangbord: SHABBA TRAVEL LTD. GOEDKOPE TICKETS NAAR ALLE BESTEMMINGEN. GELDWISSELKANTOOR. INTERNETCAFÉ. Op het raam hing een papier met daarop de wisselkoers van de taka. Ze ging naar binnen. Frieda wist niet dat er nog reisbureaus bestonden, maar het zag er dan ook niet uit als de reisbureaus die ze zich herinnerde. Geen posters aan de muren, geen folders. Aan een café deed het ook niet denken. Er stond een rij tafels met op elk een computer. Links, voor een wand met archiefdozen, was een balie van multiplex waarachter een man stond te bellen. Hoewel het geen warme dag was, stond hij te zweten in zijn strakke blauwe T-shirt, dat twee maten te klein leek. Toen hij Frieda in de gaten kreeg, kreeg zijn gezicht een achterdochtige uitdrukking.

'Kan ik een van deze gebruiken?' vroeg ze.

'Vijftig pence per kwartier,' zei hij. 'Eén twintig voor een uur.'

Ze legde twee munten op de balie. 'Welke kan ik nemen?'

Hij maakte een vaag gebaar en ging verder met zijn gesprek. Er was maar één computer in gebruik. Twee jongemannen zaten achter een beeldscherm, de ene zat te tikken en de andere keek over zijn schouder mee en vertelde zijn vriend op luide toon wat hij moest doen. Ze ging achterin zitten en draaide het scherm zo dat niemand anders erop kon kijken. Ze googelde meteen haar eigen naam. Toen ze de lijst met hits bekeek, kreeg ze een schok. Het eerste item dat ze zag was 'Frieda Klein necrologie'. Dat was geen goed voorteken. Ze klikte een link aan die echt over haar leek te gaan en zag de bekende foto die de kranten al eerder van haar hadden gebruikt:

VAN MOORD VERDACHTE POLITIEPSYCH SPOORLOOS
POLITIE ROEPT GETUIGEN OP NA VLUCHT FRIEDA KLEIN

Frieda had gehoopt dat een psychotherapeute die niet voor een verhoor komt opdagen geen voorpaginanieuws zou zijn, maar dat had ze mis. De ene na de andere site bracht het verhaal, en steeds met dezelfde foto. Er was ook een link bij naar een regionaal tv-station. Ze klikte door en zag een blonde nieuwslezeres die haar naam noemde. Terwijl ze met haar hand naar het volumeknopje zocht om het geluid zachter te zetten, stokte haar adem. In plaats van de nieuwslezeres was hoofdinspecteur Hussein te zien bij de ingang van het politiebureau. Weer verscheen de foto van Frieda, met daaronder het telefoonnummer van de politie. Toen volgde er een verslag van een koninklijk bezoek aan een Londense basisschool. Een paar seconden staarde Frieda naar een groepje kleine kinderen dat op een speelplaats een volksdans uitvoerde. Ze stond op.

'Je moet hem uitzetten.'

'Wat?'

Ze keek om zich heen. De man had zijn gesprek beëindigd en leunde op de balie. Frieda zette de computer uit.

'We geven geen geld terug,' zei hij.

Frieda liep naar buiten. Welke kant moest ze op? Het was om het even, maar vreemd genoeg kon ze daardoor juist geen besluit nemen. Ze sloeg rechts af, liep een stukje rechtdoor en ging weer rechts een straat in, die naar een parkje leidde. Aan de ene kant was een speeltuin, verder waren er alleen rododendrons en gras.

Ze ging op een bankje aan de andere kant zitten en het duurde even voor ze haar gedachten kon ordenen. Eerst kwamen er alleen maar beelden in haar op, onsamenhangend als in een droom. Ze deed haar ogen dicht en zag Sandy als in een montage van fragmenten. Sandy met zijn trage lachje, Sandy die in bed naar haar ligt te kijken terwijl ze zich aankleedt, Sandy naast haar in de auto, achter het stuur, en tijdens de laatste vreselijke wandeling naar de Theems toen ze het had uitgemaakt. En hoe hij daarna was geweest, zich had vastgebeten in zijn woede en verdriet. Plotseling kwam de neiging in haar op om zich aan te geven. Eén telefoontje was genoeg. Laat een ander het maar oplossen.

Ze schrok van een vreemde gewaarwording: haar rechterhand voelde iets warms en nats. Ze opende haar ogen. Het was de tong van een hond die aan haar vingers likte. Een Staffordshire bulterriër met een halsband met metalen noppen, als een hond in een tekenfilm. Terwijl ze zachtjes zijn snuit aaide besnuffelde hij haar. Ze vroeg zich af of ze er verstandig aan deed. Waren dit geen vechthonden? Van die honden die niet meer loslieten als ze je beten, zelfs als je dood was?

'Houdt u van honden?'

Ze keek op. De eigenaar leek op zijn hond. Hij had een rond, kaalgeschoren hoofd, met alleen een klein snorretje en een sik.

'Ik hou van katten,' zei ze.

'Hij ook,' zei hij met een valse grijns. 'Kom, Bailey.' Hij gaf de hond een tikje met de riem en Bailey sjokte weg.

Frieda keek naar een man verderop in het park die een winkelwagentje voor zich uit duwde waarin volgepropte vuilniszakken en opgerolde dekens hoog lagen opgetast. Toen zag ze niets meer, want haar gedachten kwamen op Dean Reeve. Het was een gedachte die aan haar vrat. Als een scherp steentje in haar schoen dat haar bij elke stap pijn deed.

Dean Reeve: ze had hem vier jaar geleden leren kennen en wat de politie – en de rest van de wereld – betrof, was hij niet lang daarna doodgegaan. Zelfmoord. Maar Frieda wist dat hij niet dood was, en sindsdien had hij haar niet meer losgelaten. Hij was als een figuur uit haar dromen, iemand die haar in de gaten hield, over haar waakte. Op een dag had een jonge vrouw Frieda bijna omgebracht. Ze had op haar ingestoken, steeds weer. Maar toen de politie arriveerde was de vrouw dood, haar keel doorgesneden. De politie dacht dat Frieda dat uit zelfverdediging had gedaan, maar zij wist dat het Dean Reeve was geweest. Hal Bradshaw had Frieda getergd, geprobeerd haar kapot te maken. Zijn huis was afgebrand. Frieda werd van brandstichting verdacht, maar zij wist dat het Dean Reeve was geweest. Toen Frieda nog heel jong was, had een man haar iets vreselijks aangedaan. Ze had hem opgespoord, maar vervolging was niet meer mogelijk geweest. Hij werd dood aangetroffen, gewelddadig om het leven gebracht. Frieda wist dat Dean Reeve het had gedaan. Ze had met Sandy gebroken. Het was hoog opgelopen, er waren harde woorden gevallen en nu was Sandy dood. Daar moest Dean Reeve achter zitten. Dat kon niet anders.

Frieda stond op en liep het park uit. Er was maar één beginpunt mogelijk. Ze liep naar het station en nam de metro die de Theems overstak en naar het noorden reed. In Shadwell stapte ze over op de Docklands Light Railway naar het oosten. Het was een route die ze eerder had genomen, maar het voelde anders. Terwijl ze uit het raam keek en de achtertuinen, volkstuincomplexen en sloperijen met stapels autobanden voorbij zag komen, had ze het gevoel in een vreemd land te zijn.

In Beckton stapte ze uit. Ze wist de weg. Dean Reeve was verdwenen. Zijn enige broer was dood. Maar Dean Reeve had nog een moeder, June. Ze woonde in het River View Nursing Home, waar Frieda haar ooit had opgezocht. Toen ze door de hoofdingang naar binnen liep, bracht de lucht van vloerreiniger en ontsmettingsmiddel een levendige herinnering bij haar naar boven aan een verschrompelde oude vrouw, een vrouw die verschrikkelijke dingen met Dean had gedaan. Frieda liep naar de receptie. Er zat niemand achter. Toen ze op een bel had gedrukt kwam er uit een kantoor een magere vrouw in een verpleegstersuniform. Ze had een gekwelde uitdrukking op haar gezicht. Frieda dwong zich te glimlachen.

'Hallo,' zei ze. 'Mijn tante woont hier. June Reeve. Kunt u mij ook zeggen waar ik haar kan vinden?'

De vrouw keek haar bevreemd aan. 'Ja,' zei ze. 'En uw naam is?'

'Jane. Jane Reeve.'

'Haar nicht, zei u?'

Frieda keek haar recht aan; haar gezicht, met de nieuwe bril en het korte haar, voelde bloot aan. 'Ja.'

'Ik moet het even nakijken.' Met een frons draaide de vrouw zich om en verdween in het kantoor.

Frieda keek naar de receptie: er stond een telefoon en er was ook een computer. Het soort computer waarop je patiënteninformatie kunt opzoeken, dus waarom was de vrouw weer naar achteren gegaan? Er klopte iets niet. De vrouw wist wie ze was. Ze keek om zich heen, er kwam een man aan die een trolley voor zich uit duwde.

'Ik heb iets voor June Reeve,' zei ze.

De man bleef staan.

'Is die niet overleden?' zei hij. 'Volgens mij is ze overleden. De manager gaat overmorgen naar de uitvaart in het crematorium hier in de buurt. Ik weet zeker dat ze dat zei. Wacht even, dan vraag ik…'

'Nee, dat hoeft niet, hoor,' zei Frieda.

Het kostte haar heel veel moeite om normaal te doen. In haar binnenste schreeuwde een stem dat ze moest maken dat ze wegkwam, en wel onmiddellijk. Ze draaide zich om en liep rustig naar buiten. Alles voltrok zich in slow motion, leek het, alsof ze in een nachtmerrie verzeild was geraakt en door mul zand liep. Ze vervloekte zichzelf dat ze zo onnadenkend was geweest. Karlsson wist van haar en June Reeve. Hij was zelfs samen met Frieda hier geweest. Misschien was niet alleen Hussein, maar ook Karlsson naar haar op zoek, en Karlsson kende haar. Hij kende haar beter dan wie ook. Ze sloeg een hoek om, en nog een. De metro durfde ze niet te nemen, dat lag te veel voor de hand. Ze moest een totaal andere kant op gaan.

Intussen dacht ze na. June Reeve was dood, maar de uitvaart had nog niet plaatsgevonden. Overmorgen in het plaatselijke crematorium, had de man gezegd. Zou Dean erheen gaan? Misschien wel. En de politie?

Er stopte een bus bij een halte en zonder ook maar te kijken waar die heen ging, stapte ze in. Ze liep naar boven en ging voorin zitten, waar ze de straat goed kon overzien. Alles was onwerkelijk, een film waar ze naar zat te kijken. Ze wist dat ze naar June Reeves uitvaart zou gaan, want een andere manier om Dean te vinden was er niet. Alleen dit vage spoor zou misschien leiden naar de man die Sandy had vermoord.

Pas toen ze met een glas whisky op de bank zat en door het raam de zomerse hemel donker zag worden, merkte Frieda hoe moe ze was. In een cafeetje in de buurt had ze toast met een gepocheerd ei gegeten en naar de mensenstroom gekeken die het café passeerde. Nu dacht ze aan de volgende dag, die zich angstwekkend leeg voor haar uitstrekte. Ze herinnerde zich dat een van de professoren uit haar studententijd eens had gezegd: als je een probleem niet kunt oplossen, zoek dan een ander probleem, dat je wél kunt oplossen. Er kwam een naam in haar op en die naam hield ze vast.

Miles Thornton.

12

Frieda werd wakker van het getik van leidingen en een mannenstem die schreeuwde in een taal die ze niet kende. Even bleef ze liggen, haar ogen gericht op het plafond dat vol met barsten en vlekken zat. In haar eigen huisje liep de kat nu door de kamers, waar orde heerste en alles schoon en netjes was. Haar bed, opgemaakt, wachtte op haar terugkeer.

Het was nog vroeg. Toch stond ze op, waste zich snel met koud water en trok haar nieuwe kleurige rok en topje aan. Met dat korte haar voelde haar hoofd vreemd licht aan. Op weg naar beneden zag ze een jonge vrouw die in elkaar gedoken in een hoekje op de trap zat te roken en haar met een lege blik zonder enige belangstelling aanstaarde. Op de binnenplaats reed een jongen met flaporen en kort stekeltjeshaar zachtjes zingend rondjes op zijn fiets. Verder leek het er uitgestorven onder de witte hemel, een spookstad.

Frieda dronk een kop bittere koffie in het cafeetje waar ze de avond daarvoor had gegeten en liep naar het metrostation. In de trein bladerde ze door een *Metro* die op de stoel naast haar was achtergelaten en zag een foto van zichzelf en een kort verslag. De mensen om haar heen lazen hetzelfde krantje. Ze zette haar nepbril op.

Ze kende Miles Thorntons straat in Kensal Green en herinnerde zich dat hij eens had verteld dat hij met drie anderen boven een zaak woonde waar kantoormeubilair werd verkocht. Het adres was niet moeilijk te vinden. Ze wist dat hij ruzie had gekregen met zijn huisgenoten, waarbij hij gewelddadig uit de hoek was gekomen, en een van hen was verhuisd toen Miles weer zwaar psychotisch was geworden. De twee anderen hadden hem soms de toegang tot zijn eigen huis ontzegd en een paar keer de politie gebeld. Frieda was echter degene geweest die hem gedwongen had laten opnemen omdat ze meende dat hij een gevaar voor zichzelf en voor anderen was. In de ogen van Miles was Frieda degene die hem meer dan wie ook had verraden. Hij had haar voor kille tante, monster, kutwijf uitgemaakt. Ze zag zijn gezicht voor zich, zoals hij had gekeken toen hij haar uitschold: bijna onherkenbaar verwrongen, zijn mond nat en wijd open en ogen die vonkten van de haat. Maar ze herinnerde zich hem ook nog zoals hij op kalmere dagen was geweest, dagen waarop hij doodsbang was voor zichzelf.

Ze belde aan en even later klonk er een stem door de intercom en stelde Frieda zichzelf voor.

'Anne Martin, maatschappelijk werk. Het gaat over Miles Thornton. Kan ik u even spreken?'

Er werd iets onverstaanbaars gezegd, toen klonk er een zoemgeluid en ging de deur open. Haar nieuwe teenslippers klakten op de treden van de smalle trap. Boven stond een jonge man in de deuropening van de woning. Hij had een keurige broek aan en een overhemd, maar was op blote voeten en hield een beker koffie in zijn hand.

'Dag,' zei Frieda en stak haar hand uit. 'Anne Martin.'

'Duncan Mortimer,' zei hij. 'Hoi.'

'Mag ik even binnenkomen? Het duurt niet lang.'

Ze wachtte niet tot hij om haar legitimatie zou vragen, maar liep langs hem heen de woning in. Eigenlijk had ze gisteren ook een aktetas moeten kopen. Ze haalde haar opschrijfboekje en een pen uit haar tas.

'Wilt u ook koffie?'

'Nee, dank u. Ik zal u niet lang ophouden.' Ergens in huis hoorde ze een kraan lopen, gevolgd door een deur die dichtsloeg.

'U zei dat het over Miles ging?'

'Ja, een routinebezoek, ter controle.'

'De arme stakker.' Hij nam een slok koffie. 'Vertel eens, bent u bij hem geweest?'

'Bij hem geweest? U bedoelt, van tevoren?'

'Ik heb een rotgevoel over wat er gebeurd is en daarom wil ik graag weten of het goed met hem gaat.'

'Natuurlijk, dat willen we allemaal weten. Daarom ben ik hier.'

'Maar komt het wel goed met hem?'

Frieda keek hem aan; ze had het gevoel dat ze op totaal verschillende golflengten zaten. 'Dat is onmogelijk te zeggen voor we hem gevonden hebben.'

'Gevonden hebben?'

'U weet toch dat hij al een paar weken wordt vermist?'

'Wat?' zei hij. Ze wilde nog iets zeggen, maar hij was haar voor. 'Weet u het dan niet?'

'Weet ik wat niet?'

'Hebt u het niet van de politie gehoord?'

'Ik weet niet wat u bedoelt.'

'Hij is terecht.'

'Miles is terecht?'

'Ja. Eergisteren is hij opgedoken. Ik dacht dat u daarom kwam.'

'O,' zei Frieda. Ze duwde haar bril hoger op haar neus en probeerde haar gezicht in de plooi te houden. 'Nou, dat is goed nieuws.'

De jonge man lachte schel en met onvaste stem. 'O, vindt u dat? Nou, het is anders een enorme puinhoop, hij is compleet geflipt.'

'Psychose?'

'Dat is nog niet eens het ergste. Hij is knettergek geworden als u het mij vraagt. En ook nog ernstig gewond geraakt. Zacht uitgedrukt. Ik heb zijn moeder gesproken, dat arme mens. Hij ziet eruit alsof hij gemarteld is, zei ze.'

De kamer leek ineens veel kleiner en kouder.

'Hoe dat zo?' vroeg Frieda.

'Meer weet ik niet. Ze huilde zo hard dat ik verder maar niets meer heb gevraagd. Ik wilde hem eigenlijk opzoeken maar hij zal me wel niet willen zien. We zijn niet zo goed uit elkaar gegaan.'

'Weet u waar hij nu is?'

'In die psychiatrische inrichting ten zuiden van de rivier. Wacht, ik heb de naam opgeschreven.'

'Laat maar, ik weet wel welke u bedoelt.'

'Als u hem ziet, doe hem de groeten. Zeg maar dat ik hoop dat hij gauw herstelt.'

'Dat zal ik doen.'

Nadat ze in een internetcafé had opgezocht hoe laat June Reeves uitvaart de volgende dag begon – om kwart over elf in het East London Crematorium – kocht Frieda een kaneelbroodje en nam het mee naar een rustig plantsoen om het op te eten en zich te beraden. Ze zat op een houten bank, de zon verwarmde haar hals en haar blote benen; vlakbij scharrelde een duif in het gras. Traag at ze haar kaneelbroodje; het zware, zoete deeg had een troostend effect. Gemarteld. Wat had dat te betekenen? Wie deed zoiets? Ondanks de zomerse hitte sloeg het haar koud om het hart. Want ze meende het antwoord te weten.

Ze opende haar stratenboekje en keek waar ze was. Peckham Rye Park was niet ver. Daar zou ze heen gaan en dan zou ze besluiten wat haar volgende stap werd; ze ging een plan maken, een schema voor de komende uren. Frieda was een vrouw die haar dagen structuur gaf. Zelfs wanneer ze vrij had, plande ze alles in, reserveerde ze tijd voor vrienden en hield ze uren vrij om te tekenen in haar zolderkamertje. Nu strekten de dagen zich leeg voor haar uit. Ze zat in een siertuin met een en al zomers groen om zich heen. Ze probeerde haar gedachten op Miles Thornton te richten: dat hij weer was opgedoken, en was gemarteld. Maar er ontstond een soort mist in haar hoofd en ze kreeg er geen vat op, dus liet ze het maar los. Ze zou er later nog eens over nadenken.

Normaal gesproken zat ze op dit tijdstip in de rode leunstoel in haar spreekkamer naar het gezicht van de patiënt tegenover haar te kijken en naar diens verhaal – of zwijgen – te luisteren. Ze had ze allemaal laten gaan en ze kon er alleen maar naar raden hoe het nu met ze ging. Josef kwam in haar gedachten op, met zijn trieste bruine ogen, en Reuben, en toen moest ze aan haar nichtje Chloë denken, die wist dat ze altijd bij Frieda terecht kon als ze haar nodig had of in de problemen zat – wat dikwijls het geval was. Nu kon dat niet meer.

Toen ze vervolgens de gedachte aan Sasha en Ethan toeliet, ging er een vlijmende steek door haar hart. Van iedereen die ze had achtergelaten waren zij degenen om wie ze zich het meest zorgen maakte. Chloë was wel vaak chaotisch, maar ze was ook boos en veerkrachtig. Sasha daarentegen kwam nooit echt voor zichzelf op. Ze was kwetsbaar en onzeker, vooral nu, als alleenstaande moeder met een zware baan, een klein kind, een boze ex en een – in Frieda's ogen – zelfgenoegzame, onsympathieke oppas. En Ethan kon zijn mannetje ook nog niet staan. Hij trok zich dan wel vaak terug in zijn eigen veilige domein onder de tafel, maar in de echte wereld had hij een moeder die zich amper staande hield, een gekrenkte, boze vader en een oppas die hem met snerpende stem voor 'stout kind' uitmaakte.

Ze wierp nog een laatste blik in haar stratenboek en toen nam ze een besluit. Tien minuten later zat ze in de metro van Peckham Rye naar Dalston Junction, waar ze op het busstation de 243 nam, naar Wood Green. Afgezien van een klein, treurig vrouwtje met een morsig schoothondje aan haar voeten was ze de enige passagier. Geen van beide nam notitie van haar. Bij Stoke Newington stapte ze uit en ging een biologisch eettentje binnen, waar ze een groentewrap en een flesje water kocht. Toen liep ze naar het huis van Sasha. Het kostte haar moeite om niet steeds om zich heen te kijken. Gestaag liep ze door, ook toen ze Sasha's huis passeerde en even opzij keek, maar zonder iets te zien. De gordijnen boven waren dicht, beneden waren de rolgordijnen halfopen. Er was niemand te zien. Aan het eind van de straat bleef ze staan en leunde tegen een plataan. Hoewel ze geen honger had, nam ze een paar happen van de wrap terwijl ze keek of er enig leven bij het huis te bespeuren was. Sasha zou pas over een paar uur thuiskomen van haar werk, maar Ethan en Christine zouden er waarschijnlijk eerder zijn.

Om twee uur verliet ze haar post en liep het kleine eindje naar Clissold Park. Hier was ze heel vaak geweest met Sasha en Ethan, soms ook met Frank erbij – en een paar keer met Sandy. Ze had den Ethan een keertje meegenomen in zijn buggy en hem de eendjes en de herten laten zien. Even was het of Sandy naast haar liep, naar haar keek, luisterde, zijn hoofd lachend achterover gooide en haar hand pakte. Nee, hij was dood – vermoord – en ze was alleen. Hoe had het zover kunnen komen?

Ze stond bij de omheining van het hertenweitje en drukte haar gezicht tegen het ijzergaas. Toen zag ze ze aan de overkant, half verscholen tussen de bomen. Eerst zag ze Ethan, met een hoogrood, vlekkerig hoofdje, en daar was Christine, die hem aan zijn handje meetrok. Hij huilde; nu kon ze hem ook horen, hoewel ze niet kon verstaan wat hij zei, maar misschien zei hij ook niets, snikte hij het alleen maar uit van ellende. Met een harde trek op haar gezicht sleurde Christine hem mee. Ze deed helemaal niets om hem te kalmeren, trok hem alleen maar mee alsof hij een zware last was. Toen Ethan struikelde liep ze stug door terwijl hij aan haar arm hing. 'Mammie, mammie, mammie!' riep hij, en hij probeerde zich om te draaien, haar mee te krijgen, terug naar waar ze vandaan waren gekomen. Zijn betraande, snotterige gezicht was tot een grimas vertrokken.

Frieda bleef roerloos staan kijken tot ze in de bocht van het pad uit het zicht verdwenen en zijn uithalen niet meer te horen waren. Haar vuisten waren gebald; haar hart kromp ineen. Het kostte haar moeite om zich te beheersen en niet achter hen aan te rennen en het kind uit de greep van die vrouw te bevrijden. Ze deed het niet, maar draaide zich om en nam de weg terug die zij genomen moesten hebben. Er lagen stukjes hout op het pad; toen ze zich bukte, zag ze dat het Ethans speelgoedbeestjes waren, de beestjes die hij meenam als hij zich onder de tafel in zijn fantasiewereld terugtrok. Daarom wilde hij terug. Ze raapte ze een voor een op, keek goed of ze er geen een over het hoofd had gezien en veegde het zand eraf.

Frieda wandelde die middag nog urenlang door de stad en miste haar vertrouwde comfortabele schoenen. Ze ging naar het kanaal, liep langs de woonboten waarvan sommige groot waren en pas geverfd en andere haveloze drijvende krotten leken, en liep net zo lang door tot ze in Islington bij de tunnel kwam en omhoog moest, om even later weer af te dalen naar het water en door te lopen tot aan Caledonian Road. Ze kwam langs het huis waar Sandy had gewoond – ze wist dat dat niet zo verstandig was – en stond zichzelf de fantasie toe dat ze op weg was naar haar eigen huis. In plaats daarvan zocht ze een bankje in het kleine natuurgebied bij King's Cross en keek naar een groot binnenschip dat in een kruidentuin was omgetoverd en waar kreten van schoolkinderen te horen waren die er door een vrijwilliger werden rondgeleid.

Toen het avond werd en de zon lager aan de hemel stond, liep ze terug naar Stoke Newington, naar haar uitkijkpost op de hoek van Sasha's straat. Ze wist dat Sasha van de andere kant zou komen als ze uit haar werk kwam en ja hoor, even na zessen zag ze haar vriendin langzaam op haar huis af lopen. Zelfs op afstand was te zien dat ze mager was, en haar afhangende schouders waren een vertrouwd gezicht. Bij de voordeur liet ze haar sleutels vallen en zakte ze door haar knieën om ze op te rapen. Toen ze weer overeind kwam deed ze de deur niet meteen open. Het leek of ze zich schrap zette voor een beproeving. Toen ging ze naar binnen.

Vier minuten later kwam de keurige, kordate Christine naar buiten en zette er energiek de pas in. Boven gingen lampen aan. Frieda wachtte nog even, toen liep ze naar Sasha's deur. Ze had enveloppen gekocht en in een ervan had ze de houten speeltjes van Ethan gestopt en er zijn naam in grote blokletters op gezet. Ze duwde hem door de brievenbus en snelde voor ze zou zwichten de straat uit.

13

Frieda ging terug naar de Primark. Ze had geschikte kleren nodig voor een begrafenis. Ze liep de rekken langs op zoek naar iets donkers, maar zonder schreeuwerige slogan op de voorkant. Uiteindelijk vond ze een donkergrijze broek en een bruine trui. Dat kon ermee door, hoewel ze Chloë's vieze gezicht al voor zich zag bij het zien van de combinatie grijs en bruin. Daarna ging ze naar een drogist en kocht ze een goedkope zonnebril.

June Reeves uitvaart begon om kwart over elf. Het East London Crematorium was ver weg, helemaal bij Ilford; Frieda ging vroeg van huis, nam de metro en daarna een bus, en arriveerde iets voor tienen. Door een groot ijzeren hek betrad ze het terrein waar een gebouw stond dat met zijn façade van zuilen en klassieke deurposten ook een victoriaanse bibliotheek of school had kunnen zijn. Voor de uitvaart die aan die van June Reeve voorafging had zich een grote menigte verzameld, wel honderd mensen in donkere pakken en jurken. Ze stonden in groepjes te wachten tot ze naar binnen mochten. En zoals bij grote begrafenissen vaker het geval is, was het deels een somber gebeuren en deels een familiereünie. Frieda zag vrouwen die elkaar begroetten en lachend omhelsden, tot ze ineens beseften waar ze waren en een treurig gezicht opzetten. De deuren gingen open en de mensen dromden naar binnen. Frieda voegde zich bij een groepje dat een beetje afstand hield en niet bij de naaste familie of goede vrienden leek te horen.

Ze kwamen in een grote hal die ingrijpend was gemoderniseerd: tussen de victoriaanse zuilen waren wanden van glas en staal geplaatst. Een uitvaartbegeleider ging de groep voor naar de kapel in de oostelijke vleugel. Het kerkinterieur werd overheerst door blank hout en alle religieuze symbolen waren tactvol verwijderd. Frieda ging achterin op een bank in het zijschip zitten. Ze was zo ver weg met haar gedachten dat ze verrast opkeek toen de vloer achter haar kraakte en iedereen ging staan omdat de kist door het middenpad naar voren werd gedragen. Frieda pakte het uitvaartboekje dat voor haar lag. Margaret Farrell. Ze keek naar de jaartallen en maakte een sommetje. Ze was negentig geworden, of misschien negenentachtig.

Toen de kist was neergezet liep een donker geklede vrouw naar de katheder. Ze zag er niet uit als een predikante, wat ze ook niet bleek te zijn. De vrouw beschreef Margaret Farrell als een lerares, feministe, humaniste, echtgenote en moeder, niet noodzakelijkerwijs in die volgorde, wat enige bedekte hilariteit in de zaal veroorzaakte. Nadat de een na de ander naar voren was gekomen om een hommage te brengen, te zingen of viool te spelen, concludeerde Frieda dat de vrouw een goed leven moest hebben gehad. In elk geval heel wat beter dan dat van June Reeve. Frieda voelde zich een beetje schuldig dat ze onder valse voorwendselen was binnengekomen. Ze vermoedde dat de politie zou komen kijken wie naar June Reeves begrafenis kwam, maar op de mensen die een eerdere uitvaart bezochten zouden ze waarschijnlijk geen acht slaan. Dat hoopte ze althans.

Frieda hoorde flarden van gedichten en muziek die Margaret Farrell mooi had gevonden, maar ze was hoofdzakelijk in haar eigen gedachten verzonken. Ze wist dat Dean zijn moeder een of twee keer in het verpleegtehuis had opgezocht. Zou hij naar haar begrafenis komen? Het zou zijn laatste kans zijn. In haar hoofd waren de namen Dean Reeve en Miles Thornton een riedel geworden die ze was gaan haten, maar niet kon uitbannen.

Iedereen stond weer op, en op de tonen van een krakerige oude jazzplaat begon de kapel leeg te lopen. Terwijl Frieda stond te wachten tot de familieleden voorbij waren gekomen, draaide een oude vrouw zich naar haar om. 'Waar kende u Maggie van?'

'Alleen van naam, eigenlijk,' antwoordde Frieda.

Toen ze de kapel uit kwamen werden ze door dezelfde uitvaartbegeleider van de hoofdingang weggeleid en liepen ze via zijdeuren naar de Herinneringstuin. Het deed Frieda denken aan de ingewikkelde voorzieningen die therapeuten troffen om te voorkomen dat inkomende en uitlopende patiënten elkaar tegenkwamen. De directie van het crematorium wilde niet dat de ene groep rouwenden de andere tegenkwam en eraan werd herinnerd dat de kapel gewoon verhuurd werd, net als een hotelkamer of tennisbaan.

Op een grasveld dat zo vlak was als een tapijt lagen de kransen uitgestald en iedereen ging eromheen staan om de linten te lezen. Frieda wist zich bij een groepje aan de zijkant aan te sluiten vanwaar ze de voorkant van het crematorium kon zien. De lijkwagen reed weg en meteen kwam er een andere aanrijden die voor de ingang stopte. Langzaam deed Frieda een paar stappen opzij zodat ze vrij zicht had. Een grotere tegenstelling met het tafereel van een uur geleden was nauwelijks mogelijk. Toen de lijkdragers de kist uit de auto schoven en op hun schouders hesen was er helemaal niemand in de buurt. Frieda liep iets verder naar voren en hurkte bij een klein veldboeketje dat eruitzag alsof iemand het zelf geplukt had. Er zat een papier aan, een kindertekening van een meisje met een kroontje onder een lachend zonnetje en de woorden: *van Sally.*

Frieda keek om zich heen. Er was toch iemand. Op de treden stond een rijzige vrouw, waarschijnlijk een verpleegster. En twee jonge mannen, allebei in een spijkerbroek en een donker jasje. Politie in burger. Verder was er niemand. De vrouw ging naar binnen. De twee mannen bleven buiten staan. Frieda schrok toen ze op haar schouder werd getikt. Was ze onvoorzichtig geweest? Ze kwam overeind en zag een vrouw van ongeveer haar leeftijd.

'We rijden naar het huis,' zei de vrouw. 'Er is nog plaats in de auto, wil je een lift?'

'Heel graag,' zei Frieda.

Toen ze het terrein af liepen vertelde de vrouw dat Margaret

Farrell dertig jaar geleden het hoofd van haar school was geweest, en hoe ze geweest was. Frieda vond het jammer dat ze haar niet gekend had. Toen ze High Road bereikten, zei Frieda dat ze zich ineens herinnerde dat iemand anders haar ook een lift had aangeboden. De vrouw zei dat het niet gaf, maar Frieda voelde zich toch bezwaard.

Anderhalf uur later stond ze in de hal van het Jeffrey Psychiatric Hospital. Ze bekeek de grote plattegrond van het gebouw. De toiletten stonden erop en de cafetaria's, snackcorners en cadeauwinkels. Maar Frieda keek naar de trappen en nooduitgangen. Het leek wel zo'n spel dat op feestjes wordt gespeeld. Wat is de snelste weg het gebouw in en uit? Frieda was weleens in dit ziekenhuis geweest en had er tijdens haar opleiding zelfs een paar weken gewerkt, maar op deze manier had ze er nog nooit naar gekeken. Ze staarde net zo lang naar de plattegrond tot ze inzicht kreeg in hoe het gebouw in elkaar zat, alsof het een lichaam was. Ze wist al waar Miles lag en dat het later die dag pas bezoekuur was.

Aan het eind van de gang ging ze drie trappen op. In de gang waar de derde trap op uitkwam liepen een man en een vrouw haar diep in gesprek tegemoet. Hem kende ze. Het was Sam Goulding. Ze had een patiënte naar hem doorverwezen en toen hadden ze elkaar ontmoet om haar geval te bespreken. Maar dat was alweer een paar jaar geleden en hij zou haar niet alleen niet verwachten, maar was ook afgeleid. Ze wendde haar gezicht af, maar toen ze elkaar passeerden merkte ze dat hij even inhield en zei: 'Hé.' Zonder te reageren liep ze door. Hij had haar niet bij haar naam genoemd en ze wist niet eens of hij het tegen haar had gehad, maar toch. Ze keek op haar horloge. Het was acht voor een. Als hij zich haar herinnerde, als hij wist wat er met haar gebeurd was, dan nog moest hij eerst een telefoon opzoeken. Iemand zou het verband moeten leggen. Maar toch. Ze keek nogmaals op haar horloge. Zes voor een. Wat er ook gebeurde, ze gaf zich tot tien over een de tijd, dan zou ze gaan.

Ze sloeg rechts af naar de Wakefield Ward en liep naar de zusterpost. Een verpleegkundige stond bij een fax en probeerde een vel papier los te trekken. Ze keek op.

'Ik heb gebeld,' zei Frieda. 'Ik ben Miles Thorntons nicht.'

'Het bezoekuur is om drie uur,' zei de verpleegster.

'Dat heb ik uitgelegd aan de telefoon. Ik kom net uit de trein, ze zeiden dat het mocht. Ik blijf maar vijf minuutjes. U kunt het nakijken als u wilt.'

De verpleegster gaf nog een ruk aan het papier. Er was geen beweging in te krijgen. 'Hij ligt links,' zei ze. 'Tweede bed.'

'Reuze bedankt.'

Frieda keek op haar horloge. Vier voor een. De zaal leek een netwerk van tussenpaden. In het eerste bed zat een stokoude man voor zich uit te staren. Hij knipperde niet eens met zijn ogen toen Frieda voorbijkwam. Het volgende bed, het tweede, leek onbezet en zag eruit alsof het nog niet was opgemaakt. Alleen aan een plukje haar op het kussen was te zien dat Thornton erin lag, slapend of buiten bewustzijn. Ze hurkte bij het hoofdeinde. Drie weken eerder was zijn gezicht vertrokken geweest van woede en wrok. Nu was het opgezet en verkleurd, half bedekt door het kussen. Voorzichtig legde Frieda haar hand tegen zijn wang.

'Miles,' zei ze. 'Ik ben het. Frieda. Frieda Klein.'

Er klonk gekreun en even bewoog zijn hoofd.

'Miles, je moet wakker worden. Ik moet je spreken.'

Zijn ogen gingen open, knipperden en keken Frieda aan. Zijn rechterhand kwam omhoog alsof hij zich tegen haar wilde beschermen. Er zat een groot verband omheen. Zo voorzichtig mogelijk pakte ze zijn hand vast. Hij kreunde weer. Haar aanraking deed hem kennelijk pijn.

'Ik heb je gezocht,' zei Frieda.

'Drinken.'

Frieda keek om zich heen. Op het tafeltje naast zijn bed stonden een kan water en een plastic bekertje. Ze schonk het bekertje halfvol en hield het bij zijn mond. Hij moest een stukje overeind komen om te kunnen drinken. Ze zette het bekertje terug en keek op haar horloge. Eén uur. Vanwaar ze zat had ze zicht op de balie.

'Waar was je nou?' vroeg ze.

'Stem in het donker,' zei hij.

'Wat voor stem? Wat zei die stem?'

'Straf. Hij was boos.'

Dit had ze eerder gehoord. Toen hij voor het eerst bij haar kwam had hij last van angsten, maar in de daaropvolgende sessies had hij het gehad over stemmen die hij hoorde, stemmen die boos op hem waren. Toen had Frieda besloten dat alleen gesprekstherapie niet voldoende voor hem zou zijn.

'Was het dezelfde stem als in het begin?'

'Nee, nee, niet die. Je begrijpt het niet.'

'Wat bedoel je dan?'

'Hij praatte niet alleen. Straffen. Dat zei hij. Straffen.'

'Het spijt me,' zei Frieda. Ze kreeg het gevoel dat dit nergens toe zou leiden. Het was een pijnlijke herinnering aan toen zijn therapie bij haar was ontspoord.

'Nee, niet dat. Echt straffen.'

Hij begon aan het verband om zijn hand te frummelen.

'Doe dat maar niet,' zei Frieda.

'Hij kwam steeds terug, om de paar minuten. Om de paar minuten. Hij nam me mee om me te straffen. Toen kwam hij elke paar minuten terug, dag en nacht.'

Frieda keek op haar horloge. Vier over een. Bijna tijd om te gaan.

'Hoe bedoel je, hij is teruggekomen?'

'Hij bond me vast. Kwam terug om me nog meer pijn te doen.'

Tranen rolden uit Thorntons ooghoeken. Hij rukte aan het verband. Frieda keek naar hem. Hoewel hij totaal in de vernieling lag, was hij helderder dan de laatste keer dat ze hem gezien had. Meer bij zijn verstand, coherenter.

'Mijn vingers gedaan,' zei hij.

Hij trok het laatste verband eraf. Van de vingertoppen van zijn rechterhand waren alleen nog stompjes over. De nagels waren weg en de bovenste kootjes waren verminkt en vormeloos, alsof het vel ervanaf was getrokken.

'O mijn god,' zei ze zacht. 'Waar was je, Miles? Waar?'

'Heel ver weg.' Het was nauwelijks meer dan gefluister, een vaag gelispel. 'Heel, heel ver weg. Gekneveld als een karkas lag ik in een auto. Kuilen in de weg, alles donker. Een lange weg, alles donker. Niemand kon me horen. Er kwam niemand. Dagen achtereen. Dagen en nachten en nachten en dagen. Ik ben de tel kwijtgeraakt.'

'Je bedoelt dat je een lange reis gemaakt hebt?'

'Hij nam me mee naar de zee.'

'Wie, Miles? Wie heeft je meegenomen en je deze verschrikkelijke dingen aangedaan? Je moet het me vertellen.'

'Ik hoorde steeds de zee. Zelfs als ik huilde hoorde ik de golven. Die hielden nooit op, gingen maar door. Hij hield niet op. Liet me nooit alleen, ging nooit weg, liet me nooit slapen. Er hing een klok aan de muur. Ik keek ernaar. Hij was nooit langer dan twintig minuten weg. Steeds maar weer. Toen liet hij me gaan. Hij zei: vertel het aan haar.'

'Vertellen aan wie?'

Frieda hoorde een geluid. Twee mannen kwamen de zaal binnen, een in een pak, de ander droeg een uniform. Beveiliging. Plotseling was ze bang dat ze te lang was gebleven.

'Jou,' zei Thornton. 'Frieda Klein. Hij zei: vertel het aan haar. Het is voor Frieda Klein.'

De twee mannen waren in gesprek met de verpleegster.

'Zeg tegen haar dat het voor Frieda Klein is.'

'Ik begrijp het,' zei ze. En dat was ook zo.

Ze moest gaan. Ze stond op en begon te lopen, niet zoals ze gekomen was, maar de andere kant op. Er klonk een stem achter haar. Ze moest niet omkijken, niet gaan rennen. Ze zag de plattegrond voor zich. Deze afdeling had nog een uitgang. Ze had de deur bereikt. Hij was dicht en er hing een bordje aan: ALLEEN IN GEVAL VAN BRAND. DEZE DEUR IS BEVEILIGD MET EEN ALARM! Ze probeerde zich de plattegrond weer voor de geest te halen. Was er verderop nog een uitgang? Ze kon het niet riskeren. Iemand riep haar naam. Ze duwde de deur open en onmiddellijk klonk er een pulserende sirene. Ze holde de stenen trap af. Het alarm was zo luid dat het pijn deed aan haar oren. Toen ze een verdieping lager een deur opende vloog ze zowat in de armen van een man in uniform.

'Op de afdeling boven moet je zijn,' zei Frieda. 'Er is een vrouw over de rooie.'

De man rende langs haar heen het trappenhuis in. Frieda telde tot vijf, toen liep ze achter hem aan, maar nam de trap naar beneden. Ze telde de verdiepingen. Toen ze op de begane grond een bordje zag met een pijl naar de hoofdingang, ging ze de andere kant op, naar de dagkliniek, die een eigen uitgang had die op een andere straat uitkwam. Binnen vijf minuten was ze buiten en al een eind van het ziekenhuis verwijderd, maar ze bleef lopen, kriskras door een woonwijk, tot ze zeker wist dat ze niet gevolgd werd.

Uiteindelijk ging ze op een bank zitten. Dat moest wel, ze was licht in het hoofd en haar benen trilden. Bijna viel ze flauw, maar ze dwong zichzelf tot kalmte en probeerde op een rij te zetten wat ze zojuist had gehoord.

Martelen: van iemand een ding maken, een object; een mens zijn menselijkheid ontnemen, hem vernederen en verwonden tot hij alleen nog maar pijn is, en daarna niets meer. Ze zag Miles Thorntons verwilderde, dierlijke gezicht voor zich, zijn hand met de verminkte stompjes, en ze hoorde zijn krakende stem. Ze wist wie dat gedaan had, ze wist ook waarom en er kwam een misselijkmakende, machteloze woede over haar waardoor alles om haar heen in een waas veranderde.

Ze haalde haar notitieboekje uit haar zak en schreef een aantal data op:

Dinsdag 10 juni: Sandy voor het laatst gezien.
Maandag 16 juni: Dokter Ellison (wie is zij?) meldt zijn vermissing bij de politie.
Vrijdag 20 juni: Sandy's lichaam gevonden in de Theems.

Ze keek naar de data, en schreef er nog een paar op.

April-mei: Miles Thornton gedwongen opgenomen. Mijn verant-woordelijkheid.

27 mei: Ontslag Miles uit de kliniek, komt naar WH, gewelddadig en
overstuur. Schreeuwt van woede; voelt zich door mij verraden.
Komt een paar keer terug.
3 juni: Miles komt niet opdagen voor zijn therapie.
vanaf 3 juni: Miles neemt de telefoon niet op, reageert niet op e-mails
etc.
Maandag 9 juni (klopt deze datum?): Miles als vermist opgegeven.
28 juni (ongeveer?): Miles duikt op, zwaar gewond.

Frieda staarde een moment naar wat ze had opgeschreven. Er
moest nog iets bij, dan was het beeld compleet:

Woensdag 25 juni: June Reeve overlijdt. Dat had ze gezien op de
aankondiging van de crematie.
Maandag 30 juni: Uitvaart June Reeve.

Ze had er al die tijd helemaal, maar dan ook helemaal naast gezeten. Dean Reeve had Miles ontvoerd naar een afgelegen plek aan
zee en hem daar gemarteld, ze wist het zeker. Ze wist ook dat
Miles vanaf begin juni verdwenen was, toen Sandy nog leefde.
Miles was tot twee, drie dagen geleden door Dean vastgehouden
en herhaaldelijk uit haar naam mishandeld. Het was een straf die
haar ter ore moest komen: hij had Miles teruggestuurd met een
boodschap voor haar. Ze vermoedde dat Dean gestopt was toen
hij hoorde dat zijn moeder was overleden en hij daarvoor terug
moest naar de stad, misschien niet voor de begrafenis maar wel
om haar een laatste eer te bewijzen. Op zijn eigen perverse manier had hij toch van zijn moeder gehouden.
Hoe ze ook probeerde de data die ze had opgeschreven op een
andere manier te interpreteren, ze kon er niet omheen. Dean
Reeve had Miles Thornton gemarteld. Maar Sandy kon hij niet
hebben vermoord.

14

Frieda zat met een glas whisky in haar naargeestige kamer en keek naar de lucht die van blauw in zachtgrijs en donkergrijs veranderde, tot er een heldere, donkere sterrenhemel overbleef. Bij een stalletje in de buurt had ze bloemen gekocht, maar de frisse kleuren benadrukten alleen maar het sjofele interieur, de vuile, vochtige muren en versleten vloerbedekking.

Wat had ze nog over? Niets.

Ze had haar huis achtergelaten, haar vrienden, haar werk, haar veilige, vertrouwde wereld; ze was op de vlucht voor de politie, haar reputatie was naar de knoppen, en haar toekomst ook. Alles wat ze de afgelopen jaren had opgebouwd was ze kwijt. En waarvoor? Voor niets.

Ze had het allemaal gedaan omdat ze geloofde dat Dean Sandy had vermoord, de man van wie ze ooit meer had gehouden dan van wie ook, en die om het leven was gebracht. Ze was er zo van overtuigd geweest dat het zelfs niet in haar was opgekomen dat ze ernaast zou kunnen zitten.

Maar ze had ernaast gezeten en nu wist ze niet meer wat ze moest doen. Misschien moest ze zich maar aangeven. Ze stelde het zich voor: Husseins kalme, ijzige gezicht, de triomfantelijke blik van commissaris Crawford, het verdriet van Karlsson. Bij de gedachte aan haar vriend drukte ze haar glas tegen haar voorhoofd en sloot haar ogen. Ze zou worden aangeklaagd, ze zou schuldig worden bevonden – al helemaal omdat ze op de vlucht was geslagen. Ze zou de gevangenis in gaan. Even was de gedachte aan een cel bijna rustgevend.

Toen dacht ze aan Sandy. Aan hoe hij was geweest toen ze elkaar net kenden, bruisend van verliefdheid en geluk, en ze zag hem voor zich zoals hij de laatste anderhalf jaar was geweest: verbitterd, overstuur, miserabel en kwaad. Iemand had hem vermoord, iemand die nog steeds ergens rondliep. Als ze zichzelf aangaf, bleef diegene altijd op vrije voeten. Dat kon ze niet laten gebeuren. Ze zette haar glas neer, liep naar het raam en staarde naar de nachtelijke hemel. En terwijl ze daar stond nam haar besluit vaste vorm aan.

Ze haalde haar opschrijfboekje uit haar tas. Ze moest bij Sandy beginnen. Wat wist ze van hem af? Wie waren zijn vrienden, zijn collega's, zijn drinkmaatjes, met wie had hij affaires gehad, one-nightstands? Wie hadden van hem gehouden, wie hadden hem gehaat, waren slecht door hem behandeld, jaloers op hem, wie waren zijn rivalen geweest? Boven aan de bladzijde schreef ze zijn naam, en tekende blaadjes en bloemetjes die uit de letters kronkelden alsof ze hem weer tot leven wekte. Toen schreef ze alles op wat ze met zekerheid van hem wist, elke vriend of vriendin die ze zich kon herinneren, elke naam die hij ooit genoemd had.

Ze begon met zijn werk. Ze schreef de namen op van de mensen die ze kende of over wie ze gehoord had: Calvin Lock, de professor in de neurowetenschappen met wie Sandy nauw had samengewerkt voor hij naar Amerika ging; Lucy Hall, zijn toenmalige assistente; Aidan Dunston en zijn vrouw Siri, met wie ze een paar keer hadden gegeten. Wie nog meer? Ze dacht diep na. Was er niet een genetica in New York, Clara en nog wat? Maar die was vast van geen belang in dit verband. En hoe heette zijn assistent in het King George's ook alweer? Die had ze weleens aan de telefoon gehad. Terry Keaton.

Ze verlegde haar aandacht naar zijn familie, maar die had hij nauwelijks. Zijn ouders waren dood en ze kon zich niet herinneren dat hij het ooit over tantes, ooms, neven of nichten had gehad. Dan had je Lizzie, zijn zus, zijn zwager Tom, en Oliver, hun zoon. Hoe heette hun oppas ook alweer? Ze kon er niet op komen en trouwens, die hadden ze inmiddels misschien niet meer. Sandy en zij waren tenslotte al anderhalf jaar uit elkaar en in anderhalf jaar kan veel gebeuren.

Sandy had ook nog een ex gehad, Maria, die in Nieuw-Zeeland woonde. Haar naam was af en toe gevallen. Voor zover Frieda wist hadden ze al jaren geen contact meer. Na Maria, en voor Frieda, was er nog een violiste geweest, Gina, haar achternaam wist ze niet, en Luisa, een Italiaanse econome. Maar Gina noch Luisa was vaak ter sprake gekomen.

Vrienden: Dan Lieberman natuurlijk, die hij nog van de basisschool kende en met wie hij regelmatig squashte. Josh Tebbit. En Janie Frank en haar partner Angela. De Foremans. Wie nog meer?

Fronsend staarde ze naar de lijst. Niet veel voor iemand die ze jarenlang intiem had gekend, en van zijn contacten na hun breuk wist ze natuurlijk niets: ze had geen idee hoe zijn sociale leven toen was geweest. Sandy had haar vaak kwalijk genomen dat ze haar onafhankelijkheid zo fel bewaakte. Het had maanden geduurd voor hij mocht blijven slapen. Slechts schoorvoetend had ze hem aan haar vrienden voorgesteld en er waren aspecten van haar leven die ze helemaal niet met hem had gedeeld. Ze kenden elkaar al jaren toen ze hem over haar vaders zelfmoord vertelde, en dat ze als tiener was verkracht had ze hem pas toevertrouwd toen dat verleden zich weer aan haar opdrong: die onthulling had Sandy doen besluiten terug te keren uit Amerika en zijn baan daar op te zeggen. Ze zag in dat ze maar weinig van Sandy wist. Ze kende zijn smaak; ze wist dat hij graag kookte, van lekker eten hield, welke wijnen zijn voorkeur hadden. Ze wist welke boeken hij gelezen had, kende zijn politieke standpunten, wist hoe hij over de gezondheidszorg dacht, over georganiseerde religie, het placebo-effect, antidepressiva. Ze wist wat zijn verschillende gezichtsuitdrukkingen betekenden, begreep wat hem kwaad, jaloers, blij of ongelukkig maakte. Ze kon hem lézen, maar van zijn dagelijks leven wist ze bijna niets.

Er drong nog iets tot haar door, iets wat zo voor de hand lag dat ze het bijna over het hoofd had gezien: degene die Sandy had vermoord wist ook van haar, want die was haar huis binnengedrongen – hoe? – om er de portefeuille te verstoppen en haar erin te luizen.

Weer stond ze op en staarde naar het stukje van de sterrenhemel dat het kleine, vieze raam prijsgaf. Er kwam nog een naam in haar op. Dokter Ellison. Volgens Hussein de vrouw die Sandy's vermissing had gemeld. Wie was zij? Het was iets om uit te zoeken en ze moest toch ergens beginnen. Ze trok haar nieuwe, ongeliefde jasje aan en ging de deur uit.

Er zaten nog meer mensen in het internetcafé, ze tuurden allemaal naar hun beeldscherm. Afgezien van een enkel blieb- of zoemgeluidje was het er stil. De vaalgele verlichting bezorgde Frieda meteen een lichte hoofdpijn.

Eerst googelde ze 'dr. Ellison'. Zelfs toen ze alleen op vrouwen zocht, waren er legio, verspreid over de hele wereld. Ze voegde 'UK' toe en de lijst werd korter, maar het waren er nog steeds veel te veel. Ze dacht even na en ging toen naar de website van het King George's College, waar ze niet op dr. Ellison bleek te kunnen zoeken, dus scrolde ze per faculteit de namen langs van het personeel, beginnend met de bètawetenschappen. Neurowetenschappen, neurobiologie, biogeneeskunde… nicts. Genetica, natuurkunde, moleculaire biofysica, scheikunde, techniek… Opeens zag ze in het woud van namen die van dr. Veronica Ellison oplichten, wetenschappelijk medewerkster aan de faculteit psychologie. Ze klikte op de naam en op het scherm verscheen het gezicht van een vrouw, vermoedelijk ongeveer van Frieda's leeftijd, blond, lachend, de wenkbrauwen vragend opgetrokken. Er stond een e-mailadres bij, maar Frieda wilde haar niet mailen; ze schreef het telefoonnummer van de faculteit in haar opschrijfboekje. Morgen zou ze haar bellen. Hoewel het zomervakantie was, zou er wel iemand aanwezig zijn om de telefoon op te nemen en een boodschap aan Veronica Ellison door te geven.

Terug in het woonblok kwam ze op weg naar boven de vrouw tegen die ze al eerder had gezien. Ze zat op de trap te roken en keek op. Onder haar linkeroog had ze een bloeduitstorting en haar lip was gebarsten. Ze knikte naar Frieda.

Frieda bleef staan. 'Ik heb jou al eerder gezien.'

De vrouw lachte – het was een meewarig, merkwaardig parmantig lachje. 'En wie ben jij dan wel?' vroeg ze.

Frieda ging naast haar op de trap zitten. 'Ik ben Carla.'

'En wat doe jij in dit krot?'

'Ik ben hier maar tijdelijk.'

'Dat hopen we allemaal.'

'Dat lijkt me pijnlijk, je gezicht.'

De vrouw betastte zachtjes haar wangen. 'O, dat is niets. Maar een borrel zou er wel in gaan.'

'Ik heb whisky op mijn kamer.'

'Niks mis mee.'

Frieda ging staan en de vrouw stak haar hand als een kind naar haar uit om overeind te worden geholpen en daarna liet ze niet meteen weer los.

'Carla, zei je?'

'Ja.'

'Ik heet Hana.' Weer dat scheve lachje. 'Ik ben hier maar tijdelijk.'

De volgende morgen stak Frieda iets voor negenen de verlaten binnenplaats over en belde het nummer van de psychologische faculteit van het King George's College. Er werd opgenomen door een vrouw die gejaagd klonk, en Frieda legde uit dat ze Veronica Ellison wilde spreken.

'Ze komt net binnen om een paar boeken op te halen.'

Even was Frieda van haar stuk gebracht. 'Kan ik haar dan misschien aan de lijn krijgen?'

'Momentje.'

Na een paar minuten klonk het hees en een beetje buiten adem: 'Met Veronica Ellison. Wat kan ik voor u doen?'

'Mijn naam is Carla,' zei Frieda, en ze probeerde een achternaam te bedenken die aannemelijk klonk. Ze keek om zich heen en zag de naam van het flatgebouw aan de overkant. 'Carla

Morris. Ik ben – was – bevriend met Sandy Holland. Ik zou graag even met u willen praten.'

'Over Sandy?'

'Ik had al een tijd geen contact meer met hem. Ik heb gehoord dat hij is overleden en zou graag iemand willen spreken die hem gekend heeft.'

'Hoe komt u bij mij terecht?'

'Een vriend noemde uw naam,' antwoordde Frieda. 'Hij zei dat u zich zorgen over hem maakte.'

'Eh… Ja, dat klopt,' klonk het onzeker.

'Ik dacht: misschien kunt u me vertellen wat er is gebeurd.'

'Had u met Sandy…' Ze maakte haar zin niet af.

'Hij was gewoon een vriend, jaren geleden. Maar we zijn een tijdje heel close geweest. Ik wil zo graag begrijpen wat er gebeurd is.'

'Ik weet het niet. Ik ga morgenochtend op vakantie.'

'Een kwartiertje, meer niet, en u zegt maar waar, dat maakt mij niet uit.'

'Goed.' Nu ze een besluit had genomen, klonk haar stem levendiger. 'Om twaalf uur bij het tuincentrum op Balls Pond Road. Three Corners heet het, vraag me niet waarom. Ik moet er nog wat planten ophalen voor ik wegga.'

'Ik zal er zijn.'

'Carla, zei u?'

'Carla Morris.'

'U kunt me vinden bij de klimrozen.'

Frieda had nog bijna drie uur de tijd. Het tuincentrum was op tien minuten loopafstand van Sasha's huis. Ze maakte zich zorgen over Sasha en over Ethan. Het laatste beeld van hem kwam steeds weer in haar op, hoe hij schreeuwend en met zijn donkere ogen vol tranen door zijn onverzettelijke oppas werd meegesleurd.

Vijfendertig minuten later stond ze in Sasha's straat op dezelfde plek waar ze twee dagen eerder had gestaan. Ze wist dat Sasha vaak laat naar haar werk ging en dacht dat ze haar misschien nog zou zien. Maar ze zag haar niet vertrekken en ook Christine en Ethan kwamen niet naar buiten. Waarschijnlijk was ze te laat en was iedereen al weg.

Net toen ze dit dacht vloog de voordeur open en verscheen Sasha in de blauwe mouwloze jurk die ze wel vaker droeg naar haar werk. Maar ze had Ethan aan de hand en was aan het bellen. Frieda zag dat ze nog niet op orde was en zelfs van een afstand was het duidelijk dat ze uit haar doen was. Ethan liep aan haar hand te huppelen. Sasha stopte haar mobiel in haar zak en bleef staan. Ze drukte haar hand tegen haar hals, een radeloos gebaar dat Frieda maar al te goed van haar kende. Toen haalde ze haar mobiel weer tevoorschijn en toetste een nummer in. Ethan trok aan haar hand.

Frieda zette haar zonnebril op, knoopte haar kleurige jasje dicht en liep achter hen aan. Al snel kon ze Sasha horen praten. 'Nee,' zei ze, en: 'Het spijt me, ik weet niet wie ik anders moet vragen.'

'Sasha,' zei Frieda.

Met een ruk draaide Sasha zich om. Ze staarde haar aan, haar ogen groot in haar bleke gezicht. Frieda zette haar zonnebril af.

'Je haar is weg,' zei Ethan.

'Frieda! O, god. Wat doe jij hier? Ik dacht – de politie is hier geweest, weet je.'

'Ik wil weten of je het wel redt.'

'Ik doe mijn best.'

'Waar is Christine?'

'Ze heeft me vanochtend ge-sms't dat ze niet meer voor een alleenstaande moeder wil werken. Te veel gedoe.'

'Mooi.'

'Mooi? Straks verlies ik mijn baan, Frieda, en wat moet ik dan?'

'Je gaat nu naar je werk. Ik zorg voor Ethan. Als je dat goedvindt, Ethan.'

Ethan knikte en pakte haar hand.

'Ik begrijp er niets meer van,' zei Sasha. 'Je hebt rare kleren aan. En waarom heb je je prachtige haar afgeknipt?'

'Geef me de sleutel en ga naar je werk voor je te laat bent. We praten later wel. Tegen niemand zeggen, hè?'

'Maar Frieda…'

'Niemand. Ga nou maar.'

'Gaan we met de beestjes spelen?' vroeg Ethan toen ze alleen waren.

'Straks. Eerst gaan we naar een tuincentrum om de rozen te bekijken.'

Hij was niet onder de indruk.

15

Vrijwel meteen vroeg Frieda zich ontsteld af wat haar eigenlijk bezielde. Dat ze was ondergedoken, op de vlucht geslagen voor de politie, al haar vrienden had laten zitten en tussen vreemden was gaan wonen, afgesneden van haar eigen leven, was tot daaraan toe. Dit was nog veel erger, dat ze op straat liep met een tweejarig jongetje dat niet haar kind was, een vader had die hem in de steek had gelaten en een moeder die de instorting nabij was. Toch liep hij met zijn warme handje in de hare vol vertrouwen met haar mee. Ze zou hem zo mee kunnen nemen en nooit meer thuisbrengen en daar zou hij niets aan kunnen doen. Wat was hij nog weerloos. Hij kon zo vallen. Hij zou tegen iets op kunnen lopen. De weg over rennen. Toen er een bus langsreed en er een windvlaag langs hen heen ging, greep ze zijn handje nog wat steviger vast.

'Au,' zei Ethan, en ze verslapte haar greep. Een beetje.

Hij was klein en afhankelijk en het zou nog zo'n twaalf, dertien jaar duren voor hij in staat zou zijn om voor zichzelf te zorgen. Ze moest aan haar nichtje Chloë denken en telde er nog twee jaar bij op. Hoe was het mogelijk dat een kind überhaupt veilig en wel de volwassenheid bereikte?

'Wat is dat?' vroeg Frieda, wijzend.

'Bus,' antwoordde Ethan.

'Wat voor kleur?'

'Róód,' zei hij op felle, minachtende toon, alsof de vraag veel te makkelijk voor hem was.

'We gaan een spelletje spelen,' zei Frieda. Ze wist eigenlijk niet of je met een tweejarige al een spelletje kon doen, maar ze moest het erop wagen. 'Jij noemt mij Carla.' Hij reageerde niet. Ze wist niet eens zeker of hij haar wel gehoord had. 'Ethan, wil je me van nu af aan Carla noemen?' Maar Ethan keek gebiologeerd naar een man die hen met vier honden tegemoetkwam – of eigenlijk kwamen er vier honden aan met een man. Ze waren verschillend van ras, groot en klein. Frieda wachtte tot ze voorbij waren.

'Carla,' zei ze. 'Kun je dat zeggen? Doe eens.'

'Carla,' zei Ethan.

'Goed zo! Dus ik heet nu Carla.'

Ethan had echter al genoeg van het onderwerp, en Frieda wees een fiets aan en een vogel en een auto, maar algauw was er niets meer om aan te wijzen en ze was dan ook opgelucht toen ze de groene boog zag die de ingang vormde van het Three Corners Garden Center. Het tuincentrum was haar nooit eerder opgevallen. Het lag iets van de weg af, naast een grote sanitairwinkel. De ingang was vrij smal, maar daarna opende zich links en rechts grote ruimten die honderdvijftig jaar geleden als stallen hadden gediend.

'Ik zal je vertellen wat we nu gaan doen,' zei Frieda. 'We gaan de allermooiste bloem zoeken die we kunnen vinden, en die geven we straks aan mamma. Vind je dat leuk?' Ethan knikte. Frieda keek om zich heen en zag tot haar schrik overal sierbomen en bloeiende klimplanten. 'Een klein bloemetje,' vervolgde ze. 'Een heel kleintje.' Toen ging ze op haar hurken zitten zodat ze op ooghoogte van Ethan kwam, en fluisterde op een speels en samenzweerderig toontje: 'En wat is mijn nieuwe naam? De naam die ik in ons spelletje heb?'

Ethan dacht diep na en fronste zijn wenkbrauwen, maar zei niets.

'Carla,' zei Frieda. 'Carla.'

'Carla,' herhaalde hij.

Ze ging staan, zette haar zonnebril op en keek om zich heen. Waar waren de rozen? Ze liep naar een meisje met dreadlocks, tatoeages en piercings dat met een tuinslang bezig was een rij planten te begieten. Ethan keek gefascineerd naar haar op. Ze wees in de verte, naar een hoge muur achterin. Toen ze daar waren en Frieda nog niemand zag, slenterde ze met Ethan langs de rozen. Ze droegen namen van figuren uit de Engelse geschiedenis, televisiesterren, klassieke romans, beroemde landhuizen en leden van de koninklijke familie.

'Carla?'

Frieda keek om. Veronica Ellison was een opvallende verschijning; ze droeg haar blonde haar naar achteren en had een marineblauwe legging, sneakers met een sleehak en een wijd wit T-shirt aan. Ze zag er fris en zomers uit en Frieda voelde zich ongemakkelijk onder de monsterende blik waarmee ze werd opgenomen. Plotseling besefte ze dat ze er nog helemaal niet over had nagedacht hoe ze dit zou aanpakken. Het initiatief was niet van deze vrouw uitgegaan en er was geen enkele reden waarom ze met een onbekende over Sandy zou willen praten, zelfs al had ze misschien iets belangrijks over hem te melden.

'Dokter Ellison?'

Veronica Ellison keek naar Ethan en lachte.

'Is dit jouw zoontje?'

'Hij heet Ethan,' zei Frieda. 'Ik pas op hem.'

'Er is hier niet veel te beleven voor hem,' zei Ellison. Ze keek hem aan. 'Waarom heeft Carla je naar zo'n saai tuincentrum meegenomen?'

Ethan keek ernstig naar haar op.

'Frieda,' zei hij.

'Wat zeg je?'

'Hij is op een gekke leeftijd,' zei Frieda. Er viel een stilte. Ze besefte dat het helemaal aan haar was om deze ontmoeting te laten slagen.

'Ik waardeer het zeer dat je even tijd voor me hebt gemaakt,' zei ze. 'Het is heel belangrijk voor mij om met iemand te praten die Sandy heeft gekend. Ik zal je niet lang ophouden.'

Veronica zweeg en het was duidelijk dat ze zich afvroeg of ze haar tijd niet beter kon gebruiken. 'Oké,' zei ze. 'Er is een cafeetje hier vlakbij. Zullen we een kop koffie drinken?' Ze keek naar

Ethan. 'En ze hebben daar ook heel lekker ijs.'

Ethan zei niets. Hij stond heen en weer te wippen.

'Moet er niet iemand naar de wc?' vroeg Veronica.

'Hoezo?'

'Ethan, bedoel ik,' zei Veronica. 'Ik heb een neefje van drie, ik herken de signalen. Er is een wc in het café.'

'Ik wilde net met hem gaan,' zei Frieda, en ze voelde zich de slechtste oppas van Londen. Zou het haar wel lukken Ethan aan het eind van de dag levend en wel bij Sasha af te leveren, vroeg ze zich af. In het café nam ze hem mee naar de dames-wc en het was een hele toer om zijn tuinbroek los te knopen, hem op de pot te zetten, weer aan te kleden en zijn handjes te wassen. Veronica bleek al twee koffie te hebben besteld en een schaaltje met twee bolletjes ijs: aardbeien en chocola. Ze had de leiding genomen, concludeerde Frieda. En dat was goed. Ze had een kussen op het bankje gelegd zodat Ethan kon zitten en zelf kon eten. Binnen enkele seconden zat er niet alleen ijs in zijn mond maar ook op zijn hele toet. Veronica zat peinzend naar hem te kijken.

'Als ik een kind als Ethan zie, wil ik er meteen dolgraag zelf een, maar tegelijkertijd lijkt het me een veel te grote belasting.'

'Er staat veel tegenover.'

'Voor jou wel, neem ik aan, anders had je er niet voor gekozen je geld te verdienen met de zorg voor andermans kinderen. Vind je het bevredigend?'

'Ach, het is werk,' zei Frieda. Ze dacht aan haar spreekkamer en aan de mensen die er over hun problemen kwamen praten, en nu zat ze hier als nep-oppas met een valse naam, in ordinaire kleren die ze anders nooit zou hebben uitgekozen en probeerde ze zo goed mogelijk de schijn op te houden. 'Kinderen laten je de wereld met andere ogen zien,' vervolgde ze. 'Daardoor blijft het leuk en blijf je je verbazen.'

'Dat begrijp ik, maar het lijkt me wel hard werken.'

'Daar hou ik wel van; ik heb een doel nodig, net als iedereen,' zei Frieda resoluut, en ze realiseerde zich op hetzelfde moment dat de echte Frieda de overhand kreeg.

Er gleed een zweem van verwondering over Veronica's gezicht

en terwijl ze haar koffie dronk keek ze Frieda belangstellend aan. 'Ik kan je niet helemaal plaatsen, Carla.'

Frieda was bang dat Ethan haar weer zou corrigeren, maar hij zette alleen grote ogen op, want zijn mond zat vol met ijs. 'Hoezo?'

'Je hebt het heel erg druk, maar toch heb je me weten te vinden. En waarom? Wat wil je van mij?'

Frieda haalde diep adem. Dit was het uur van de waarheid. 'Ik heb Sandy gekend. Hij is aardig voor me geweest toen ik het erg moeilijk had. We zijn een tijdje bevriend geweest en toen zijn we elkaar uit het oog verloren. Ik las in de krant wat er met hem gebeurd is en had… behoefte om met iemand te praten die hem heeft gekend, ook nog vlak voor hij stierf.'

'Maar waarom?'

'Ik kende Sandy als een kalm, gelukkig mens, als iemand die de regie in handen had. Dat hij zo aan zijn eind is gekomen kan ik niet geloven.'

'We waren alleen maar collega's,' zei Veronica. 'We werkten samen aan een project.'

'Wat voor project?'

'Dat is een beetje een technisch verhaal,' zei ze afwijzend. 'Dat kun je toch niet volgen.'

'Maar herken je Sandy zoals ik hem beschreef?'

Veronica aarzelde. Het was duidelijk dat ze nu moest besluiten of ze bereid was opening van zaken te geven.

'Welke woorden gebruikte je ook alweer? Kalm? Gelukkig?'

'Ja, hij was iemand die wist wat hij waard was.'

'Hij heeft je geholpen, zei je.'

'Ja.' Frieda zweeg, maar toen duidelijk werd dat Veronica meer verwachtte, zei ze: 'Hij heeft me aangemoedigd om mezelf te zijn.'

Zoals de laatste dagen vaker gebeurde, kwamen er beelden in haar naar boven van Sandy zoals hij ooit geweest was, zo vol liefde en vertrouwen. Het lachje dat hij dan had als hij haar aankeek. Het was misschien nog wel pijnlijker om hem gelukkig voor zich te zien dan grimmig, kwaad en miserabel. De herinnering aan wat ze ooit samen hadden gehad was haast onverdraaglijk.

Veronica schudde haar hoofd. 'Ik was erg op hem gesteld,' zei ze. 'Hij was aardig. Dat heb ik altijd gevonden. En ik heb nooit met iemand samengewerkt die zo slim was. Alleen…' Ze ademde diep in. 'Het was ingewikkeld.'

Er viel een stilte waarin alleen het geslurp van Ethan en het schrapen van zijn lepel te horen waren. Frieda overwoog of ze het risico zou nemen en besloot dat ze geen andere keus had. 'Hadden Sandy en jij…' begon ze.

'En jij dan?' vroeg Veronica met een glimlach.

'Nee,' zei Frieda. 'Het was niet het moment.'

'In mijn geval was het dat ook niet,' zei Veronica. 'We hadden wel even… Nou ja, ik weet niet hoe je dat noemt. Iets. Zoals jij Sandy beschrijft, zo had ik hem ook graag gekend. Degene met wie ik te maken had zat ingewikkelder in elkaar. Hij kon wreed zijn, of misschien is onverschillig een beter woord. Hij had een relatie achter de rug die slecht was geëindigd.'

De schrik sloeg Frieda om het hart. Zou Sandy haar naam hebben genoemd?

'Hij wilde er helemaal niet over praten, maar soms had ik het gevoel dat ik met iemand te maken had die een vreselijk auto-ongeluk had gehad of een zwaar verlies had geleden. Nou ja, dat laatste was ook zo, en hij was er nog steeds niet overheen. Sterker nog, als je het mij vraagt was hij erin vastgelopen en wilde hij zelfs niet meer verder.'

'Wat vind ik dat erg,' zei Frieda, en ze was zich er pijnlijk van bewust dat ze voor het eerst oprecht was. 'Dat moet moeilijk zijn geweest, iets te hebben met een man die er emotioneel niet voor je was.'

Veronica zei tegen Ethan: 'Je boft maar met zo'n slimme oppas als Carla!'

'Nee!' Ethan keek haar boos aan.

'Hij was zo intelligent,' zei Veronica tegen Frieda. 'Op alle gebieden, behalve als het om zijn eigen leven ging. Hij dronk te veel, zorgde slecht voor zichzelf. Hij had hulp nodig, maar die accepteerde hij niet. Vreselijk wat we elkaar aandoen, hè?'

'Ja, vreselijk.' Frieda mocht Veronica wel, en in een ander leven hadden ze bevriend kunnen raken.

'En hoe machteloos we zijn. Soms had ik het gevoel dat ik iemand zag verdrinken, maar niets kon doen.' Plotseling zag Veronica er kwetsbaar en aandoenlijk uit. 'Zo ben ik gewoonlijk niet; ik hou er helemaal niet van om machteloos toe te kijken. Waarom vertel ik je dit allemaal?'

'Omdat ik een vreemde ben.'

'Ja, dat zal het zijn. Maar goed, vóór mij had hij net een verhouding gehad met iemand anders en ik geloof dat hij zich nogal slecht had gedragen en zich daar schuldig over voelde, maar hij heeft er weinig over verteld. Hij vertelde sowieso weinig. Ik weet bijna zeker dat hij nog iets met een ander had toen wij samen waren. Nou ja, als je dat zo kunt noemen. En toen was het over en ging hij naar de volgende. Maar zelfs toen had ik eerder met hem te doen dan dat ik kwaad op hem was. Maar dat is mijn probleem.'

'Dat denk ik niet,' zei Frieda. 'Tenzij begrip en compassie een probleem zijn. En dat kan natuurlijk.'

Veronica sloeg haar blik op en keek Frieda onderzoekend aan. 'Hmm,' zei ze bedachtzaam. 'Ben je echt nooit met hem naar bed geweest?'

'Nee, nooit.' Frieda wendde haar blik niet af. 'Zoals ik al zei was het niet het goede moment. En ik was niet de juiste persoon voor hem.' Dat was tenminste uiteindelijk waar gebleken.

'Ik denk dat je wel de juiste voor hem was geweest. Iemand die intellectueel niet in zijn wereld thuishoorde. Iemand met beide benen op de grond, en gezond verstand.' Ze keek Frieda aan. 'Dat klonk beledigend, zo bedoelde ik het niet.'

Frieda schudde haar hoofd. 'Dus toen je Sandy voor het laatst zag was hij verdrietig en ontdaan.'

'Er was nog iets anders.'

'Wat dan?'

'Ik had de indruk dat hij bang was.'

'O? Waarvoor?'

'Dat weet ik niet.'

'Maar waarom dacht je dat hij bang was?'

'Dat kan ik niet verklaren, ik wist het gewoon.'

'Hij heeft er niets over gezegd?'

Veronica fronste. 'Dit begint op een verhoor te lijken,' zei ze.

'Het spijt me. Maar werd hij door iemand bedreigd?' hield Frieda aan.

'Dat heeft de politie me ook al gevraagd. Ik weet niet of ik dit nu allemaal weer met een oppas wil bespreken. Waarom is het zo belangrijk? Sandy is dood.'

'Het is belangrijk omdat iemand hem heeft vermoord. Misschien wist hij dat hij gevaar liep.'

'Misschien. Maar ik heb je nu alles verteld wat ik weet – hoewel ik niet begrijp waar je naar op zoek bent. En nu moet ik ervandoor.'

Frieda tilde Ethan van de bank en zette hem op de grond. Zijn handje voelde kleverig en warm aan.

'Bedankt,' zei ze. 'Ik stel het zeer op prijs.' Maar afgezien van het feit dat Sandy ergens bang voor was geweest, had ze niets nieuws gehoord. Wat Veronica haar verteld had wist ze al: dat Sandy ongelukkig was geweest en zijn leven in bepaalde opzichten niet meer in de hand had gehad.

'Het was zo'n schok,' zei Veronica. 'Voor ons allemaal.'

'Ja.'

'Trouwens,' zei Veronica, maar ze zweeg meteen weer en beet op haar lip.

'Wat?'

'Ik wou zeggen dat we vanavond met een aantal mensen een herdenkingsbijeenkomst houden. We moesten gewoon iets doen. Hij kan voorlopig niet begraven worden vanwege het onderzoek.'

'Wat een goed idee.'

'Niets formeels, hoor. Het is bij het hoofd van zijn vakgroep thuis. Er zullen wat persoonlijke herinneringen aan Sandy worden opgehaald en misschien lezen een paar mensen iets voor. Misschien wil je ook komen?'

Frieda dacht aan Sandy's zusje Lizzie en aan de vrienden die ze daar had ontmoet en die haar meteen zouden herkennen, hoe ze zich ook uit zou dossen.

'Ik weet het niet,' zei ze. 'Wie komen er allemaal?'

'Niet zoveel. Ons groepje van de universiteit en nog een paar anderen die hem gekend hebben en die we hebben weten te bereiken. Geen familie, die had hij ook amper. We houden het klein, niets om je druk over te maken.' Ze lachte bemoedigend naar Frieda. 'Je hoeft geen toespraak te houden, hoor. Maar misschien doet het je goed om te merken dat anderen ook herinneringen aan Sandy hebben.'

'Sandy,' riep Ethan plotseling. 'Waar is Sandy?'

Frieda bukte zich en veegde zijn mond omstandig af.

'Heel aardig van je,' zei ze tegen Veronica. 'Ik kom graag.'

Terug bij Sasha thuis maakte Frieda een linzensalade voor Ethan – die hij niet opat – en daarna speelden ze verstoppertje. Het was waar wat ze tegen Veronica had gezegd: kinderen zien de dingen echt anders. Ethan dacht dat als hij haar niet kon zien, hij zelf ook niet te zien was. Terwijl hij met zijn handjes over zijn ogen in een hoek van de kamer stond, ging Frieda hardop in zichzelf pratend naar hem op zoek. Even later liet hij zich onder de tafel glijden en hoorde ze hem een beetje bazig maar ook vertrouwelijk tegen zijn houten beestjes praten. Toen hij ineens stilviel en ze het tafelkleed oplichtte, zag ze dat hij met zijn mond halfopen en zijn beestjes in zijn handjes in slaap was gevallen. Zachtjes trok ze hem uit zijn schuilplaats en legde hem op de bank. Ze schoof een kussen onder zijn warme hoofd en trok een gordijn dicht zodat de zon niet in zijn gezicht scheen. Ze ging zitten en keek naar hem. Zijn lippen bewogen bij elke ademtocht en aan zijn trillende ogen zag ze dat hij droomde. Waar zou dit geheimzinnige wezentje van dromen, vroeg ze zich af. Wat zag hij als zijn ogen dicht waren?

Toen Sasha thuiskwam was Frieda Ethan een verhaaltje aan het voorlezen. Het ging over een heleboel dieren die samen op een bezemsteel zaten; hij kende het verhaal bijna uit zijn hoofd en praatte met haar mee.

'Het is al de zesde keer dat ik dit voorlees,' zei Frieda terwijl ze overeind kwam. 'Zodra ik iets anders wil lezen, houdt hij zijn adem in tot hij rood aanloopt. Ik was bang dat hij uit elkaar zou knallen. Niet te geloven hoeveel macht zo'n kleintje over je kan hebben.'

'Maar het is allemaal goed gegaan?' Sasha bukte zich om Ethan een kus te geven maar hij wurmde zich onder haar uit en verdween onder de tafel, waar ze hem met dingen hoorden smijten.

'Hij is heel braaf geweest.'

'Je hebt me gered.'

'Dat valt wel mee.'

'Ik neem morgen vrij – ze denken dat ik naar een congres in Birmingham ga – zodat ik opvang voor hem kan regelen. Ik moet er niet aan denken eigenlijk, om weer helemaal opnieuw te beginnen met een vreemde. Ik zou er bijna mijn baan voor opgeven, maar ik betwijfel of ik het aan zou kunnen om alleen maar moeder te zijn en de structuur en identiteit te moeten missen die mijn werk me geeft. Daar ben ik pas echt bang voor: om weer in te storten, gek te worden, zoals toen. Dat wil ik nooit meer meemaken, en ik wil ook niet dat Ethan mij ooit zo meemaakt. Dat mag niet gebeuren.'

'Misschien hoeft het niet,' zei Frieda een ogenblik later.

'Wat bedoel je?'

'Ik kan Ethan wel een tijdje opvangen. Twee weken of zo. Helemaal als jij die vakantiedagen opneemt die je nog te goed hebt.'

'Meen je dat echt?'

'Natuurlijk meen ik het.'

'Maar waarom?'

'Omdat jij iemand nodig hebt voor Ethan, iemand die je kunt vertrouwen.' Frieda dwong zichzelf tot een geruststellend lachje. 'Bovendien is een vrouw met een kind vrijwel onzichtbaar, en dat komt mij goed uit.'

'Vertel mij wat,' zei Sasha treurig.

'Dus bewijzen we elkaar een dienst, tot jij iemand gevonden hebt.'

'Ik kan je niet zeggen wat dit voor mij betekent.'

'Wacht even,' zei Frieda een beetje streng. 'Je moet er eerst goed over nadenken. Als je mij niet aangeeft, ben je wel straf-baar.'

'Dat geeft niet.'

'Misschien wel.'

Sasha schudde gedecideerd haar hoofd. 'Niemand komt er-achter.'

'Behalve Ethan.'

'Ethan zegt heus niks. Hij is nog veel te jong, hij legt geen ver-banden. Als iets er niet meer is, bestaat het niet meer.'

Frieda zag hem weer voor zich met zijn handjes voor zijn ogen, overtuigd dat hij zichzelf onzichtbaar maakte. 'Oké,' zei ze. 'We proberen het gewoon.'

'Ik weet niet wat ik zonder jou zou moeten, Frieda. Dat je van-morgen ineens voor m'n neus stond was een soort droom – is nog steeds een droom. Ik had half verwacht Christine achter me te zien staan met haar afkeurende blik. Wat een vreselijk mens, hè?'

'Vreselijk.'

'Ik weet niet hoe ik haar in huis heb kunnen halen.'

'Het is een kenau.'

'Misschien trek ik dat soort mensen aan.'

'Zou best kunnen,' zei Frieda. 'Daar moet je maar eens over nadenken.'

'En jij?'

'Wat?'

'Hoe moet het nou met jou?'

'Dat weet ik niet.'

'Waar woon je nu?' Frieda gaf geen antwoord. 'Je kunt niet al-tijd ondergedoken blijven.'

'Dat ben ik ook niet van plan. Ik zit alleen met een paar vragen waarop ik antwoord moet zien te krijgen.'

'Het is een nachtmerrie.'

'Voor mij is het anders maar al te echt.'

'Denken ze nou werkelijk dat jij het gedaan hebt?'

'Ja. En dat is niet helemaal uit de lucht gegrepen,' voegde ze eraan toe. 'Het bewijsmateriaal wijst ook in mijn richting. Ik dacht dat ik wist wie de dader was, ik was er zeker van, maar nu niet meer.'

'Heb je geen enkel idee?'

'Nee.'

'Als je er niet achter komt, wat gebeurt er dan met jou?'

'Ik denk nu vooral even aan jou,' zei Frieda. 'Stel dat de politie over een paar dagen voor de deur staat en vragen stelt?'

'Dan ontken ik alles.'

'En als ze je vragen wat voor opvang je voor Ethan hebt?'

'Waarom zouden ze me dat vragen?'

'Maar áls ze dat doen?'

Sasha dacht een ogenblik na.

'Dan weet ik niet wat ik moet zeggen.'

'Nee,' zei Frieda. 'Maar ik wel.'

De bijeenkomst voor Sandy was om zeven uur, vlak bij de London Bridge. Frieda ging eerst terug naar haar flatje. Ze moest zich wassen, hoewel dat niet erg bevredigend was met een douche waar maar een heel zwak straaltje koud water uit kwam, en wilde zich iets minder opvallend kleden.

Net toen ze naar binnen wilde gaan, bleef ze plotseling staan. Ze had iets gezien, een schim. Toen de schim bewoog zag Frieda een ineengedoken figuur met vervilt haar, een veel te wijde blouse en blote voeten.

'Hana,' zei ze, liep op haar af en boog zich over haar heen.

Hana keek op. Haar gezicht was nauwelijks herkenbaar; haar linkerwang was helemaal tot moes geslagen en zo opgezet dat haar oog niet meer openging. Haar neus was waarschijnlijk gebroken.

'Kom,' zei Frieda en trok de vrouw overeind. Ze rook naar tabak, gebakken uien en oud zweet; onder haar arm en op haar rug zaten vochtvlekken. Ze had bloed op haar kraag en op haar rok, en haar blote, vuile voeten waren ook bebloed.

'Carla,' klonk het schor. 'Ik wilde juist...'

'Stil maar, kom mee.'

Ze nam haar mee naar binnen, zette haar op de morsige bank en nadat ze een bakje met water had gevuld maakte ze haar gezicht schoon. Het water werd rood en troebel. Af en toe kermde Hana zachtjes.

'Ik denk dat het gehecht moet worden. Je moet naar het ziekenhuis.'

Hana begon wild met haar hoofd te schudden. 'Dan vermoordt hij me.'

'Dat heeft hij al bijna gedaan.'

'Je begrijpt het niet.'

'Wie is hij?'

Weer schudde Hana haar hoofd, hoewel de beweging duidelijk pijn deed.

'Is hij je man? Je vriend?'

'Heb je nog whisky?'

'Ja.' Frieda kwam overeind en schonk whisky in een glas. Hana dronk ervan alsof ze dorst had, maar een deel sijpelde langs haar kin naar beneden. Frieda zag dat ze bloed in haar mond had. 'Heb je overwogen naar de politie te gaan?'

'Nee!'

'Een vrouwenopvang?'

'Ik heb geen geld. Geen cent. Hij heeft alles. Mijn papieren, alles.'

'Toch kun je bij hem weggaan. Die keus heb je.'

'Je begrijpt het niet,' zei de vrouw weer. 'Voor mensen als jij is het anders. Ik heb niets. Niets,' herhaalde ze. 'Hij heeft me zelfs mijn schoenen afgepakt. Toen ik zei dat ik wegging, bij mijn nicht ging logeren, heeft hij mijn schoenen stuk gesneden en dit gedaan.' Met haar vingertoppen beroerde ze haar verminkte gezicht. 'Dit is mijn leven,' zei ze. 'Het was stom van me om te denken dat het anders zou kunnen zijn.'

Frieda keek naar de licht gebogen schouders van de vrouw, naar haar toegetakelde gezicht, haar vuile voeten en met bloed besmeurde, sjofele blouse. 'Ik kan je helpen,' zei ze.

'Hoe dan? Jij zit ook hier, toch? Wat kan jij doen?'

'Wacht.'

Frieda stond op en ging naar de slaapkamer. Ze trok haar tas onder het bed vandaan. In haar wandelschoenen had ze het geld verborgen dat ze de dag dat ze haar oude leven achter zich liet van de bank had opgenomen. Ze telde het uit en kwam tot tweeënzestighonderd pond. Ze legde eenendertighonderd opzij en stopte de rest terug in de schoen.

'Hier,' zei ze, toen ze terug was in de huiskamer, en bood Hana het geld aan. 'Pak aan.'

Hana zette grote ogen op en deinsde naar achteren alsof ze bang was. 'Waarom?'

'Dan kun je weg.'

'Nee. Waaróm?'

Frieda keek naar het geld in haar uitgestrekte hand. 'Dat is niet belangrijk,' zei ze. 'Het is voor jou.'

Hana nam het geld aan en staarde er verdwaasd naar. Ze likte langs haar droge lippen en zuchtte zo diep dat het uitmondde in een soort gesnuif.

'Wat zit hierachter?'

'Niks.'

'Raar mens ben jij.'

'Misschien. Wie niet? Je mag mijn slippers ook hebben,' zei Frieda.

'Hè?'

'Je hebt geen schoenen. Ik heb ze niet nodig, ik heb nog andere. Ze passen je vast.'

Ze stapte uit haar slippers en schoof ze naar haar toe. Hana staarde ernaar alsof ze elk moment konden ontploffen.

'Ik moet zo weg,' zei Frieda. 'Ik moet me nog even wassen en omkleden.'

'Heb je nog wat whisky voor me?'

Frieda schoof de fles over de tafel en liet Hana achter op de bank. Ze ging terug naar de slaapkamer en bekeek de kleren die ze had gekocht, en waarvan niets haar beviel en niets lekker zat. Ze koos de donkergrijze broek die ze voor de begrafenis had gekocht, en een blauw T-shirt. Er stond een grote groene ster op de borst, waardoor ze er vanboven als een cheerleader uitzag, van onderen als een tuthola. Carla Morris zou zich waarschijnlijk wel opmaken, maar Frieda Klein had genoeg van Carla Morris en liet haar gezicht zoals het was, maar ze zette wel haar nepbril op.

'Ik moet ervandoor,' zei ze tegen Hana.

'Oké.' Hana keek glazig uit haar ogen. Ze klopte op haar borst alsof het een deur was die ze kon openen. 'Ik ook. Mijn nieuwe leven wacht op me.'

'Je kan het.'

'Denk je?'

16

Frieda dacht eerst dat ze in de verkeerde buurt terecht was gekomen. Ze stond aan een drukke weg iets ten zuiden van de Tower Bridge. Bussen en vrachtwagens denderden langs de pakhuizen en woonkazernes, maar toen ze een zijstraat in liep zag ze achttiende-eeuwse rijtjeshuizen, elk in een andere kleur geschilderd – lichtblauw, geel, roze. In de voortuintjes stonden blauwe bakken met bloemen.

Bij nummer 7 klopte ze aan. Er werd opengedaan door een kleine, magere vrouw van achter in de zestig met een grote bos grijs haar en kleine oogjes die haar van achter een bril verbaasd aankeken.

'Ik ben Carla Morris,' zei Frieda. 'Veronica Ellison heeft me uitgenodigd. Ik hoop dat dat goed is?'

De vrouw pakte Frieda's hand stevig beet. 'Ruth Lender,' zei ze. 'Kom binnen.'

Toen Frieda over de drempel stapte werd ze overrompeld door herinneringen. Het kwam door de geur: boeken, boenwas, kruiden; het was de droge, schone geur van thuis. Een ogenblik waande ze zich in de gang van haar smalle huisje en leek een kat langs haar enkels te strijken.

'Was je bevriend met Sandy?'

Frieda knikte. Net als voor Veronica had ze meteen een zwak voor deze vrouw. Ze was blij dat Sandy vrienden had gemaakt, maar tegelijkertijd drong het in alle hevigheid tot haar door wat ze had afgewezen. In de vele jaren dat ze praktijk had gehouden, had ze een aantal patiënten gehad die wanhopig verliefd waren geworden op hun overleden partner of echtgenoot: de dood is een geweldige verleider. Dat gevaar liep zij niet; wel merkte ze dat de doodongelukkige, boze Sandy van de laatste anderhalf jaar naar de achtergrond was verschoven en de schrandere, lieve Sandy haar weer helder voor de geest stond. En daar was ze blij om.

'Carla, zei je? Ik geloof niet dat hij die naam ooit heeft genoemd.'

'Het is ook heel lang geleden.'

'Is het niet triest dat we pas weer contact willen met mensen als ze dood zijn?'

Het huis was ruim en een beetje sjofeltjes op een manier die Frieda wel beviel: in de keuken een ouderwetse houten keukenkast, een allegaartje van stoelen stond om een houten tafel met daarop wijnglazen, borrelglazen, schalen en een plank met allerlei rijpe kazen. In de grote huiskamer waren vrijwel alle wanden bedekt met boeken, en papieren en tijdschriften waren in stapels tegen de muur geschoven om ruimte te maken voor de gasten. Er waren al zo'n vijfentwintig mensen in de kamer, misschien zelfs meer. Snel keek ze om zich heen, zich voorbereidend op een schok van herkenning, maar die bleef uit. Het waren allemaal vreemden voor haar. Sommigen kenden elkaar en stonden met een glas wijn in de hand in groepjes te praten, anderen stonden onzeker aan de kant. Veronica was in gesprek met twee mannen, de ene was blond en mager, de andere gedrongen, breed en met een lage stem die Frieda duidelijk kon horen. Een jonge man drukte haar een glas in de hand en liep verder. Een vrouw die naast haar stond ving haar blik en lachte haar verlegen en hoopvol toe.

'Ik ben Elsie,' begon ze. Ze had een accent dat Frieda niet kon plaatsen.

'Ik ben Carla, aangenaam. Waar kende jij Sandy van?'

'Ik heb bij hem schoongemaakt. Het was een aardige man.'

'Dat was hij zeker.'

'Heel beleefd.'

'Ja.'

'En ook netjes, ik had weinig werk aan zijn huis. Hoewel soms…' Ze dempte haar stem, '… soms brak hij weleens wat.'

'O, ja?'

'Ja. Borden. Glazen.'

'O.' Frieda wist niet wat ze hoorde. 'Opzettelijk, bedoel je?'

'Hij stopte ze in de vuilnisbak, maar ik kwam er altijd achter.'

'Echt waar?'

'Ik heb eens voor een vrouw gewerkt die de wikkels van haar chocoladerepen in een dichtgebonden plastic zak in de vuilnisbak deed. Ze was heel dun.' De vrouw bracht haar handen dicht bij elkaar om aan te geven hoe graatmager haar werkgeefster was geweest. 'Toch at ze elke dag een heleboel repen.'

Op neutrale toon en met afgewende blik vroeg Frieda: 'Wat probeerde Sandy te verstoppen?'

'Geen wikkels. Maar hij maakte zich zorgen.'

'Hoe merkte je dat?'

'Meer drank. Meer sigaretten. Meer rimpels in zijn gezicht. Meer kapotte borden. Zorgen.'

'Ik begrijp het. Weet je ook waarover?'

'Nee, maar we hebben allemaal onze zorgen.'

'Dat is waar.'

'Ik weet dat hij verlaten was door een vrouw, en dat hij haar miste. Dat heeft hij een keer verteld toen hij wijn ophad.'

'Goh.'

'Haar foto stond op zijn bureau, maar die heeft hij op een gegeven moment weggehaald.'

Frieda deed haar best om haar gezicht in de plooi te houden.

'Donker, niet lachend. Niet zo mooi, vond ik.'

Er klonk een tinkelend geluid toen Ruth Lender met haar lepeltje tegen de rand van haar glas tikte. Langzaam werd het stil in de kamer. Ze stond naast een piano waarop, zag Frieda nu, een grote ingelijste foto van Sandy was neergezet: een portretfoto van hem in een pak met een wit overhemd. Er speelde een lachje om zijn mond en hij keek haar recht aan.

'Fijn dat jullie allemaal gekomen zijn,' zei Ruth, en ze keek naar de ernstige, verwachtingsvolle gezichten om haar heen. 'Hoewel we er geen formele, stijve plechtigheid van willen maken, denk ik dat we allemaal behoefte hebben om over Sandy te praten en hem, ieder op zijn eigen manier, te gedenken. Omdat hij zo jong en op zo'n schokkende manier aan zijn einde is gekomen, omdat er een vreselijk mysterie om zijn dood heen hangt en omdat er nog geen begrafenis kan zijn, lijkt het me belangrijk om uitdrukking te geven aan onze gevoelens en afscheid van hem te nemen.'

'Helemaal mee eens,' bromde de brede man naast Veronica.

'Over een uur zijn er hapjes – geïnspireerd op de dingen die Sandy lekker vond, we weten allemaal dat hij van lekker eten en goede wijn hield. En ook van iets minder goede wijn.' Gelach rimpelde door de kamer. 'Maar laten we eerst proberen iets van onze gevoelens te delen.' Ze nam een slokje wijn. Frieda kon aan haar zien dat ze gewend was in het openbaar te spreken, lezingen te geven.

'Ik weet dat enkelen van jullie iets hebben voorbereid, maar ik hoop dat iedereen zich vrij voelt om iets te zeggen – of niet, uiteraard. Het is altijd moeilijk om de spits af te bijten, dus laat ik zelf maar beginnen.' Ze pakte een stapeltje kaartjes dat op de piano lag. 'Ik wil het niet alleen maar hebben over mijn persoonlijke herinneringen aan Sandy – die trouwens indertijd door mij naar de universiteit is gehaald omdat ik hem slim en fantasievol vond, een frisse denker, en ik heb er geen moment spijt van gehad. Ik heb collega's van hem gesproken, en een paar studenten, die hier helaas niet bij konden zijn. Zij hebben me korte beschrijvingen van hem gegeven, soms maar één zin of één woord waarmee ze hem karakteriseerden.'

Ze nam nog een slokje wijn, zette haar glas op de piano en schoof haar bril hoger op haar neus.

'Daar gaat ie. Angstwekkend slim… Kon niet tegen dommeriken… Een intellectueel in de beste zin van het woord… Pokerde beter dan ik… Knap… Cool… Goed van de tongriem gesneden… Iemand die je aan jouw kant wilde hebben… Hij lachte zo leuk… Een man wiens mening belangrijk voor mij was… De beste docent die ik ooit heb gehad en ik wou dat ik hem dat had gezegd… Ik zal hem missen… Ik was eigenlijk een beetje bang voor hem… Ging graag de competitie aan… Hij had een ijselijke backhand… Was dol op blauwe kaas en rode wijn… Gecompliceerd… Geheimzinnig…'

Frieda luisterde naar de opsomming. Ze dacht aan Sandy zoals hij was geweest op de stoep voor The Warehouse, zijn gezicht vertrokken van woede, maar plotseling zag ze hem ook voor zich op gelukkige momenten, met een ontspannen gezicht dat hem jonger, onschuldiger maakte. Dat was het beeld dat ze vast wilde houden.

Er kwam iemand anders naar voren, een lange, slungelige man met een hoekig gezicht en snelle gebaren. Hij stelde zichzelf voor als een naaste collega van Sandy en vertelde over een conferentie waar ze samen waren geweest en dat ze een nacht lang hadden gediscussieerd over de constructie van het zelf, en dat Sandy whisky had gedronken en helder en energiek was geweest. Af en toe klonk de man schor en viel hij even stil. Toen hij klaar was kwam Veronica naar voren.

'Ik wil een paar dingen zeggen.' Ze had een blos en Frieda zag dat ze nerveus was. 'Zoals sommigen hier wel weten, hadden Sandy en ik onze ups en downs. Ik heb hem kwetsbaar meegemaakt en ik kende ook zijn harde, zelfs wrede kanten, maar ik denk dat hij in wezen een hele lieve man was. Een van de woorden die net voorbijkwamen was "gecompliceerd", en dat was hij zeker. Maar hij was echt. Hij leefde, hij had lief, hij leed. We weten geen van allen waarom hij dood moest, maar degene die dat op zijn geweten heeft, heeft iemand omgebracht die onvervangbaar is en door ons allemaal gemist zal worden.'

Haar stem trilde en ze kreeg tranen in haar ogen. De slungelige man die voor haar had gesproken sloeg een arm om haar heen en begeleidde haar naar een hoek van de kamer. Frieda zag dat een lange vrouw met zwart haar en opvallend blauwe ogen troostend een hand naar haar uitstrekte.

Er volgden andere verhalen. Een man die met Sandy had gesquasht beschreef zijn fanatisme bij het sporten, wat enige hilariteit opwekte. Er werd een gedicht van John Donne voorgelezen door een oude vrouw, maar haar stem was zo zacht dat het nauwelijks te verstaan was. Iemand anders las met een zwaar Schots accent een recept van Sandy voor en zei dat iedereen die geïnteresseerd was zijn e-mailadres aan hem door kon geven. Een vrouw met tatoeages op haar armen memoreerde hoe goed hij met kinderen was en iemand riep: 'Vraag maar aan Bridget, die kan daar een boekje over opendoen.'

De zwartharige vrouw met de blauwe ogen die Frieda al eerder had gezien, keek boos. 'Ik dacht het niet,' zei ze met heldere stem. 'Sandy was zeer gehecht aan zijn privacy.'

Even verkilde de sfeer in de kamer. Er werden ongemakkelijke blikken gewisseld, maar Frieda bekeek de vrouw met belangstelling. Ze had haar rug naar het gezelschap gekeerd en keek door de openslaande deuren naar een weelderige tuin vol wild bloeiende rozen.

Toen kwam er een vrouw met een viool naar voren die zich voorstelde als Gina. Frieda had over haar gehoord, maar haar nooit ontmoet. Gina vertelde dat Sandy en zij lang geleden iets met elkaar hadden gehad en hoewel ze elkaar jaren niet hadden gezien, wilde ze hier graag iets voor hem spelen. Ze had een stuk van Bach uitgekozen, zei ze, waar hij dol op was. Ze speelde virtuoos en leek in haar eigen wereld op te gaan. Frieda zag dat enkele mensen hun vingers tegen hun ooghoeken drukten of een zakdoekje tevoorschijn haalden.

Na de muziek kwamen er hapjes en drankjes. Jonge mensen, studenten van Sandy, vermoedde Frieda, gingen met bladen rond. Ze nam een blini met gerookte zalm en liep naar de andere kant van de kamer, waar de vrouw stond die geen boekje over Sandy open had willen doen. Ze was met Veronica in gesprek, de slungelige man stond naast haar. Hij had een smal, intelligent gezicht en vrijwel kleurloze ogen. Toen Veronica haar zag komen, wenkte ze.

'Hallo Carla,' zei ze. 'Dit zijn mijn goede vrienden Bridget en Al. Al heeft nauw met Sandy samengewerkt.'

'Dag,' zei Frieda. Ze gaven elkaar een hand. Bridget was bijna net zo lang als Al, maar haar krachtige, levendige verschijning contrasteerde met zijn bleke, smalle gestalte. Zij was een en al kleur en rondingen, hij was flets en hoekig.

'Carla en Sandy kenden elkaar van heel lang geleden,' legde Veronica uit.

Bridget keek naar Frieda's stomme T-shirt, saaie broek en grof geknipte haar.

'Je had gelijk, Sandy wás erg op zijn privacy gesteld,' zei Frieda tegen haar. 'Ik had vaak moeite om hoogte van hem te krijgen.'

Bridget keek fronsend de andere kant op, kennelijk niet bereid om herinneringen op te halen.

'Trouwens,' zei Veronica nadat het even stil was geworden. 'Carla is misschien wel de persoon die jullie zoeken.'

'Pardon?' zei Frieda.

'Carla past op kinderen,' vervolgde Veronica. 'Toch, Carla?'

'O, ja.'

'En Bridget en Al zijn door hun oppas in de steek gelaten en op zoek naar vervanging.'

'Dat klopt,' zei Al. 'We hebben een dochter van drie en een zoontje dat net één is geworden. Ben je beschikbaar?'

'Nee.' Toen herinnerde ze zich dat ze Carla was en niet Frieda, en voegde er wat vriendelijker aan toe: 'Eigenlijk niet.'

'Eigenlijk niet?' Bridget trok haar zware wenkbrauwen op en keek haar spottend aan. Ze maakte een geërgerde, ongeduldige indruk. 'Wat betekent dat?'

'Het betekent dat ik eigenlijk niet beschikbaar ben.'

'Nou, mocht je je bedenken, bel ons dan.' Al haalde zijn portefeuille uit zijn zak en gaf haar zijn kaartje.

Frieda liep weg, maar Veronica kwam achter haar aan en zei: 'Trek het je maar niet aan, Bridget is een beetje overstuur.'

'Vanwege Sandy?'

'Ze waren goed bevriend. Zij en Al waren als familie voor hem.'

'Ik dacht dat hij een zus had?'

'Ja, inderdaad. Maar Sandy kwam heel veel bij Al en Bridget

over de vloer en de kinderen waren ook dol op hem.'

'O.'

'Ze laat haar verdriet niet zien. Daarom doet ze zo boos. Arme Al,' zei ze meelevend.

'Gecompliceerd, zei je,' zei Frieda. 'Wat bedoelde je daarmee?'

'Gecompliceerd?'

'Je zei dat Sandy gecompliceerd was.'

Veronica leek van haar à propos gebracht. 'Niks bijzonders. Heb jij niet ook het gevoel dat bij dit soort bijeenkomsten een beeld van iemand wordt geschapen dat niet klopt? Het is altijd "hij hield hiervan" en "hij was daar en daar goed in". Maar mensen zitten veel rommeliger in elkaar.'

'In welke opzichten was Sandy rommelig?' vroeg Frieda.

'Hij kon moeilijk zijn,' zei Veronica, maar het klonk onzeker en Frieda voelde dat ze er niet op door moest gaan.

Er was een forse man achter de piano gaan zitten die zijn mollige handen zachtjes over de toetsen liet gaan. In de hoek van de kamer meende Frieda Lucy Hall te zien staan, Sandy's persoonlijke assistente van een paar jaar geleden, maar Lucy gaf geen blijk van herkenning en zag Frieda misschien niet eens staan. Sandy's werkster was met Ruth Lender in gesprek. Ze torende boven de kleine professor uit en de tranen stroomden over haar wangen. Gina legde haar viool terug in de kist. Frieda overwoog een praatje met haar te maken, maar zag er toch van af: wat moest ze met de tedere herinneringen van Sandy's oude vlam?

Toen zag ze uit haar ooghoek ineens een man met rood haar; ze draaide zich abrupt om en met haar rug naar de kamer gekeerd staarde ze gespannen naar buiten. Ze durfde zich niet te verroeren. Hij werd begroet door Ruth, hoorde ze, en even later door Veronica.

'Het gras mag weleens gemaaid,' zei iemand naast haar. Het was Al.

'Inderdaad. Maar ik hou wel van dat wilde.'

Voorzichtig keerde ze zich ietsje naar de kamer en keek naar links. De man met het rode haar stond bij de piano. Hij had een glas wijn in zijn hand en praatte met Veronica en Ruth. Hij leek het warm te hebben, veegde zijn sproetige voorhoofd af en maakte een geagiteerde indruk. Ze had het goed gezien, het was Tom Rasson, die met Sandy's zusje was getrouwd en Frieda vaak had ontmoet. De ruimte werd al leger en Frieda voelde zich erg kwetsbaar in haar oppervlakkige vermomming. Hij hoefde maar haar kant op te kijken en hij zou dokter Frieda Klein zien staan, de vrouw die zijn zwager aan de kant had gezet, zijn lichaam had geïdentificeerd, op de vlucht was voor de politie, verdacht werd van de moord en nu met een kort koppie was opgedoken om de mensen te bespieden die Sandy's vrienden waren geworden.

'Kom, we gaan er even naar kijken,' zei ze tegen Al.

Ze bukte zich en morrelde aan de vergrendeling van de openslaande deuren, die knarsend meegaf. Toen gaf ze een ruk aan de hendel en de deuren schoten met een luide klik open; warme lucht stroomde de kamer in. Ze stapte naar buiten en voelde het hoge gras om haar enkels. Het schemerde, ze rook de geur van bloemen en vochtige aarde. Al liep beleefd achter haar aan.

'Hou je van tuinieren?' vroeg hij.

'Niet echt,' zei ze. 'Maar ik ben graag buiten.' Ze glimlachte naar hem. 'Ik moet ervandoor. Misschien kan ik er zo wel uit.'

Snel liep ze langs het huis naar het poortje in de schutting dat ze al eerder had gezien. Ze trok aan de schuif, die met moeite meegaf, en stak haar hand op naar Al. Toen liep ze de straat in en verdween om de hoek.

17

Terug in de flat ging Frieda op de bank zitten. Er was geen radio om aan te zetten, geen muziek waar ze naar kon luisteren, geen boek om open te slaan. Het was haast rustgevend te noemen, ware het niet dat er steeds lawaai van buiten kwam: geschreeuw, dichtslaande deuren, getoeter. Ze ging absoluut geen moeite doen om aan dit smoezelige onderkomen een huiselijk tintje te geven en had ook niet de geringste neiging er haar eigen domein van te maken. Maar ze moest nog wel wat basisdingen hebben, zoals schoonmaakmiddel. Ze besloot een paar boodschappen te halen bij een avondwinkel, iets te eten, en een plan te maken.

Ze liep naar de slaapkamer, trok de tas onder haar bed vandaan en haalde haar wandelschoenen tevoorschijn. Ze stak haar hand in de ene schoen, daarna in de andere. Om zeker te zijn deed ze het nog een keer, hoewel het al duidelijk was. Het geld was verdwenen.

Frieda bleef heel kalm, het was alsof ze het verwacht had. Ze was niet bang en ook niet ontdaan, er kwam slechts een ijzeren vastberadenheid over haar. Ze verliet de slaapkamer en liep de galerij op. Ze telde de flats tot ze was waar ze wezen moest, en klopte aan. Er gebeurde niets. Ze klopte nog een keer, harder. Nu hoorde ze een geluid en de deur ging open. De man was enorm, hij vulde de hele deuropening. Hij droeg een spijkerbroek en een glimmend voetbalshirt en had lang donker haar – echt lang, tot op zijn schouders. In zijn hand hield hij een afstandsbediening.

'Is Hana thuis?' vroeg Frieda.

De man staarde haar zwijgend aan. Zijn blik rustte zwaar op haar, alsof ze op haar plaats moest worden gehouden. Frieda had geen idee of hij haar gehoord had, ze wist niet eens of hij wel Engels sprak, maar er ging een enorme vijandigheid van hem uit. Ze wist dat ze zichzelf in gevaar bracht, maar was zo kwaad dat ze geen angst voelde.

'Hana,' herhaalde ze. 'Ik denk dat ze iets heeft wat van mij is. Ik moet haar spreken.'

Er kwam nog steeds geen reactie.

'Ik wil graag een antwoord,' zei ze. 'Ik weet dat je begrijpt wat ik tegen je zeg.'

Het was al gebeurd voor ze het goed en wel in de gaten had. Ze werd keihard tegen de reling geduwd. Hij hield zijn rechterhand om haar hals en drukte haar achterover. Het trof haar als eigenaardig dat hij op blote voeten was en zijn adem naar vlees rook. Tegelijkertijd helde ze steeds verder naar achteren en vroeg zich bijna afstandelijk af of haar tijd gekomen was, en ze over de reling zou worden gewerkt. Hij verplaatste zijn handen en greep haar bij haar T-shirt vast.

'Ik wil jou nóóit meer zien,' zei hij. 'Begrepen?'

Een antwoord leek Frieda niet nodig.

'Ik vroeg of je het begrepen had.'

'Ik heb het begrepen.'

De man hield haar nog even vast, toen liet hij los en gaf een tik tegen haar wang. Hij ging naar binnen en sloeg de deur achter zich dicht.

Frieda liep terug naar haar flat. In de zak van haar jasje vond ze een briefje van twintig pond en een van vijf. Verder had ze nog vier munten van een pond en wat kleingeld. Ze dacht even na, probeerde haar gedachten te ordenen. Toen ging ze naar beneden, naar buiten. Ze moest lopen, alsof dat de enige manier was om haar woede om te vormen tot iets nuttigs. Ze liep door de straten, doorkruiste een park, passeerde een begraafplaats en kwam langs een spoorbrug met garagebedrijven onder de bogen. Opeens bleef ze staan. Ze had helemaal niet opgelet, niets gezien en niets gehoord. Zelfs haar gedachten waren ongeordend geweest. Ze keek om zich heen en probeerde zich te oriënteren. Even dacht ze dat ze verdwaald was, maar met enige moeite en na een paar keer de verkeerde kant op te zijn gelopen, vond ze de weg terug naar huis.

Hoewel ze nog steeds niet gegeten had, had ze geen honger meer. Ze kleedde zich half uit en ging naar bed, maar de uren verstreken zonder dat ze de slaap kon vatten. Op een steenworp afstand bevond zich die man: nog steeds voelde ze de druk van zijn hand om haar hals en zijn adem in haar gezicht. Ze pakte haar horloge, zag dat het halfdrie was en overwoog op te staan en weer door de straten te gaan dolen, zoals ze op dit soort momenten gewoon was te doen. Maar ze bleef in het donker liggen en dacht na over het fenomeen slaap, het je op de stroom van je onderbewustzijn weg laten drijven. Ze vroeg zich af hoe mensen dat deden, hoe ze er zelf ooit toe in staat was geweest. En ze dacht aan alle mensen in Londen, alle mensen op aarde, die elke dag ergens moesten kunnen slapen.

Toch moest ze in slaap zijn gevallen want ze werd met een schok wakker. Ze keek op haar horloge. Ze moest zich haasten. Ze stond op, kleedde zich uit en waste zich onder het dunne straaltje van de douche. Vervolgens trok ze wat kleren aan, rende de voordeur uit en nam de trein naar Sasha. Het kostte drie pond, dus had ze nog iets meer dan zesentwintig pond over. Ze moest aan al die mensen denken die elke dag dit soort berekeningen maakten, die elke cent om moesten draaien, voor wie elk ritje met de bus of metro een kostenpost was, elk kopje koffie in een café moest worden begroot. De wereld zag er wel heel anders uit – gevaarlijker, angstaanjagender – als je niet wist hoe je de eindjes aan elkaar moest knopen. Dat had ze altijd wel geweten, maar nu ondervond ze het aan den lijve. Plotseling dacht ze terug aan zichzelf op haar zestiende, berooid en helemaal alleen op de wereld. Het was alsof de cirkel rond was en ze weer terug was bij af.

Maar dat was natuurlijk niet zo, want nu had ze vrienden.

'Ik moet een beetje geld van je lenen.'

'Natuurlijk. Is er iets mis?'

'Ik heb gewoon wat contanten nodig.'

Sasha keek in haar portemonnee. Ze had vijftig pond en gaf Frieda veertig.

'Kan ik even bellen?' vroeg Frieda. 'Ik zal het kort houden.'

Sasha gaf haar de telefoon en Frieda liep de gang op. Ze haalde het kaartje tevoorschijn dat ze de vorige dag had gekregen. Ze had het gevoel dat het lot haar hiertoe dwong.

Toen ze het gesprek had beëindigd en op het punt stond terug te gaan naar Sasha, aarzelde ze. Enerzijds vond ze dat ze geen keus had, anderzijds betekende het dat ze een belofte aan zichzelf zou breken.

Ze toetste Reubens nummer in, maar kreeg geen gehoor. Ze vloekte.

'Alles oké?' vroeg Sasha van uit de kamer.

'Ik had niet in de gaten dat ik dat hardop zei.' Frieda dacht even na, toen toetste ze een ander nummer in. Er klonk een klik.

'Is Sasha? Ik ben...'

'Nee, Josef, ik ben het.'

'Frieda. Wat is gebeurd? Waar ben je?'

'Ik heb je hulp nodig.'

'Natuurlijk. Zeg maar.'

'Ik krijg Reuben niet te pakken. Je moet naar hem toe gaan en geld van hem lenen. Eh... vijfhonderd pond, die hij uiteraard zo snel mogelijk terugkrijgt.'

'Frieda,' zei Josef. 'Jouw geld. Wat is gebeurd?'

De vraag kwam aan als een stomp in haar maag. Haar impuls was niets te zeggen, hem af te leiden. Maar tot haar eigen verrassing vertelde ze Josef onomwonden het hele verhaal, over Hana, over het geld, over de man. Toen ze was uitgesproken verwachtte ze verbazing en woede, maar die reactie bleef uit.

'Oké,' zei hij kalm. 'Ik ga naar Reuben. Ik breng het geld.'

'Is dat niet gevaarlijk voor je?' vroeg Frieda. 'Valt de politie je lastig?'

'Nee. Nu niet. Reuben zegt veel gedoe in kranten. Journalisten nieuwsgierig. Geen probleem.'

'Ik kan je niet zeggen hoe het me spijt dat ik je dit moet vragen.'

'Dan niet zeggen.'

Ze verbrak de verbinding en keek Ethan aan, die de kamer uit was gekomen.

'Ben je er klaar voor?' vroeg ze, maar hij staarde haar ernstig aan. 'We gaan er een spannend dagje van maken.'

Bridget Bellucci woonde in Stockwell, in een rijtjeshuis met glanzende houten vloeren, lambriseringen, abstracte schilderijen aan de muur en openslaande deuren naar een diepe tuin. Ze stelde Frieda en Ethan voor aan de driejarige Tam en de eenjarige Rudi. Vervolgens spreidde ze Tams verzameling knuffels uit op het tapijt in de huiskamer.

'Laat ze maar eens aan Ethan zien,' zei ze.

Tam leek er niet warm voor te lopen. Ze pakte een van haar knuffels op, drukte hem bezitterig tegen zich aan en wendde zich van iedereen af. Ethan plofte neer op de grond, stak zijn onderlip naar voren en zette zijn houten beestjes voorzichtig voor zich neer. Bridget gebaarde naar de bank. Ze had wallen onder haar ogen en haar donkere haar was ongewassen.

'Ik dacht dat je niet beschikbaar was,' zei ze tegen Frieda. 'Waarom ben je van gedachten veranderd?' Het klonk niet erg dankbaar.

'Ik pas op Ethan, maar ik kan je wel een paar dagen uit de brand helpen tot je iemand gevonden hebt. Als je dat wilt tenminste.'

'Graag zelfs. Ik wilde net mijn werk bellen om me ziek te melden.' Ze maakte een snuivend geluid. 'Zo gaat dat – je mag wel ziek zijn, maar wee je gebeente als je vrij neemt om voor je kinderen te zorgen. En ik kan me niet ziek blíjven melden.'

Rudi slaakte een kreet. Bridget keek naar Frieda, die zich bukte, het jongetje optilde en op schoot nam. Hij was warm en zwaar en een beetje vochtig.

'Wat doe je voor werk?'

'Ik geef Italiaans op een taleninstituut. Meestal heb ik 's ochtends vrij en werk ik 's middags en een paar avonden per week.' Ze klonk nog steeds kortaf. 'Ik ben half Italiaans.'

'Je ziet er ook half Italiaans uit.'

'Ja.' Ze keek Frieda indringend aan. 'Jij ziet er niet als een oppas uit.'

'Hoe ziet een oppas er volgens jou uit?'

'Jong, onder andere.'

Frieda haalde haar schouders op. 'Wat is er gebeurd met de opvang die jullie hadden?'

'Ze besloot plotseling dat ze heimwee had. Ik geloof dat ik je wat vragen moet stellen. Heb je referenties?'

'Nee.'

'O?'

'Ik ben geen professionele oppas. Ik doe het om een vriendin te helpen.'

'Dan heb ik het zeker verkeerd begrepen. Kan ik die vriendin spreken?'

'Natuurlijk,' zei Frieda. 'Ze is nu op haar werk, maar ik kan haar vragen of ze je belt.'

Bridget keek naar Ethan, die twee paardjes over de houten vloer liet galopperen. 'Ik beschouw hem maar als referentie. Zo te zien heeft hij het wel naar zijn zin.' Ze bukte zich en bracht haar gezicht dicht bij dat van Ethan. 'Vind je het leuk met Carla?'

'Nee,' zei Ethan. 'Niet Carla. Ze…'

'Hij maakt het goed, hoor,' zei Frieda. 'Hier.' Ze gaf Ethan nog een paar houten beestjes. Tam pakte er eentje van hem af, stak het in haar mond en liet haar wang opbollen. Ethan was zo verbouwereerd dat hij het niet eens op een krijsen zette. Met grote ogen en open mond staarde hij haar aan.

'Geef dat aan mij, nu,' zei Frieda tegen Tam en ze stak haar hand uit.

Tam staarde haar opstandig aan. Bridget keek toe, benieuwd hoe dit af zou lopen.

'Nu, Tam,' herhaalde Frieda.

'Tot tien tellen?' Door het speeltje in haar mond kwamen de woorden er vervormd uit.

'Absoluut niet.'

Er viel een stilte. Toen spuugde Tam het beestje in Frieda's hand uit.

'Dank je wel,' zei Frieda. 'Ethan, laat Tam je beestjes eens zien.'

'Waarom?'

'Omdat je bij haar thuis bent en soms kan het leuk zijn om samen te spelen.'

'Zijn er dingen die je aan míj wilt vragen?' vroeg Bridget. Haar toon was iets vriendelijker geworden.

'Ik wil graag contant betaald worden.'

Bridget begon te lachen. 'Klinkt clandestien.'

'Zo werk ik nu eenmaal.'

'Hoeveel vraag je?'

Even zat Frieda met haar mond vol tanden. Wat was een redelijke vergoeding?

'Tachtig pond per dag?'

'Goed. Prima. Ik betaal aan het eind van de week. Wanneer kun je beginnen?'

'Nu meteen.'

'Echt waar?'

'Ja, hoor.'

'Oké, dan beginnen we meteen vandaag. Ik hoef pas over een uur weg. Zullen we koffiedrinken? Dan leg ik je alle praktische dingen uit die je moet weten.'

'Dat lijkt me een goed idee.'

'Als jij even een oogje op ze houdt, dan kom ik zo met de koffie.'

Frieda hield de kinderen in de gaten. Rudi bleef rustig op haar schoot zitten terwijl zij de oudere kinderen belangstellend bekeek. Ze namen amper notitie van elkaar, alleen af en toe leken ze elkaars aanwezigheid op te merken. Op een gegeven moment stak Ethan zijn handje uit naar Tams haar, dat helrood en krullend was, alsof haar schedel in brand stond. Ze leek totaal niet op haar moeder.

Bridget kwam de kamer in en gaf Frieda haar koffie. 'Wat ga je vandaag met ze doen?' vroeg ze.

'Ik dacht met ze naar een begraafplaats te gaan.'

'Een begraafplaats!'

'Het is zonnig en warm en ik geloof dat er hier in de buurt een is die we kunnen verkennen. Misschien kunnen we er picknicken. Hoe laat ben jij thuis?'

'Laat. Maar Al is er om halfzes, zes uur. Is dat goed?'

'Prima.' Frieda nam een slokje van haar koffie, die sterk en vol van smaak was. 'Kwam Sandy hier vaak?'

'Ja. Waarom wil je dat weten?' Bridgets stem klonk weer koel.

'Omdat het Sandy is die ons bindt,' zei Frieda. 'We kenden hem allebei.'

'Hij is dood.'

'Hij is inderdaad dood, maar…'

'Vermoord. Breed uitgemeten in de pers. En mensen die hem in geen tijden gezien hadden…'

'Zoals ik.'

'… zoals jij, en talloze anderen, zijn nu ineens gefascineerd door hem. Laat iedereen zich met z'n eigen zaken bemoeien.'

'Je bent boos.'

'Ja, ik ben boos omdat iedereen ineens zijn beste vriend of vriendin blijkt te zijn geweest, nu hij dood is.'

'Maar je bent ook boos omdat hij dood is.'

'Hè, wat?'

'Je bent boos omdat hij dood is,' herhaalde Frieda; ze maande zichzelf om Carla te zijn, de oppas, maar zo voelde ze zich niet. Bridgets woede was voelbaar als hete stoom die van haar af sloeg en Frieda zag haar wangen rood opgloeien. Ze keek naar Tam, die een stel linten uit een rood doosje haalde en aan Ethan gaf, die ze vasthield en er ernstig naar keek. 'Omdat hij er niet meer is.'

'Wil je dit baantje?'

'Op je kinderen passen, bedoel je?'

'Want als het antwoord ja is, zou ik over Sandy ophouden als ik jou was. Ik heb er genoeg van. Gun hem zijn rust. En mij ook.'

Het was warm, haast benauwd, maar de begraafplaats was koel en lommerrijk; het licht werd door de bomen gefilterd en viel vlekkerig op de met mos bedekte grafstenen, waarvan de inscripties niet meer te lezen waren. Alles was er overwoekerd, overal waren braamstruiken – er zou hier veel te halen zijn in het najaar – en de vogels zongen. Londen leek een andere wereld, ook al was het verkeersgedruis in de verte te horen. Frieda duwde Rudi in de buggy voort en Tam en Ethan speelden chaotisch en al snel ruzie-achtig verstoppertje, tot ze op een omgevallen boomstam gingen zitten om te picknicken.

Frieda dacht aan Bridget. Zodra Sandy werd genoemd, was ze gespannen en boos, en ze vroeg zich af waarom. Als ze gewoon bevriend waren geweest, waarom moest Bridget hem dan steeds zo heftig in bescherming nemen? Waren ze geliefden geweest? Bridget was een mooie, sterke vrouw en Frieda kon zich voorstellen dat Sandy voor haar zou zijn gevallen, maar ze was getrouwd met zijn naaste collega en moeder van twee kleine kinderen. Anderzijds had Veronica Ellison gezegd dat Sandy een relatie had gehad waar hij niet graag op terugkeek. Misschien werd Bridget verteerd door verdriet en schuldgevoel en kostte het haar vreselijk veel moeite om dat geheim te houden nu Sandy was vermoord. Of misschien was er meer…

'Frieda.' Ethan trok aan haar hand.

'Ze heet Carla,' zei Tam. 'Dat zei mamma zelf.'

'Nee.' Ethan liet zich niet van de wijs brengen, maar hij keek bekommerd. 'Frieda.'

'Carla,' riep Tam dreinerig, en ze begon te jengelen: 'Carla, Carla, Carla.'

'Kom, we gaan,' zei Frieda, en ze stopte de restjes van de picknick terug in de tas en tilde Rudi op. Troostend legde ze haar hand op Ethans warme hoofd en zei: 'Onderweg kopen we een ijsje.'

Toen ze bij het huis van Bridget en Al aankwamen was Rudi diep in slaap. Frieda legde hem in zijn wieg en zette Tam en Ethan voor een dvd die Tam had uitgekozen. Het was vier uur; Al zou er niet voor halfzes zijn.

Ze begon in de huiskamer; ze nam aan dat áls Tam en Ethan al hun blik van de tekenfilm zouden losmaken, ze het niet raar zouden vinden als ze in laden en kasten keek en door papieren zat te bladeren. Ze wist niet waar ze naar op zoek was, alleen dat ze iets zocht wat Bridgets boosheid en verdriet over Sandy zou kunnen verklaren. Ze vond rekeningen, bankafschriften, bouwtekeningen en folders van vakantiehuizen in Griekenland en Kroatië. Er lagen speelkaarten, bordspellen, opgerolde elastiekjes, schetsboeken waarin geen schetsen stonden, eenvoudige bladmuziek voor viool waarop met potlood aantekeningen waren gemaakt, stapels van vele jaargangen van tijdschriften over neurowetenschappen, een la vol met ansichtkaarten en verjaardagskaarten voor Al en Bridget, maar niet één van Sandy. De kinderen keken niet op of om; ze zaten met open mond en precies dezelfde verdwaasde uitdrukking naar de tv te staren.

Ze bekeek de foto's in de gang, maar Sandy stond er niet op, het waren allemaal foto's van Tam en Rudi en een paar van Al en Bridget op jongere leeftijd. Al was toen nóg dunner geweest, met smalle schouders, smalle heupen en een sproetige, bleke teint. Bridget straalde als een donkere vrucht. Een gevaarlijke vrouw, dacht Frieda terwijl ze de keuken in liep, waar de potten en pannen erop wezen dat in elk geval een van de twee zich serieus met koken bezighield. Net als Sandy, en ze zag hem voor zich, hier, zijn mouwen opstropend tussen de scherpe messen en koperen pannen en het uitgebreide assortiment kruiden. Ze wierp een blik op de kookboeken en het had haar niet verbaasd als er een van hem tussen had gestaan.

Ze liep de trap op naar de tussenverdieping, waar een kleine werkkamer bleek te zijn met uitzicht op de tuin. Ze wist meteen dat het Bridgets kamer was, ook al kon ze niet zeggen waar hem dat in zat. Er waren boekenkasten en in de hoek van de vensterbank lag een viool met een gebroken snaar. Het bureau lag bezaaid met papieren en er stond een laptop, maar toen Frieda die opendeed werd er om een wachtwoord gevraagd. Ze trok de bovenste la open en zag ballpoints, potloden, een schaartje, nietjes en paperclips. In de volgende la lag een stapeltje foto's. Ze keek ze door, maar herkende niemand. Het waren duidelijk foto's van vroeger, waarschijnlijk van Bridgets familie, en ook van Bridget zelf als jong meisje: direct herkenbaar, zelfs toen al keek ze met een enigszins opstandige blik in de lens. Achter in de la stond een ijzeren kistje waar een iel slotje op zat. Frieda pakte het op en schudde ermee. Ze hoorde zacht schuivende papieren. Ze draaide aan het slot, maar het gaf niet mee. Aan de muur naast het bureau hing een schilderij van een vrouw onder een paraplu. Ze keek Frieda teleurgesteld aan.

'Ik heb geen tijd om het uit te leggen,' zei Frieda tegen haar, en ze pakte het schaartje uit de bovenste la, stak de punt in het slot en gaf er een ferme draai aan. Het slotje bezweek onmiddellijk en ze klapte het deksel omhoog. Er lagen tientallen brieven in. Waarom bewaart iemand brieven in een gesloten kistje achter in een la? Frieda pakte de bovenste. Hij was in blauwe inkt geschreven in een krachtig, zwierig handschrift dat niet van Sandy was. Bovendien was de inkt verbleekt en de datum van twaalf jaar geleden. Niet vreemd, want wie schreef er tegenwoordig nog brieven? Frieda las een paar regels en zag dat het een liefdesbrief was aan Bridget, waarschijnlijk van voor ze Al kende. De brief leek in de kleine uurtjes geschreven te zijn in een opwelling van seksuele hartstocht. Een gevoel van schaamte bekroop Frieda. Ze keek op, recht in de ogen van de vrouw onder de paraplu.

Het waren allemaal liefdesbrieven, alle afkomstig van dezelfde afzender, Miguel genaamd. Ze las ze niet, maar wierp wel een blik op de paar foto's onder in het kistje waarop een jonge, naakte Bridget te zien was. In het kistje dat ze had opengebroken terwijl de kinderen beneden naar een tekenfilm zaten te kijken en Rudi zijn slaapje deed, zaten alleen maar souvenirs aan een verhouding van lang geleden die niemand behalve Bridget iets aanging. Het was haar geheime, jongere zelf van vroeger.

Plotseling hoorde ze de voordeur opengaan en iemand 'Hallo!' roepen. Het was Al. 'Waar is Carla dan, onze reddende engel?' hoorde ze hem zeggen, waarop Tam iets vaags mompelde.

Lichte voetstappen kwamen de trap op. Frieda had geen tijd om de kamer te verlaten en omdat de deur openstond was het niet te vermijden dat hij haar midden in de werkkamer van zijn vrouw zou zien staan. Op het bureau lagen de brieven uitgespreid en de laden stonden open. Snel legde ze de brieven op elkaar, stopte ze in het kistje en schoof de la dicht, maar toen Al de kamer binnenkwam besefte ze dat ze de foto's vergeten was, en ze bedekte ze met haar hand. Met haar andere hand pakte ze het schaartje.

'Carla,' zei hij. Het was geen begroeting maar ook geen beschuldiging, hij sprak eenvoudigweg haar naam uit. Zijn bleke ogen bleven een moment op haar rusten, toen schoten ze door de kamer.

'Hallo Al,' zei Frieda. Ze hoorde dat haar stem kalm en vriendelijk klonk. Onder haar gespreide vingers voelde ze de foto's. 'Hoe was het op je werk? Ik had je nog niet verwacht.'

'Ik ben wat vroeger.' Het klonk heel gemoedelijk. 'Maar ik had een prima dag, dank je. Vergaderingen. Tijdschema's. Begrotingen. Kortom, de dingen waar een academicus zich tegenwoordig mee bezighoudt. Hoe is het hier gegaan?'

'Goed. We hebben op de begraafplaats gepicknickt.'

'Bridget zei al zoiets. Heel apart.' Hij glimlachte naar haar. 'Wat doe je hier eigenlijk?'

'Ik had dit nodig.' Ze hield het schaartje omhoog. 'Ik heb mijn nagel gescheurd. De keukenschaar was te groot.'

'O, ik begrijp het. Kan ik je helpen?'

'Nee, hoor, het is al in orde.'

'Mooi. Heb je zin in thee? Zo te zien vermaken de kinderen zich wel. Slaapt Rudi?'

'Ja. Maar ik moet gaan, als je het niet erg vindt. Ik moet Ethan naar huis brengen.'

Haar hand bedekte nog steeds de naaktfoto's van Bridget. Met een vloeiende beweging schoof ze ze over het bureau en hield ze tegen haar dij, en, de foto's nog steeds met haar hand bedekkend, liep ze achter hem aan de kamer uit. Ze ging naar de wc, stopte de foto's in haar zak – ze zou ze morgen terugleggen – en ging even bij Rudi kijken, die zich met oogjes nog wazig van de slaap en een door het kussen gerimpeld gezichtje begon te roeren. Ze verschoonde zijn luier en nam hem mee naar beneden. Ze ging naast Ethan zitten, die half in slaap op de bank zat, en pakte zijn handje. Op zijn pols zag ze een vaag beetspoor.

'We gaan zo naar huis,' zei ze zacht.

Hij knikte. Ze vergaarde zijn houten beestjes, zette hem in de buggy en zei Al gedag, die haar bedankte zonder er weet van te hebben dat ze naaktfoto's van zijn vrouw in haar achterzak had.

'Wat erg van Sandy,' zei ze toen ze wegging. 'Ik weet dat jullie goed met hem bevriend waren.'

'Dank je. Ja, hij kwam hier veel over de vloer. Ik denk dat we familie voor hem waren, de familie die hij zelf niet had. De kinderen waren dol op hem. Hij maakte vrijwel elke zondag met Bridget een uitgebreide lunch klaar, ze waren nogal aan elkaar gewaagd in de keuken.' Hij keek Frieda aan met een blik die recht door haar heen ging. 'Hij zei weleens dat Bridget hem aan iemand van vroeger deed denken.'

'Wie dan?'

'Dat heeft hij nooit gezegd. Gewoon, iemand. Volgens mij was er ooit een vrouw in zijn leven. Nogal een bitch, vermoed ik.' Het woord klonk vreemd uit de mond van de beleefde, sproetige Al. 'Maar Sandy was erg gesloten, zoals je wel zult weten. We konden een hele nacht samen doorhalen en eindeloos bomen – en dat hebben we vaak gedaan, vooral als we naar een congres moesten – maar over sommige dingen was hij zo gesloten als een oester. Zijn liefdeleven bijvoorbeeld.' Hij zuchtte. 'Nou, jij moet gaan. Dat ventje van je valt in slaap.'

En inderdaad, Ethan kon zijn hoofd nauwelijks meer rechtop houden en zijn ogen vielen dicht.

'Ik kom morgen weer,' zei Frieda.

Al keek afwezig. Hij glimlachte naar haar. 'Fijn.'

Aan het eind van de dag ging Frieda naar een buurtsuper niet ver van de flat. De maaltijdsalades werden voor de halve prijs van de hand gedaan. Met een rijstsalade en een salade van gegrilde groente kwam ze thuis. Hoewel ze bekaf was, at ze aan tafel en zette thee voor ze naar bed ging. Alsof er een valdeur onder haar openging, viel ze meteen in slaap. Ze werd met een schok uit een levensechte, gewelddadige droom gewekt door een geluid dat ze niet kon plaatsen. Was het iets in haar droom geweest? Nee, ze hoorde het nog steeds. Toen drong tot haar door dat er werd aangeklopt. Ze bleef liggen. Ze waren vast aan het verkeerde adres; daar kwamen ze wel achter en dan zouden ze weggaan. Maar het hield niet op. Ze kwam uit bed, trok een broek en een trui aan en ging naar de deur.

'Wie is daar?' vroeg ze.

'Ik ben het.'

Ze deed open en Lev en Josef kwamen binnen en deden de deur achter zich dicht. Josef had twee grote tassen bij zich; hij keek ernstig, maar begroette haar met een lichte buiging en even werden zijn bruine ogen zacht.

'Je spullen,' zei hij. 'Kleren, boeken, alles in de tas.'

'Wat is er aan de hand?'

'Drie minuten,' zei Lev.

'Wat is dit?'

'Later,' zei Josef en de twee mannen liepen door de kamers, pakten kleren op, trokken de lakens van het bed en kieperden alle keukenspullen in de tas. Josef goot de melk door de gootsteen.

'Is er iets gebeurd?' vroeg Frieda, maar ze sloegen geen acht op haar.

'Klaar,' zei Josef. 'Laatste keer kijken.'

Frieda raapte een paar sokken, een haarborstel, haar opschrijfboekje en nog een paar pennen bij elkaar. Alles verdween in de tas.

'Sleutel?' zei Lev.

Frieda haalde de sleutel uit haar zak en gaf die aan hem.

'We gaan.' Hij nam Frieda bij de hand, loodste haar door de voordeur en trok haar mee in tegengestelde richting van de flat van Hana. Ze gingen naar beneden via een smalle trap die Frieda niet eerder had opgemerkt, en vervolgens liepen ze tussen twee flatgebouwen door waar een paar immense afvalcontainers stonden, en kwamen uit bij een doorgang naar de straat. Een auto gaf een bliepje en de lampen lichtten op. Lev hielp haar – duwde haar zowat – op de achterbank en de twee mannen gingen voorin zitten. Lev startte de auto en reed weg. Nadat ze een paar keer rechts en links waren afgeslagen had Frieda geen idee meer waar ze waren.

'Hier,' zei Josef, en Lev bracht de auto in een straat vlak bij een kruispunt met een bredere weg tot stilstand. Josef haalde een bundeltje uit zijn zak en gaf het aan Frieda. Ze zag dat het geld was.

'Komt dit van Reuben?' zei ze. 'Het is veel te veel.'

'Reuben is er niet. Het is jouw geld. Een deel ervan. Drieduizend. Iets meer. Meer kregen we niet.'

'Josef, wat heb je gedaan?'

'We hebben jouw geld gehaald.'

'En Hana?'

De mannen keken elkaar aan.

'Hij geen probleem meer voor haar,' zei Lev. 'Voorlopig.'

Frieda boog zich voorover, nam Josefs rechterhand in de hare en draaide hem om. Er was alleen licht van straatlantaarns, maar toch kon ze de bloeduitstorting zien. 'Wat heb je gedaan?'

Josefs gezicht kreeg een grimmige uitdrukking en zijn blik werd hard. Zo had ze hem nog nooit gezien en ze kreeg er de kriebels van.

'Frieda. Twee dingen. Je gaat niet meer terug naar flat, nooit. Blijf uit die buurt. Oké?'

'Nee, niet oké.'

'En het andere: dit is geen spelletje, Frieda. Laat je geld niet zien. Deze man gaf duwtje. Volgende man heeft een mes of twee vrienden.'

'Josef, wat heb je gedaan?'

Josef opende het portier en zette een voet op het asfalt. 'Geld teruggehaald. Klaar. Wat wil je?'

'Niet dat.'

'Ik ga nu. En vergeet niet: ik weet nog steeds niet waar je woont.'

Hij sloeg het portier dicht, nam afscheid door zijn grote hand even tegen het raampje vlak bij haar gezicht te drukken, en toen was hij weg.

'Ik weet ook niet waar ik woon,' zei Frieda.

Lev wierp haar een eigenaardige blik toe. 'Ik breng je,' zei hij.

Hij zette er de vaart in en koos een meanderende route alsof hij bang was dat ze gevolgd werden. Frieda zat naar buiten te kijken.

'Waar gaan we heen?'

'Ander deel,' zei hij. 'Elephant and Castle. Ken je Elephant and Castle?'

'Een beetje.'

'Vlak bij Elephant and Castle.'

Nadat ze zo'n twee kilometer hadden gereden herkende Frieda New Kent Road. Lev sloeg een zijstraatje in en reed onder een spoorbrug door naar een weg met aan weerszijden flats van het soort waar ze vandaan kwam, maar iets minder verwaarloosd. In het licht van de straatlantaarns zag ze gras en rijen auto's die langs een laag hekje geparkeerd stonden. Lev sloeg nogmaals af en bracht de auto tot stilstand. Ze stapten uit en Frieda keek om zich heen. Het gebouw had een naam, zag ze, Thaxted House. Aan de andere kant van de straat liep het spoor en daarachter zag ze twee hoge flats met overal verlichting.

Lev haalde de tassen uit de auto en gebaarde naar de voordeur van een benedenwoning. Hij opende de deur met een sleutel en ging haar voor, een donkere gang in. Met zijn elleboog deed hij het licht aan en leidde haar naar de keuken. Frieda zag dat het zeil op de grond beschadigd was, de stoelen niet bij elkaar pasten en dat er een groot, morsig gasfornuis stond, maar verder was het er wel schoon en naast de gootsteen stonden kommen en een paar ovenschalen.

'Dit huis is bewoond,' zei Frieda.

'Ik breng je naar kamer,' zei Lev.

'Maar vinden ze dat niet erg?'

'Hebben ze niks mee te maken.'

'Wie zijn ze?'

Maar Lev haalde zijn schouders op, liep de gang op langs twee kamers en stopte bij de derde deur. Hij legde zijn vinger tegen zijn lippen en deed hem open.

'Oké?' vroeg hij.

Frieda keek naar binnen. Er stond een bed met een nachtkastje ernaast en op de vloer lag een kleed. Dat was alles. Maar ook hier was het schoon en netjes. Ze liep naar het raam en schoof de vitrage opzij. Hoewel er spijlen voor het raam zaten, zag ze plassen licht in de duisternis. Er was een groot vierkant grasveld met aan alle kanten flats.

'Je hebt te veel voor mij gedaan,' zei ze.

Hij antwoordde met een licht knikje van zijn hoofd, en gaf haar de sleutel. 'Beter oppassen nu,' zei hij. 'En nu zeg ik dag.'

Hij gaf haar een hand. Frieda liet de zijne niet meteen los, maar bekeek Levs hand aandachtig. Zijn knokkels waren ruw, net als die van Josef, en geschaafd. 'Wat hebben jullie met hem gedaan?'

Lev nam Frieda's rechterhand in de zijne en keek ernaar. In zijn grote hand leek die van haar klein en verloren. Toen liet hij los. 'Heb jij gevochten ooit?' vroeg hij.

Frieda gaf geen antwoord. Het was weleens voorgekomen, een enkele keer.

'Ik heb een hekel aan,' zei Lev. 'Angst, bloed. Mensen die denken dat vechten grapje is, dat is…' Even leek het alsof hij uit pure minachting op de grond ging spugen. 'Een stukje gevecht kan niet, half gevecht, beetje gevecht kan niet. Je raakt gewond. Ik vecht liever niet.' Droevig keek hij naar zijn hand. 'Maar als ik vecht is alles, geen grens, geen stop. Net als liefde.'

'Als liefde,' zei Frieda langzaam, niet zozeer vragend als wel zijn woorden herhalend.

'Je komt dichtbij, voelt geur, voelt aanraking, je voelt adem en je stopt niet. Meeste mensen kunnen dat niet. Ik praat met Josef. Jij Frieda, ik denk jij kan het wel.' Bijna terloops haalde hij iets uit zijn zak. Eerst zag ze niet wat het was. Toen wel. Het was een mes dat hij bij het lemmet vasthield. Het had een heft van glad, donkerbruin hout.

'Waar is dat voor?' vroeg Frieda.

'Voor jou. Altijd meenemen.'

'Ik ga geen mes bij me dragen.'

'Ach. Je gebruikt nooit, waarschijnlijk.' Hij klapte het mes dicht, boog voorover en liet het in haar jaszak glijden. 'Voorzichtig. Scherp. Erg scherp.'

'Maar…'

Hij schudde zijn hoofd.

'Je doet iets helemaal niet,' zei hij. 'Of helemaal wel. Als het er eh…' Hij zocht naar een uitdrukking.

'… op aankomt?' zei Frieda. 'Als het erop aankomt.'

'Ja. Dan.'

Hij liep de kamer uit en even later hoorde Frieda de voordeur open- en dichtgaan. Ze rommelde in haar tas en pakte haar tandenborstel, tandpasta, zeep en een handdoek. Toen ze de badkamer gevonden had en haar tanden stond te poetsen, zag ze een roze plastic ladyshave op de rand van het bad en een plankje met shampoo, conditioner, een doosje tampons, potjes crème, een zwart oogpotlood en watten. Niets wees op de aanwezigheid van een man.

Ze stapte in bed, knipte het licht uit en staarde naar boven. Over de hele lengte van het plafond liep een barst die aan een grillige kustlijn deed denken. Ze hoorde het lage gedender van een passerende trein, een goederentrein. Er leek geen einde aan te komen.

Stemmen maakten haar wakker. Ze kleedde zich aan. Toen ze haar kamer verliet werden de stemmen luider; er klonk een klap, daarna het geluid van iets wat aan gruzelementen viel en weer gebonk. Toen ze de keuken binnenkwam begreep ze eerst niet wat er aan de hand was. Een vrouw zat op haar knieën op de grond de scherven van een bord op te rapen. Frieda zag een grote bos blond haar en donkere kleren, maar het gezicht kon ze niet zien. Een tweede vrouw stond bij de gootsteen. Ze had bruin haar en donkere, bijna zwarte ogen en sloeg met een pollepel op de rand van het metalen gootsteen om iets wat ze zei kracht bij te zetten. De vrouwen praatten op luide toon door elkaar heen, waardoor Frieda zelfs niet kon horen of het Engels was wat ze spraken.

'Hallo?' zei Frieda, maar ze leken het niet eens te horen. Toen ze hard met haar hand op de tafel sloeg, zwegen de vrouwen abrupt.

'Hoe jij binnengekomen?' vroeg de donkere vrouw.

'Ik heb hier geslapen,' antwoordde Frieda. 'Lev heeft me gebracht.'

'Lev?'

De blonde vrouw zei iets, misschien ter verklaring, waarop de twee vrouwen weer tegen elkaar begonnen te schreeuwen.

'Alsjeblieft,' zei Frieda, en toen nog eens, nu schreeuwde zij ook bijna. Weer keken de twee vrouwen haar aan, verbouwereerd haast. 'Is er een probleem?'

De vrouwen hijgden, alsof ze gevochten hadden.

'Geen probleem,' zei de donkere.

'Ik ben Carla,' zei Frieda.

De blonde fronste. 'Ik heet Mira,' zei ze.

'Ik ben Ileana,' zei de donkere.

'Hallo,' zei Frieda, en ze stak haar hand uit.

Na een korte aarzeling veegde Mira haar hand af aan haar broek en schudde die van Frieda.

'Je bloedt,' zei Frieda. Uit Mira's wijsvinger welde een druppel bloed op.

'Is niks.'

Frieda hurkte en raapte een paar scherven op.

'Het was zeker een ongelukje.'

'Geen fucking ongelukje,' zei Ileana.

'O,' zei Frieda. 'Zal ik thee zetten?'

'Er is geen fucking melk,' zei Ileana.

'Geeft niet.'

'Ook geen fucking thee.'

'Dan haal ik wel thee.'

Toen Frieda terugkwam met thee en melk, was Mira in de badkamer. Frieda zette thee.

'Zal ik ook voor Mira inschenken?'

'Nee,' zei Ileana. 'Die blijft daar lang. De haar. Nagels. Huid.' Ze snoof minachtend.

Frieda schonk twee bekers in. Ileana keek haar argwanend aan. 'Wat doe jij?'

'Van alles,' zei Frieda. 'Momenteel werk ik als oppas. Hoofdzakelijk.'

'Kinderen,' zei Ileana, alsof daar alles mee was gezegd.

'Zo erg is het niet,' zei Frieda. 'Wat doe jij?'

'Op markt. Camden Market.'

'Bij een kraam?'

'Spaans eten. Paella.'

'Kom je uit Spanje?'

'Brasov.'

'Dat klinkt niet Spaans.'

'Roemenië.'

'Werk je met Mira samen?'

Ileana trok een gezicht. 'Nooit. Zij is kapster.'

'Ik moet zo weg,' zei Frieda. 'Zijn er dingen die ik moet weten?'

Ileana dacht een moment na. 'Geen regels. Eigen eten kopen, denk ik. Helpen schoonmaken. Samen verwarming betalen. Uitkijken wie je meeneemt.'

'Zal ik doen.'

'Mira heeft vriendje. Engels.' Ileana trok weer een gezicht.

'Niet aardig?'

'Hij ziet alleen gezicht, lichaam, seks.'

'Oké.'

'Als licht uit, kast bij voordeur, met stoppen.'

Frieda stond op. Ileana keek haar verwonderd aan. 'Jij bent Engels?'

'Ja.'

'En je bent hier?'

'Voor een poosje.'

'Vreemd.'

Frieda wilde iets zeggen wat het minder vreemd zou maken, maar kon niets bedenken.

18

Reuben gaf een etentje. Natuurlijk was Josef er, want die woonde bij Reuben in, overigens zonder huur te betalen; in plaats daarvan deed hij klusjes in huis, kocht wodka en kookte meestal. Sasha, Jack Dargan, Frieda's schoonzus Olivia en Chloë waren er ook. Chloë kwam net terug uit school, waar ze een opleiding tot meubelmaker volgde.

'Het is maar een bevlieging,' zei Olivia, die ervan had gedroomd dat haar dochter arts zou worden.

'Ik leer stoelen maken,' zei Chloë. 'En tafels. Dat is meer dan jij ooit hebt gedaan.'

Jack en zij zaten zo ver mogelijk bij elkaar vandaan: ze hadden een relatie gehad, die was uitgegaan, hadden vervolgens weer wat met elkaar gekregen, maar nu waren ze opnieuw uit elkaar. Jack negeerde haar; zijn wangen waren rood en op de plekken waar hij met zijn handen zenuwachtig door zijn rossige haar had gestreken stond dat rechtovereind. Chloë wierp hem vuile blikken toe en maakte zo nu en dan een luide, sarcastische opmerking. Olivia had zich voor de gelegenheid opgedoft: ze droeg een paarse rok en tig kralensnoeren en had haar haar ingewikkeld opgestoken met dingen die als eetstokjes uit haar kapsel staken. Haar oogschaduw was groen, haar lippenstift rood en ze was al aardig op weg om dronken en lichtelijk larmoyant te worden. Ze zat naast Reuben en vertelde hem dat ze onlangs in Frieda's huis was geweest en in de woonkamer had zitten janken. 'Als een baby,' zei ze. Reuben gaf haar een paar klopjes op haar hand en schonk nog een glas voor haar in. Alleen Sasha zei niets.

Josef had veel te veel eten gekookt. Hij had vrijwel de hele middag in de keuken gestaan om zomerse borsjtsj met komkommer en citroen te maken, gerstsoep, en zijn bekende *pierogi's*, smaakvol en zoet.

'En *holopchi*,' zei hij, terwijl hij de dampende schaal op tafel zette. 'En *pyrizkhy*.'

'Je weet toch dat ik vegetariër ben, hè?' zei Chloë. 'Wat kan ik eten?'

Josef zuchtte teleurgesteld. 'Er is veel kool,' zei hij. 'Koolrolletjes, koolpasteitjes. En soep met geen vlees.'

'Vis? Want ik eet ook geen vis.'

'We drinken nu allemaal een toost op Frieda.'

Josef schonk zes glaasjes tot aan de rand vol met wodka en deelde ze rond.

'Op onze lieve vriendin,' zei hij. Zijn ogen glommen.

'Op Frieda,' zei Reuben.

'Die volslagen getikt is,' voegde Jack eraan toe.

'Op Frieda,' zei Sasha zacht, alsof ze het tegen zichzelf had. Ze hief haar glas, maar nam slechts een voorzichtig slokje.

'Zo, dat hebben we gehad,' zei Reuben. 'En? Vertel,' zei hij tegen Josef.

'Wat?'

'Ik ben niet blind en ook niet dom.'

'Wat bedoel je?'

'Over Frieda.'

'Ik weet niets,' zei Josef. 'Niets.'

'Je sluipt door het huis, gaat in het holst van de nacht de deur uit, smiespelt. En ik weet altijd wanneer je liegt. Bovendien ontwijk je mijn blik.'

Josef boog zich over de tafel en keek Reuben in de ogen. De twee bleven een tijdje zo zitten, in de kamer daalde een stilte neer. Toen Olivia begon te giechelen, gingen ze weer rechtop zitten. Josef sloeg nog een glas wodka achterover en veegde zijn voorhoofd af met een grote zakdoek. Reuben nam peinzend een slok van zijn wijn.

'Wij zijn ook met haar bevriend,' zei Reuben.

'Heilige belofte,' zei Josef.

'Waar is ze?'

'Nee. Dat is geheim van haar.'

'Maar je hebt haar wel gezien?'

'Kan ik niet zeggen.'

Sasha kwam tussenbeide, maar sprak zo zacht dat de anderen naar voren moesten buigen om haar te kunnen verstaan. 'Als Josef iets heeft beloofd, moet hij zich daaraan kunnen houden,' zei ze. 'Frieda heeft een goede reden om zich schuil te houden.' Ze dronk de wodka die nog in haar glas zat in één teug op en proestte.

'Aan wiens kant sta jij?' vroeg Reuben.

'Ik wist niet dat ik een kant moest kiezen.'

'Ik help haar plek te vinden,' zei Josef.

'Onderdak?'

'Heeft mijn vriend geregeld.'

'Waar?'

'Daar is ze nu weg.'

'Weg? Waar zat ze dan?' Josef maakte een vaag, hulpeloos gebaar. 'Waar is ze dan nú?'

'Weet ik niet.'

'Je liegt.'

'Nee.'

'Gaat het goed met haar?' De vraag was afkomstig van Chloë, die nadrukkelijk fluisterde alsof iemand hen misschien zou afluisteren.

'Haar haar allemaal weg, rare kleren.'

'Haar haar weg?' zei Olivia verbijsterd. 'Alles?'

'Waarom vraagt ze óns niet om hulp?' vroeg Chloë. Ineens welden er in haar ogen tranen op die ze weg knipperde.

'Om ons niet in de problemen te brengen,' zei Reuben. 'Ze beschermt ons.'

'Ze kunnen de pot op,' zei Olivia zo fel dat een eetstokje uit haar knot viel. 'Al had ze tien mensen vermoord, dan nog zou ik haar helpen.'

'Ze heeft helemaal niemand vermoord,' zei Sasha. Ze zag bleek maar had vurige konen. Haar vingers plukten aan het tafelkleed. 'Dat is het 'm juist. Als de politie denkt dat zij het heeft gedaan, zullen ze de echte dader nooit vinden.'

'Hoe weet jij dat?' vroeg Jack.

'Dat weet ik gewoon.'

'Dat heeft ze tegen jou gezegd, hè?'

'Nee!'

'Hoe komt het dat je ineens zo rood bent?' Olivia keek haar onderzoekend aan. 'Je ziet er een beetje koortsig uit.'

'Ik ben gewoon moe.'

'Ja, dat weet ik,' zei Olivia. 'Sorry.'

'Ik zit te denken,' zei Jack, 'volgens mij zouden we ons moeten afvragen wat Frieda zou doen.'

'We weten wat ze heeft gedaan, ze is zo stom geweest om de benen te nemen.'

'Wat ze zou doen als ze in onze schoenen stond, bedoel ik. Zou zij ook gewoon afwachten en niks doen, zoals wij allemaal hebben gedaan? Afgezien van Josef dan natuurlijk.'

'Weet je nog meer, Josef? Heeft ze genoeg geld?'

'Denk het,' zei hij.

'Wat zouden we kunnen doen?' vroeg Reuben somber. 'We weten niet waar ze is, weten niet wat ze van plan is, kunnen niet met haar in contact komen.'

'We zullen Josef moeten volgen,' zei Olivia. 'Hem schaduwen.'

'Mij? Nee!'

'Maar wat zou zij doen?' herhaalde Jack, trekkend aan zijn verwarde haar. 'Zij zou iets ondernemen, dat weet ik zeker. En dat zouden wij ook moeten doen.'

'Heeft iemand Karlsson gesproken?' vroeg Chloë.

'De stakker.' Reuben schonk nog een glas wijn in. 'Die zit flink in de nesten. Het valt niet mee om bevriend te zijn met Frieda.'

Rechercheur Yvette Long moest Karlsson uit een verhoor halen.

'Het is de commissaris,' zei ze.

'Is goed.'

'Je auto staat voor de deur. Je moet zo gaan.' Ze keek op haar horloge. 'Zelfs nu meteen.'

'Waar moet ik heen?'

'Bureau Altham.'

'Altham?' Karlsson fronste zijn wenkbrauwen. Daar was Hussein gestationeerd. 'Hebben ze Frieda gevonden?'

'Niet dat ik weet. Zal ik meegaan?'

'Als je zin hebt. Je zou als bliksemafleider kunnen dienen.'

Ze zwegen tot ze achter in de auto zaten.

'Heeft hij nog iets gezegd?'

'Wie?' vroeg Karlsson. 'De commissaris?'

'De taxichauffeur. Ik heb het over onze zaak. Heeft hij bekend?'

'Hij heeft geen stom woord gezegd. Keek me zelfs niet aan.'

'Maar we hebben DNA. En de verklaring van het meisje. Dat moet genoeg zijn.'

'Het duurt alleen wat langer. En ze zal moeten getuigen.'

Karlsson leek geen zin te hebben in een gesprek en staarde uit het raampje.

'Enig idee waar dit over gaat?'

Karlsson gaf geen antwoord.

'Ze had het niet moeten doen,' vervolgde Yvette. 'Ze maakt het iedereen alleen maar moeilijk. Ze…'

Karlsson keek haar aan en zijn blik deed Yvette besluiten verder haar mond te houden.

'Koffie?' vroeg commissaris Crawford.

Blijkbaar was er voor hem een kantoor in gereedheid gebracht, bijna als voor een koninklijk bezoek. Op een vergadertafel stonden een thermosfles koffie, een kan water, een schoteltje met koekjes en een schaal met appels, mandarijnen en een tros druiven. Inspecteur Hussein zat tegenover hem met een glas water, haar telefoon en een dossier voor zich. Karlsson en Long schonken allebei een kop koffie in en gingen zitten. Commissaris Crawford nam zelf ook koffie, deed er twee klontjes suiker in en roerde. 'Hoe staat het met die verkrachtingszaak?'

'Hij wordt straks in staat van beschuldiging gesteld.'

'Mooi zo.' De commissaris glimlachte. Yvette vond zijn vriendelijkheid alarmerender dan de kortaangebonden, ongeduldige houding die ze van hem gewend was. 'Zie je wel? Je hebt je vriendin helemaal niet nodig. Zonder haar kun je het ook.'

Yvette keek naar Karlsson. Ze zag dat zijn kaakspieren zich iets spanden. Dat kende ze van hem en ze voelde haar maag samentrekken. Zou Karlsson iets zeggen? Maar hij reageerde niet meteen. Behoedzaam bracht hij zijn kopje naar zijn mond en nam een slok.

'Ik ben uit een verhoor gehaald,' zei hij uiteindelijk. 'Is er iets speciaals?'

'Het zal wel pijnlijk voor je zijn.'

'Hoe bedoel je?'

De hartelijke gezichtsuitdrukking van de commissaris maakte plaats voor een bezorgde blik. 'Dat je speciale adviseur ervandoor is gegaan.'

'Dat is betreurenswaardig, ja,' zei Karlsson.

'Wil je niet weten hoe het onderzoek vordert?'

'Hoe vordert het onderzoek?'

'Het vordert helemaal niet,' zei Hussein.

Er viel een stilte.

'Dit is het moment waarop je "Wat jammer" hoort te zeggen of met een suggestie zou moeten komen,' zei de commissaris.

'Prima, dan doe ik een suggestie. Je moet niet alleen dokter Klein opsporen, maar de zaak ook vanuit andere invalshoeken bekijken.'

De commissaris liep rood aan. Yvette wist wat hun te wachten stond.

'Er zijn geen andere invalshoeken. Door te vluchten heeft Frieda Klein overduidelijk bekend dat zij het heeft gedaan.' Hij liet een stilte vallen. Toen Karlsson niet reageerde werd hij nog bozer. 'Nou?'

'Frieda heeft die moord niet gepleegd,' zei Karlsson. 'Maar als ze dat wel had gedaan, zou ze ervoor zijn uitgekomen. Dan was ze niet gevlucht.'

'Je weet verdomde goed dat ze al eerder een moord heeft gepleegd en dat ze die toen niet heeft bekend.'

'Die vrouw heeft ze ook niet vermoord.'

'Natuurlijk wel.'

'Als ze het wel had gedaan, had ze geen enkele reden om het te ontkennen. Het was een duidelijk geval van noodweer.'

Crawford schoof zijn kopje weg. 'De koffiepauze is voorbij. Inspecteur Hussein en ik hebben een paar vragen voor je.'

'Wat voor vragen?'

'Heb je contact gehad met Frieda Klein?' vroeg Hussein.

'Nee.'

'Als ze contact met jou zou opnemen, wat zou je dan tegen haar zeggen?'

'Normaal gesproken geef ik geen antwoord op hypothetische vragen, maar deze zal ik beantwoorden: als Frieda contact met me zou opnemen zou ik haar vragen zichzelf aan te geven.'

'Waarom?' vroeg Crawford bijna snerend. 'Heb je het dossier niet gelezen? Het is zo goed als zeker dat je vriendin wordt veroordeeld.'

'Omdat de wet dat voorschrijft.'

'Jammer dat je Klein daar niet van hebt kunnen overtuigen vóór ze de benen nam.'

'Ik heb haar vrijwel nooit van iets kunnen overtuigen.'

'Jij kent haar,' zei Hussein. 'Heb je suggesties?'

'Niet echt.'

'Daar hebben we wat aan,' zei de commissaris.

'Ik neem aan dat ze de plekken waar ze meestal heen gaat mijdt.'

'We zijn haar in het ziekenhuis misgelopen. Waarom is ze daar volgens jou heen gegaan?'

'Om haar patiënt op te zoeken, toch?'

'Ja, maar waarom?' vroeg Hussein.

'Hebben jullie hem niet gesproken?'

'Hij was niet erg coherent. Hij is vreselijk toegetakeld en verwond. Zijn vingers zijn verbrijzeld, sommige zelfs afgehakt. Maar voor zover ik weet heeft ze hem gevraagd hoe het met hem ging, waar hij geweest was, en wie hem had mishandeld, dat soort zaken.'

'Dus ze maakte zich zorgen over hem.'

'Mm. Maar het is raar om zoiets te doen, vind je ook niet? Ergens heen gaan om haar betrokkenheid te tonen, terwijl ze wist dat ze daar zou kunnen worden herkend.'

'Weet ik niet. Het is wel iets voor Frieda.'

'En haar vrienden?'

'Wat bedoel je?'

'Denk je dat die haar helpen?'

'Dat moet je hun vragen.'

'Daar gaat het nu niet om. Ik vraag het jou. Wat denk je?'

Karlsson peinsde even.

'Ik denk dat ze haar zouden helpen als ze daar om zou vragen, maar ik denk niet dat ze dat zal doen.'

'Jij bent ook bevriend met haar,' zei Hussein.

'Mij heeft ze in elk geval niet om hulp gevraagd.'

'Als ze dat wel zou doen, hoe zou je dan reageren?'

Commissaris Crawford keek op zijn horloge. 'Hoe gezellig dit ook is, we hebben geen tijd om te discussiëren over hypothetische situaties,' zei hij. 'Ik heb er alle vertrouwen in dat hoofdinspecteur Karlsson ons op de hoogte houdt van de dingen die we moeten weten. Maar nu moeten we naar een afspraak.'

Karlsson en Long stonden op en wilden weggaan, maar de commissaris glimlachte en schudde zijn hoofd.

'Jij gaat mee, Mal,' zei hij.

'Waar naartoe?'

'Je kent het aloude gezegde: als een onderzoek muurvast zit, hou dan een persconferentie.'

'Dat kende ik niet.'

'Hij begint over vijf minuten. Een mooie gelegenheid voor jou om te laten blijken dat je deel uitmaakt van het team.'

'Moet ik dat dan laten blijken?'

'En jíj,' zei de commissaris, wijzend naar Yvette, 'ga jij maar achter in de zaal staan, dan steek je nog iets op.' Hij gebaarde Karlsson mee te komen en draaide zich om, waarna Yvette geluidloos een opmerking tegen zijn rug maakte.

'Trouwens,' zei Hussein toen ze achter Crawford door de gangen liepen, 'er is nog een vriend van je bij de persconferentie.'

'Wie dan?' vroeg Karlsson, maar dat had hij nog niet gevraagd of hij voelde zijn maag samentrekken, omdat hij al wist wie het was.

De Pauline Bishop-suite was vernoemd naar een politievrouw die tijdens de uitoefening van haar beroep het leven had gelaten, en zat vandaag bijna helemaal vol. Er werden schijnwerpers opgesteld en er klonk verwachtingsvol geroezemoes. Yvette baande zich een weg naar een plekje achter in de zaal. Ze had een bang voorgevoel, alsof ze naar een toneelstuk ging kijken waarvan ze wist dat het niet genoeg was gerepeteerd. Begeleid door flitslichten kwamen ze het podium op: de commissaris, Hussein, een gespannen ogende Karlsson en professor Hal Bradshaw, gekleed in een grijs pak, wit overhemd en donkere stropdas, waardoor het leek alsof hij de leiding had over het hele gebeuren. Toen ze plaatsnamen keek hij ernstig en bedachtzaam.

Hussein gaf een kort exposé over de zaak, over de rol van Frieda Klein als hoofdverdachte en over haar verdwijning. Yvette luisterde nauwelijks. Ze wist dat een persconferentie als deze eigenlijk niet meer dan een poppenkast was. Ze had ouders gezien die huilend om de terugkeer van hun kind vroegen, een echtgenoot die getuigen van de moord op zijn vrouw opriep zich met de politie in verbinding te stellen. Als er zich een getuige meldde was dat fijn, maar dat was niet de enige reden van de exercitie. Vrijwel altijd waren de ouders, echtgenoot of vriend zelf verdachten, en tijdens een persconferentie kon je kijken hoe ze zich gedroegen als ze in het middelpunt van de belangstelling stonden. Was dat nu ook het geval? Dacht Hussein dat Karlsson iets achterhield?

Toen Hussein haar verklaring had afgerond, boog commissaris Crawford zich naar de microfoon.

'Ik wil van de gelegenheid gebruikmaken om de mensen in het land mijn excuses aan te bieden. Deze vrouw, Frieda Klein, heeft in het verleden voor ons gewerkt. Haar staat van dienst is zacht gezegd niet smetteloos, maar dit was niet te voorzien. Het enige wat ik kan zeggen is dat we er alles aan zullen doen om haar voor het gerecht te brengen. Ik geef het woord nu aan professor Hal Bradshaw, de vooraanstaande psychiater, die met meer gezag iets kan vertellen over het bizarre gedrag van Klein. Professor Bradshaw?'

Voordat Bradshaw het woord nam wachtte hij een paar tellen, alsof hij in gedachten was verzonken.

'Ik moet voorzichtig zijn,' zei hij, 'want ik begrijp dat dokter Klein' – het woord 'dokter' sprak hij uit alsof hij er vies van was – 'een ernstige aanklacht staat te wachten en ik wil de rechtsgang niet beïnvloeden. Gebaseerd op mijn jarenlange ervaring op dit gebied beperk ik me tot de opmerking dat het zeer vaak voorkomt dat onevenwichtige, verwarde personen zich aangetrokken voelen tot het terrein van de misdaad. Ze proberen bij het onderzoek betrokken te raken. Proberen te helpen.' Hij verstrengelde zijn vingers. 'De oorzaken daarvan zijn divers en complex, en het is moeilijk om precies aan te geven waar dit gedrag bij dokter Klein uit voortkomt: het kan een narcistische persoonlijkheidsstoornis zijn, behoefte aan aandacht, het kan voortkomen uit ijdelheid of machtswellust, behoefte aan bevestiging of...'

'Maar helpt dat ons haar te pákken?' onderbrak Hussein hem, die zich niet kon inhouden.

'Dat is uw taak, als ik zo vrij mag zijn u daarop te attenderen,' zei Bradshaw, waarop Husseins blik even ijzig werd als die van Karlsson. 'Het enige wat ik kan zeggen is dat ze verward, ontworteld en dakloos is. Waarschijnlijk zal het niet lang duren voor ze de aandacht op zich vestigt.' De commissaris wilde iets zeggen, maar Bradshaw hief zijn hand om hem het zwijgen op te leggen, zodat hij zijn betoog kon vervolgen. 'Ik wil er alleen nog aan toevoegen dat Klein er in het verleden blijk van heeft gegeven gewelddadig te worden als ze wordt geprovoceerd. Of het idee heeft dat ze wordt geprovoceerd. Als mensen haar zien, moeten ze haar behoedzaam benaderen. Mocht iemand trouwens nog vragen hebben, dan ben ik na afloop beschikbaar om die te beantwoorden.'

'Dank u,' zei de commissaris. 'Wijze woorden. En nu wil ik het woord geven aan hoofdinspecteur Karlsson. Hij is niet bij het onderzoek betrokken, maar heeft met dokter Klein samengewerkt en wil een persoonlijke oproep doen. Voor het geval ze de uitzending van deze persconferentie ziet.'

Karlsson had niet verwacht dat hij er op deze manier zou worden bijgelapt. Woede laaide in hem op, hij klemde zijn kaken op elkaar, haalde vervolgens diep adem en keek naar de batterij camera's. Tot welke moest hij zich richten? Hij koos een tv-camera.

'Frieda,' zei hij, 'als je dit ziet… ik wil dat je terugkomt. Ik weet dat je een andere visie hebt op de zaak.' Hij dacht even na. 'Net zoals je op alles een eigen visie hebt. Je moet terugkomen en ons vertrouwen.' Weer zweeg hij. 'Je hebt waardevol werk voor ons verricht en we zijn je veel dank verschuldigd. De beste manier om…'

'Oké, oké,' zei de commissaris. 'Je oproep is nu wel duidelijk. Zijn er nog vragen?'

Er was een stortvloed aan vragen die vooral voor Hussein waren bestemd. Toen ze werden afgevuurd, draaide Karlsson, wiens gezicht even onbewogen was als dat van een standbeeld, zijn hoofd iets naar Yvette Long en ving haar blik. Na een paar vragen maakte de commissaris een einde aan de bijeenkomst. Toen ze het podium af liepen boog hij zich naar Karlssons oor en fluisterde: '"Waardevol werk." Hoe haal je het verdomme in je hoofd?'

Karlsson antwoordde niet en baande zich een weg door de menigte journalisten die uiteenzwermde, liep naar Yvette achter in de zaal en gaf haar een nauwelijks waarneembaar knipoogje.

'Op een dag beledigt Bradshaw de verkeerde,' zei Yvette, 'en dan loopt het slecht af.'

'O, maar dat heeft hij al gedaan,' zei Karlsson.

'Meende je wat je zei? Dat Frieda het niet heeft gedaan?'

Karlsson keek haar aan maar antwoordde niet. Hij zag er alleen maar moe uit.

19

Toen ze de volgende dag het park verlieten waar Ethan en Tam in de speelvijver hadden gesparteld terwijl Frieda en Rudi met een bakje aardbeien op het gras toekeken, begon het hard te regenen, alsof het zware wolkendek was opengebarsten. Ze zetten het op een hollen; de kinderen hielden zich elk aan één kant van de buggy vast, en ze klotsten door plassen die zich in een paar seconden gevormd leken te hebben, en toch hadden ze geen droge draad meer aan het lijf toen ze thuiskwamen. Afgezien van Rudi, die onder de kap van de buggy droog was gebleven, werd iedereen daar merkwaardig vrolijk van. Met een brede grijns op zijn door-gaans ernstige gezicht liet Ethan in de hal straaltjes water op de kale vloerplanken sijpelen. Frieda haalde handdoeken uit de badkamer en kleedde de kinderen uit. Daarna droogde ze hen zo stevig af dat ze het uitgilden en begonnen te wiebelen. Ze pootte hen neer op de bank, drapeerde een lappendeken over hen heen en maakte warme chocolademelk, die ze luidruchtig slurpend opdronken. Buiten kletterde de zomerregen tegen de ruiten en spatte op van de straat.

Omdat Rudi op de bank steeds voorover tuimelde, zette ze hem in de kinderstoel en gaf hem een lepel om lawaai mee te ma-ken. Nieuwsgierig keek ze naar hem: hij was een mysterie voor haar, met zijn blik die alle kanten op flitste, zijn graaiende hand-jes en de schelle geluidjes die hij ineens ten gehore kon brengen. Soms kon ze een woord opmaken uit zijn gebrabbel. Wat dachten eenjarigen? Waar droomden ze over? Hoe begrepen ze de wereld, die zich van zoveel kanten aandiende, met al die geuren en geluiden, uitgestoken handen en turende gezichten? Toen ze de lepel opraapte die hij door de kamer had gegooid en aan hem teruggaf, keek hij haar boos aan.

Frieda had een extra setje kleren voor Ethan bij zich voor het geval er een ongelukje gebeurde, en nu ging ze naar de slaapkamer van Tam, waar ze door de laden rommelde en er een broekje en een groen-wit gestreept hemdje uit haalde. Op weg naar boven had ze de kans te baat genomen om de foto's terug te leggen in het kistje in Bridgets bureau, maar aan het opengebroken slotje kon ze niets doen. Op weg naar beneden bleef ze aarzelend voor de slaapkamer van Bridget en Al staan. Ze hoorde de stemmen van Tam en Ethan, en het geram van Rudi's lepel. Na de vorige keer, toen ze alleen oude liefdesbrieven had gevonden die voor niemand anders dan Bridget waren bestemd, had ze zich voorgenomen niet meer rond te neuzen. Maar als ze zich daaraan hield, wat deed ze hier dan, de nep-oppas, die met drie piepjonge kinderen door het park sjouwde en hun snoet afveegde? Ze was hier alleen omdat Bridgets reactie op Sandy's dood haar argwaan had gewekt. Daarom deed ze de deur toch open en liep de kamer in.

Het grote tweepersoonsbed was niet opgemaakt en de stoelen en de grond lagen bezaaid met kleren. In een hoek lag een hoop vuile was. Er stond geen kledingkast, de jurken en overhemden hingen aan een lang kledingrek. De meeste kleren waren van Bridget – kleurige outfits van katoen, zijde of fluweel. En er stonden verbazingwekkend veel schoenen. De kamer ademde een vrouwelijke sfeer, alsof Bridget de meeste ruimte in beslag had genomen en voor Al alleen één kant van het rommelige bed en een tafeltje met een stapel boeken had overgelaten.

Ze keek om zich heen. Ze wist niet waar ze naar op zoek was of waar ze dat moest vinden. Op het nachtkastje van Bridget lagen een tube gezichtscrème, een tube bodylotion, een boek waarvan Frieda nooit had gehoord, en een strip met de pil. Ondergoed en T-shirts in de ladekast, make-up en sieraden op een kaptafeltje bij het raam. In de kleine laden die ze opentrok, zag ze een kluwen van kettingen, borstels, wattenschijfjes en een paar flesjes parfum. Ze streek met haar hand over de kleren die aan het rek hingen en bevoelde de verschillende zachte stoffen. In een zak van een rood fluwelen jasje tinkelde iets. Frieda stak haar hand erin en haalde er een sleutelbos uit. Twee Chubb- en twee Yale-sleutels, waarvan het metaal koud aanvoelde. Ze hoorde het geram van Rudi's lepel en het gekletter van de regen. Ze stopte de sleutels in haar zak en nadat ze de slaapkamerdeur zorgvuldig achter zich dicht had gedaan ging ze terug naar beneden.

Rudi was in slaap gevallen en Tam en Ethan speelden met blokken en knuffels terwijl Frieda hen met een half oog in de gaten hield. Soms greep ze in – als Tam een pop van Ethan probeerde af te pakken, of wanneer Ethan zijn handjes uitstak naar een exotisch en breekbaar ogende vaas op een boekenplank – maar meestal was ze met haar gedachten elders en vormden de spelende kinderen niet meer dan een enigszins enerverend achtergrondgeluid.

Sasha kwam heel laat thuis, toen Ethan al in bed lag. Ze had een vermoeiende dag achter de rug en haar gezicht was wit weggetrokken. Frieda zag hoe scherp haar jukbeenderen zich aftekenden en hoe dun haar polsen waren.

'Sorry,' zei Sasha. 'Ik kon niet eerder weg. We hadden na werktijd nog een vergadering waar maar geen einde aan kwam terwijl ik op hete kolen zat en niet kon wachten om...'

'Maakt niet uit.' Frieda legde een hand op Sasha's arm. 'Echt. Ik ben hier juist zodat jij je niet steeds druk hoeft te maken. Ik zet thee en daarna ga ik ervandoor.'

'Thee? Wijn. Frank komt over een uur langs om te bespreken hoe we de opvang van Ethan gaan regelen.'

'Eén glaasje dan.'

Maar toen ze naar de keuken liepen ging de bel, daarna werd er hard met de deurklopper geroffeld. Sasha sloeg haar hand voor haar mond. 'Dat is Frank,' fluisterde ze. 'Hij is de enige die dat doet.'

'Ik dacht dat hij pas over een uur zou komen.'

'Hij is vroeg.'

Weer ging de bel, weer klonk de deurklopper.

'Ik wil hem eigenlijk niet zien,' zei Frieda.

'Nee. Dat weet ik. O, mijn god.'

'Ik wacht wel boven.'

'Misschien blijft hij heel lang.'

'Dan lees ik wel een boek.'

Frieda liep vlug naar boven, naar het kamertje dat als logeer- en studeerkamer diende. Toen de voordeur openging hoorde ze Frank en Sasha elkaar begroeten. Op een plank stond een boek van een Duitse, vooroorlogse fotograaf. Ze pakte het en sloeg de bladzijden traag om en bekeek de gezichten van mensen die al vele decennia dood waren. Ze dacht aan wat de personen die zo rustig voor de camera poseerden moesten hebben doorgemaakt. Ineens verlangde ze heel sterk naar haar studeerkamertje thuis, naar haar schetsblok en zachte potloden, naar de stilte in de kamers, omringd door Londen, dat zich fonkelend uitstrekte in de nacht.

Ze hoorde Frank en Sasha praten in de voorkamer, maar het meeste kon ze niet verstaan. Ze ving alleen een paar opmerkingen van Frank op: 'We kunnen zo niet doorgaan', 'We moeten iets regelen.' De antwoorden van Sasha, als je die zo kon noemen, klonken als gemompel. Ineens verhief Frank zijn stem: 'Ik weet dat je het zwaar hebt, Sasha. Je bent mager en ziet er moe uit. Maar zo hoeft het niet te gaan.'

Frieda probeerde niet te luisteren. Ze was gewend geheimen van mensen te horen. Dat maakte deel uit van haar werk. Maar ineens moest ze denken aan wat ze bij Bridget en Al thuis had gedaan – ze had in laden gesnuffeld, was dingen te weten gekomen die ze niet mocht weten – en nu zat ze te luisteren naar Frank en Sasha, die hun toekomst bespraken. Ze bladerde verder door het fotoboek en terwijl ze de stemmen nog steeds hoorde, dacht ze aan Sandy, aan zijn verbittering toen ze het uit had gemaakt. Ook zij hadden ooit van elkaar gehouden, maar voor haar was het einde van hun relatie als laagtij geweest: geleidelijk afnemende passie, een vervagend vooruitzicht op een gezamenlijke toekomst.

Hij had het einde echter ervaren als een mokerslag, die hem had gekwetst, vernederd en verward. Een tijdje was hij als een vreemde voor haar geweest, maar nu hij dood was voelde ze zich weer verbonden met hem en had ze vreselijk met hem te doen.

Ze hoorde Franks stem weer, het krassen van een stoel. Waarschijnlijk kwam hij overeind.

'Ja.' Sasha's stem klonk zacht. 'Dat zal ik doen.'

Vervolgens ging de voordeur open en dicht en even later riep Sasha naar boven dat Frank weg was.

Ze gingen aan de keukentafel zitten en dronken een glas wijn. Sasha was zichtbaar van streek. Ze vertelde dat Frank vond dat ze het nog een keer moesten proberen.

'En wat heb jij daarop gezegd?'

'Dat ik erover zou nadenken.'

'Zou je het willen?'

'Ik ben op, Frieda. Helemaal op.'

'Dat weet ik.'

'Ik heb het gevoel dat ik tekortschiet.'

'In welk opzicht?'

'Dat weet ik niet.' Ze schudde haar hoofd. 'Ik kan het niet uitleggen.'

'Probeer het eens.'

'Jij hebt al genoeg aan je hoofd. En je hebt al zoveel voor me gedaan.' Ze nam een grote slok wijn. 'Maar ik moet je wel iets vertellen.'

'En dat is?'

'Ik heb gisteren iedereen gezien. Reuben, Josef, Jack, Chloë en Olivia.'

'O.'

'Iedereen wil je helpen, Frieda. Daarom waren we bij elkaar – het was alsof Reuben een vergadering had belegd. Met grote hoeveelheden Oekraïens eten natuurlijk, en wodka.'

'Dat is aardig,' zei Frieda vlak, terwijl ze hen allemaal samen voor zich zag, zonder haar. 'Maar je hebt niets gezegd?'

'Nee, natuurlijk niet, hoewel ik het haast ondoenlijk vond om me normaal te gedragen. Jack vroeg steeds: "Wat zou Frieda doen?" '

Frieda glimlachte. 'Echt waar? En wat zóú Frieda doen?'

'Dat wist niemand.'

'Mooi zo.'

Het was al na tienen toen Frieda bij Sasha wegging. Het regende niet meer en de nacht was koel en helder, boven de daken scheen de maan. Op straat glinsterden plassen, de platanen drupten. Ze zette de pas er flink in en niet veel later was ze in een omgeving die haar zo vertrouwd was dat ze nauwelijks hoefde na te denken over waar ze heen ging. Haar voeten voerden haar door straten die ze goed kende, straten waarvan de namen haar hun geschiedenis vertelden, langs een oude kerk, rijen huizen en winkels, en langs Number 9, de koffiebar van haar vrienden, waar ze 's zondags altijd ontbeet. Vervolgens door de met kinderkopjes geplaveide steegjes. Eindelijk was ze er, stond ze voor de donkerblauwe deur.

Was dit dom? Ja, dat was het vrijwel zeker. Het was het domste wat ze kon doen, maar terwijl haar verstand zei dat ze door moest lopen, beval haar hart haar naar binnen te gaan, en haar hart won. Het verlangen was zo sterk dat ze de sleutels tevoorschijn haalde die ze in Bridgets jasje had gevonden. Twee Chubb- en twee Yale-sleutels. Ze nam de kleinste Chubb en stak hem in een van de sloten, daarna een van de Yales en zoals ze al had geweten toen ze ze voor het eerst had gezien, pasten ze allebei. De deur ging open, ze was thuis.

Even bleef ze in het halletje staan om het huis op zich in te laten werken. Het rook nog steeds vertrouwd – naar bijenwas, houten vloeren en veel boeken, en naar de kruiden die in de keuken in de vensterbank stonden. Blijkbaar gaf Josef ze water, zoals hij had beloofd. Een schim streek langs haar benen en ze aaide de kat, die zachtjes spon en niet verrast was dat ze was teruggekomen.

Omdat ze wist dat ze het licht niet kon aandoen, liep ze naar de keuken om de zaklantaarn te halen die daar lag.

Ze knipte hem aan en met de kat, die haar als een schaduw volgde, dwaalde van de ene kamer naar de andere en keek naar alles waar het schijnsel op viel: het schaakbord met de stukken nog altijd in de opstelling van het laatste spel dat ze had nage-speeld, de lege haard en de stoel ernaast die op haar stond te wachten, de grote plattegrond van Londen in het gangetje, de smalle trap die naar haar slaapkamer leidde, waar haar bed was opgemaakt met schone lakens, precies zoals ze het had achtergelaten, en de badkamer met Josefs majestueuze bad. De volgende, nog smallere trap leidde naar haar studeerkamertje. Ze ging aan het bureau onder het daklicht zitten, en pakte een potlood. Op het maagdelijke vel van haar schetsblok trok ze één lijn. Als ze terugkwam zou ze die lijn verwerken in een tekening.

Vervolgens ging ze weer naar beneden en deed een beetje kattenvoer in een bakje en zette dat op de grond. Toen de kat was uitgegeten kroop hij zonder naar haar om te kijken door het kattenluik naar buiten. Frieda waste het bakje af en zette het terug op het afdruiprek waar ze het had aangetroffen. Daarna knipte ze de zaklantaarn uit, legde hem terug in de la en net op het moment dat ze de voordeur opendeed viel haar oog op iets, wat haar deed verstijven en de adem benam. Vlak bij de deur stond het tafeltje waar ze altijd haar post en sleutels op legde. Op dat tafeltje zag ze een metalen kastje dat ze niet herkende, ongeveer zo groot als een dik boek. Een rood lampje knipperde onophoudelijk. Het kastje was niet van haar. Het was overduidelijk een soort camera of sensor die er natuurlijk door de politie was neergezet, zoals ze had kunnen weten als ze ook maar een moment had nagedacht. Gewoon daar neerzetten voor het geval ze zo stom zou zijn naar huis te gaan. En ze was zo stom geweest. Ze had heel voorzichtig gedaan en nu hadden ze haar in één klap weer in het vizier. Vlug liep ze het huis uit en draaide beide sloten op slot.

Maar ze was nog niet klaar. Van Holborn liep ze naar Roseberry Avenue, sloeg daar links af en vervolgde haar weg door smallere straatjes tot ze bij Sandy's woning aankwam. Ook dit was roekeloos en stom, wist ze. Maar ze was nu gewaarschuwd en was niet van plan om naar binnen te gaan. In plaats daarvan stak ze de Chubb-sleutel in de voordeur en voelde dat hij paste en dat ze hem kon omdraaien. Ze haalde hem weer uit het slot en stopte hem terug in haar jaszak, draaide zich om en ging weg. Bridget had dus Sandy's sleutels, én die van haar.

De route van Islington naar Elephant and Castle kende ze goed, in elk geval het eerste stuk, dat de loop van de ondergrondse, verborgen en vergeten geraakte Fleet River onder Farringdon Road volgde naar de Theems, en daarna de Blackfriars Bridge over. Ze bleef staan om over de reling te leunen, zoals ze altijd deed, en keek naar het water van de brede rivier, dat woest kolkte alsof het streed tegen zijn eigen stroming. Daarna liep ze naar het zuiden en hoewel het middernacht was waren er nog steeds mensen op straat, en reden er taxi's, bussen en bestelwagens. Daar ontkwam je nooit aan. Het was al bijna dag toen ze in haar smalle bed kroop en haar ogen dichtdeed, maar de slaap niet kon vatten.

20

Frieda werd wakker van haar mobiel. Eventjes maakte ze zich zorgen omdat slechts zeer weinig mensen haar telefoonnummer hadden. Ze pakte hem en zag dat het Bridget was.

'Sorry dat ik zo vroeg bel.'

'Geeft niet.'

'Ik wilde je op tijd bereiken. We hebben vanochtend vrij en willen met de kinderen naar de dierentuin. Dus je hoeft er pas om een uur of een, halftwee te zijn. Sorry dat ik je dat nu pas laat weten.'

'Maakt niet uit.'

'We betalen je natuurlijk wel gewoon.'

'Dat hoeft niet.'

'Daar hebben we het nog wel over als we elkaar zien.'

Frieda keek op haar horloge. Ethan was vandaag bij Sasha. Ze had vier uur voor zichzelf. Zo'n kans zou zich misschien nooit meer voordoen. Binnen vijf minuten had ze zich gewassen en aangekleed. Toen ze de voordeur wilde openen hoorde ze achter zich gefluister. Ze draaide zich om. Het was Mira.

'Jij de aardappel gepakt?' vroeg ze. 'De sla?'

'Wat zeg je?' zei Frieda. 'Nee, ik ben niet in de keuken geweest.'

'Ileana,' zei Mira met een duistere blik.

'Ik koop onderweg wel eten,' zei Frieda. 'Ik zal koken.'

'Dieven,' zei Mira.

'Wat zeg je?'

'Dieven en zigeuners. Allemaal.'

'Wie allemaal?'

'De Roemenen.'

'Waar kom jij vandaan?'

'Ruse.'

'Ik weet niet waar dat ligt.'

'In Bulgarije.'

Frieda voelde in haar zak en haalde er een briefje van twintig pond uit. Ze gaf het aan Mira. 'Dit is voor eten en zo. En dat meen je niet wat je zei over zigeuners en dieven.'

'Doe je kamerdeur op slot,' zei Mira.

'Er zit geen slot op.'

'Dat is jouw probleem.'

'Tot straks,' zei Frieda, en deed de deur open.

Nog geen vijf minuten later zat ze met een bekertje koffie in de bus. Ze was doorgelopen naar het bovendek en keek naar mensen die op weg waren naar hun werk of naar de winkels. Ze voelde een steeds grotere verwijdering tussen haar en al die mensen in de normale wereld van banen en huizen en relaties, mensen die ergens heen konden, afspraken hadden. Toen ze het huis betrad voelde ze die vervreemding ook. Het leek alsof het gezin ineens was afgevoerd: overal slingerden knuffels en op de keukentafel stonden borden en bekers. Het huis rook nog naar de mensen die er zojuist waren weggegaan, naar koffie, parfum, zeep, crème en talkpoeder.

Ze dacht even na en liep toen van de ene kamer naar de andere, naar de keuken en de zitkamer, en naar boven, naar Bridgets kamertje en de slaapkamer. Het huis voelde inmiddels vertrouwd en deze kamers had ze al doorzocht. Ze had alle laden en kasten opengemaakt. In de slaapkamer bleef ze even staan en staarde uit een van de grote ramen die uitkeken op de straat. Ergens in haar hoofd had zich een idee gevormd, maar ze kreeg het niet helder. Wat was het? Niet aan denken. Tot nu toe had haar gesnuffel niets opgeleverd. Niets, behalve de sleutels. Ze hadden de sleutels van Sandy's woning en ze hadden de sleutels van haar woning. Plotseling wist ze het weer. Met twee treden tegelijk rende ze de trap af. Het apparaatje in haar eigen huis, bij de voordeur. Hoe had ze opnieuw zo achteloos kunnen zijn? Ze keek naar het alarm naast de voordeur. Het stond uit. Ineens werd Frieda bevangen door schrik. Was er nog iemand thuis? Was Al misschien op zolder? Nee, zei ze tegen zichzelf. Ze waren gewoon vergeten het alarm aan te zetten.

Maar de gedachte aan Al liet haar niet los. Frieda had voornamelijk over Bridget nagedacht, dat ze misschien een verhouding met Sandy had gehad. Ze leek Sandy's type, misschien nog wel meer dan Frieda. Maar Al was zijn collega en vriend geweest. Had hij iets vermoed, iets geweten? De kamers die ze tot nu toe had doorzocht leken Bridgets territorium, zelfs hun slaapkamer. Frieda was nooit op de zolderverdieping geweest. Ze ging weer naar boven, en liep langs de slaapkamer de wenteltrap naar de bovenste verdieping op. Ook al wist ze dat het niet nodig was, toch liep ze zo zacht mogelijk. De trap kwam uit bij een zolderkamer die was ingericht als kantoor. Aan de tuinkant zaten twee grote dakramen. Frieda liep erheen en keek naar buiten. Ze kon de Shard zien en de Gherkin en de Cheese Grater, die grote gebouwen met rare namen, alsof Londen zich er een beetje voor geneerde.

Ze draaide zich om. In het midden van de kamer stond een groot grenen bureau met een computer, omgeven door stapels papier, kaarten en cd's. Er stonden ook een beker vol pennen en een kopje met paperclips op. Verder zag ze een houten potlodendoosje, twee tandenborstels, een usb-stick, een kompas, een horloge, een energierekening, twee koptelefoons en een kleine, ingelijste foto van de kinderen. En overal stonden boeken: op de op maat gemaakte planken aan twee muren, en opgestapeld op de grond. Er waren ook stapels wetenschappelijke tijdschriften. Op een andere tafel zag ze een cd-speler en nog meer cd's, een papierversnipperaar, een lege magnum wijnfles en een wirwar van snoeren en opladers. Op een vrij plekje aan de muur hing een vlekkerige waterverftekening, waarschijnlijk had Tam die gemaakt, en een foto van Al die tijdens de Londense marathon over de finish gaat. Frieda tuurde naar de tijd die erbij vermeld stond: 04.12.45. Was dat goed?

Een voor een trok ze de laden van het bureau open. Er lag niets bijzonders in: chequeboekjes, onbeschreven ansichtkaarten, een nietmachine, plakband. In een andere la lag een stapel credit-cardafschriften. Frieda liet ze snel door haar vingers gaan: benzine, treintickets, supermarkt, koffie, bioscoopkaartjes, en namen die waarschijnlijk van restaurants waren. Frieda legde ze terug. Ze wist niet eens wat ze zocht. In een andere la zaten dossiermappen. Frieda haalde ze er een voor een uit en bladerde ze vlug door. Het leken colleges, presentaties, hoofdstukken van een boek. Ze legde ze in dezelfde volgorde terug en richtte haar aandacht op de computer.

Toen ze het toetsenbord aanraakte, lichtte het scherm op; er werd niet om een wachtwoord gevraagd. Er stonden tientallen bestanden en documenten op het bureaublad, professioneel ogende variaties op wat ze in de dossiers had gezien. Ze klikte op de browser en bekeek zijn geschiedenis. Het was een mengeling van nieuws, de aanschaf van een boek, het weer, de website van de London Zoo, Twitter, een lang artikel op de website van een universiteit, een blog en dat was alleen vandaag nog maar. Ze had geen tijd om er gedegen naar te kijken.

Ze klikte op zijn e-mail. In de inbox zaten 16.732 berichten, maar dit was makkelijker. Ze tikte Sandy's naam in en er verschenen allerlei mailtjes van hem op het scherm. Toen ze er een aanklikte, leek het ineens alsof een venster openging dat een vertrouwde geur en een oude herinnering binnenliet. Sandy was bij haar in de kamer. Het bericht was niet bijzonder, bevatte slechts één zin, waarin stond dat ze elkaar vóór een of andere vakgroepvergadering zouden zien en koffie zouden drinken. De alledaagsheid ervan, de tikfouten: Frieda zag hem de mail haast tikken. Het leek alsof ze meekeek over zijn schouder. Ze moest haar hoofd even afwenden om zich weer in de hand krijgen, zich te dwingen niet aan de verkeerde dingen te denken.

Ze klikte de ene na de andere mail aan, maar raakte algauw gefrustreerd. Sandy had nooit mails geschreven alsof het ouderwetse brieven waren. E-mail was in zijn beleving voor berichten als: 'Ja', of 'Misschien', of 'Kan pas om 11.30' of, af en toe: 'We moeten praten'. Zelfs telefoneren had hij liever niet gedaan. Als je iemand iets belangrijks te melden hebt, had hij ooit gezegd, moet je dat face to face doen, zodat je de ogen, de gezichtsuitdrukking van de ander kunt zien. Anders is er geen echte communicatie. Ze klikte het laatste bericht dat hij had gestuurd aan:

Als je hier echt (weer) over wilt praten – morgen ben ik op mijn kamer.
S

Frieda peinsde even. Dit leek ergens over te gaan. Ze keek naar de mail die hij ervoor had gestuurd. Die was van een week eerder en bevatte een routinematig bericht om Al te laten weten dat een werkgroep in een andere zaal zou bijeenkomen. Ze keek weer naar het laatste bericht. Praten waarover? Ze klikte op 'Verstuurd' en scrolde naar het meest recente bericht. Dat was een uur voor de laatste mail van Sandy verzonden:

Beste Sandy,
Ik heb het hele weekend gehad om na te denken en je vergist je, ik ben nog steeds kwaad. Als je denkt dat ik zomaar over me heen laat lopen, dan begrijp je het echt niet.
Groet, Alan

Het bericht dat hij daarvoor had gestuurd was van een week eerder, met in de bijlage het cv van een promovendus. In de paar mails die hij daarvoor had gestuurd stond niets bijzonders.
En toen hoorde ze beneden een geluid. Of dacht ze een geluid te horen – zacht geschraap. Ze bleef doodstil staan en spitste haar oren, maar het enige wat ze hoorde was het bonzen van haar hart, een radio die in de verte aanstond en een portier dat werd dichtgeslagen. Een druppeltje zweet parelde langs haar slaap naar beneden. Ze moest opschieten en dan snel weggaan. Ze richtte zich weer op het beeldscherm, maar toen hoorde ze een ander geluid,

duidelijker deze keer. De voordeur die open- en dichtging. Ze deinsde achteruit, weg van de computer, en deed haar best rustig te ademen.

Frieda probeerde zich te herinneren of haar iets was verteld. Hadden ze een schoonmaakster? Zouden ze iemand te logeren krijgen? Misschien was dat de reden waarom het alarm niet was aangezet. Ze overwoog te blijven waar ze was, in de hoop dat degene die was binnengekomen weer weg zou gaan. Maar stel dat die dat niet zou doen? Stel dat die naar boven zou lopen? Stel dat die hierheen zou komen en haar hier zou aantreffen? Ze wachtte, durfde amper nog te ademen, maar ze hoorde beneden niets meer. De binnenkomer, wie het ook was, moest roerloos in de hal staan, tenzij diegene op zijn tenen de trap op sloop en naar haar toe kwam. Ze keek naar de deuropening en verwachtte half en half daar iemand te zien verschijnen, maar wie?

Toen hoorde ze iemand lopen. Niet snel, maar vastberaden. Misschien ging die iemand naar de keuken en kon ze de trap af stormen en het huis uit rennen? Vlak daarna hoorde ze voetstappen op de trap: geen twijfel mogelijk, er kwam iemand naar haar toe. Ze haalde diep adem. Feitelijk had ze geen keuze. Ze sloot het e-mailprogramma en zette de computer weer op sluimerstand, zoals ze hem had aangetroffen. Rustig liep ze over de wenteltrap naar beneden. Ze had pas goed zicht op de persoon toen ze bijna beneden was en de andere trap had bereikt: het was Bridget, met haar hand op de leuning. Ze keek Frieda vol minachting aan. Heel even bleven ze elkaar roerloos aanstaren.

Hoewel Frieda het idee had dat alles wat ze zou zeggen een slappe smoes zou lijken, sloeg ze een luchtige toon aan toen ze op haar af liep. 'Hoi,' zei ze. 'Ik kwam mijn horloge halen. Dat had ik afgedaan toen ik met de kinderen speelde.' Het klonk zo ongeloofwaardig dat Frieda de reactie van Bridget al kon bedenken: kon dat niet tot straks wachten? En waarom zocht je het op zolder? Frieda zon al op aannemelijke antwoorden, maar Bridget zei slechts: 'En? Heb je het gevonden?'

Als antwoord hield Frieda haar arm op om het horloge om haar pols te laten zien.

Bridget keek er nauwelijks naar en bleef Frieda strak aanstaren. Haar ogen glommen en om haar lippen speelde een flauw, niet bepaald vrolijk lachje.

'Ik dacht dat jullie naar de dierentuin waren,' zei Frieda. Haar hart klopte in haar keel en met haar hand zocht ze steun bij de solide muur.

'Ja, ik weet dat je dat dacht.'

'Is er iets?'

Bridget keek Frieda aan alsof ze haar peilde en leek toen een beslissing te nemen.

'Kom mee,' zei ze. 'Carla.'

Ze gingen naar de keuken, waar Bridget een la van de tafel opentrok.

'Ik heb mijn horloge terug,' zei Frieda. Haar eigen stem klonk haar iel in de oren. 'Ik ga wel weg en dan kom ik straks terug om op de kinderen te passen.'

'O, hou toch op. Hou in godsnaam op.' De stem van Bridget klonk helder en schel. Frieda voelde een lichte steek van schaamte.

'Goed,' zei ze. 'Ik zal ophouden.'

Bridget haalde een krant uit de la en smeet die op tafel. Frieda hoefde er nauwelijks naar te kijken. Ze zag de kop: 'POLITIE-PSYCH OP DE VLUCHT'. Er stond een foto van haar bij, eentje die al eerder was gebruikt en zonder haar medeweten was genomen.

'Je hebt geprobeerd je te vermommen, maar dat is niet helemaal gelukt.'

'Blijkbaar niet.'

'Nou? Nóú?' Bridget sloeg met haar vuist zo hard op tafel dat de bekers die erop stonden, trilden. 'Is dat alles wat je te zeggen hebt? Je zit erbij alsof je van de prins geen kwaad weet. Mijn óppas. Fuck. De vrouw die Sandy's leven naar de klote heeft geholpen, die míjn huis is binnengedrongen, die op míjn kinderen past, die in míjn spullen neust.'

'Heb je de politie gebeld?'

Terwijl Frieda die vraag stelde, werkte haar hersenen op volle toeren: wat was Bridget van plan? Was Al echt bij de kinderen of was hij hier ook? Of stond hij misschien buiten te wachten? Ze zag de plattegrond van de buurt voor zich en probeerde te bedenken welke kant ze op zou vluchten.

'Ha. Nog niet,' zei Bridget, terwijl ze een mobieltje uit haar jaszak haalde. 'Maar mijn vingers jeuken.'

'Waar is Al?'

'Weg, met de kinderen. Ver uit jouw buurt. Hoe kón je?' Plotseling schreeuwde Bridget bijna. 'Dit is geen spelletje, hoor. Het zijn onze kinderen, goddomme. Wat jou overkomt kan je kennelijk geen moer schelen, maar wat dacht je van mijn kinderen? Je bent voortvluchtig, wordt gezocht voor moord, en waarschijnlijk ben je ook echt de dader. De moordenaar van mijn vriend.'

'Ik heb goed voor ze gezorgd,' zei Frieda. Ze keek naar de achterdeur. Er stak een sleutel in het slot. Ze voelde dat haar spieren zich spanden, ze was klaar om te vluchten.

Toen Bridget een hand hief, deed Frieda een pas naar achteren. Bridget liet haar hand echter weer zakken.

'Ik heb nog nooit iemand geslagen. Maar jou zou ik in elkaar kunnen timmeren.'

'Dat kan ik me voorstellen.'

'Nee, dat kun je niet. Je bent binnengedrongen in dit huis, waar we je normaal gesproken nooit hadden binnengelaten, en je hebt ons van alles op de mouw gespeld. Dat je dat kunt. Hoe komt het dat je daar zo goed in bent?'

'Het spijt me dat ik heb gelogen, maar ik heb even goed op je kinderen gepast als een ander gedaan zou hebben.'

Bridget lachte bitter. 'Je bent niet goed wijs. Voer je dat aan ter verdediging? Ik ben nog nooit zo iemand tegengekomen als jij. Jij slaat werkelijk alles.' Ze haalde een paar keer diep adem alsof ze tot bedaren probeerde te komen. 'Kom, we gaan in de tuin zitten. Ik voel me hier opgesloten, alsof ik dadelijk ontplof.'

Bridget en Al woonden in een middelgroot rijtjeshuis, maar toen ze de tuin in liepen, had Frieda het gevoel dat ze in een park kwamen. De tuin was smal maar vrij diep, en werd aan alle zijden omgeven door andere tuinen. Er stonden gigantische platanen, een berk en fruitbomen, die vanaf de straten eromheen niet te zien waren. Bridget ging haar over een pad voor naar een terrasje met een houten tafel waar metalen stoelen omheen stonden.

De stoel waar Frieda op ging zitten voelde koud aan, hoewel het toch zonnig was. 'Waarom heb je de politie niet gebeld?' vroeg ze.

'Ik ben degene die vragen stelt, niet jij.'

'Goed.'

'Ik vroeg je niet om toestemming. En dadelijk zal ik de politie ook bellen, maar ik wil eerst zelf met je praten. Je bent door onze spullen gegaan. Aanvankelijk geloofde ik het niet. Dingen waren verplaatst, tenminste, dat dacht ik. Maar er was niets weg. Ik wilde er zeker van zijn. En dat ben ik nu. Jij bent de vrouw aan wie Sandy's vrienden zo'n hekel hebben. Jij bent de vrouw die gezocht wordt voor de moord op hem. En je bent bij mij in huis, past op mijn kinderen.'

'Klopt.'

'Nu jij. Heb je Sandy vermoord?'

'Nee.'

'Waarom zou ik je geloven? De politie doet dat overduidelijk niet.'

'Als ik hem had vermoord, zou ik nu niet hier zijn om zijn moordenaar op te sporen.'

'Dus dáár ben je mee bezig.'

'Ja.'

'Ik had kunnen verwachten dat je dat zou zeggen.'

Frieda haalde haar schouders op. 'Zal best, maar het is waar. Meer valt er niet over te zeggen. Ik heb Sandy niet vermoord.'

'Maar waarom hier, in ons huis? Wat doe je hier, Frieda Klein, waarom sluip je hier verdomme rond?'

'Je man en jij waren niet alleen maar bevriend met Sandy.'

'O nee?' Bridget sloeg haar armen over elkaar en keek Frieda boos aan.

'Wat voor probleem had Al met Sandy? Dat probleem waar hij over klaagde.'

Er verscheen een uitdrukking van walging op Bridgets gezicht. 'Ga door,' zei ze.

'Hoe bedoel je?'

'Ik zal je vraag beantwoorden, maar eerst moet je me – eerlijk – vertellen hoe je weet dat Al een probleem had met Sandy.'

'Omdat ik mails van hem heb gelezen.'

'En dat je daarmee iemands privacy schendt, daar zit je niet mee?'

'Niet als er iemand is vermoord, en zeker niet als ik daarvan word beschuldigd.'

'Je hebt dus Als mails gelezen. En?'

'Klopt het dat Al boos was op Sandy?'

'Hij was teleurgesteld.'

'In de berichten die ik heb gelezen leek hij zwáár teleurgesteld.'

'Sandy heeft de vakgroep op de schop genomen. En dat ging ten koste van een onderzoeksproject waar een stel promovendi van Al aan werkten.'

'Was Sandy onredelijk?'

Bridget haalde haar schouders op. 'Geen idee. Volgens mij hoorde het bij Sandy's werk om dat soort beslissingen te nemen en is het niet meer dan logisch dat Al daar niet blij mee was. Hij was pisnijdig, waarschijnlijk heeft hij met deuren gesmeten, maar het was geen reden om Sandy te vermoorden.'

'Je zou ervan staan te kijken om wat voor kleinigheden mensen vermoord worden.'

'Heb je dat ontdekt als therapeut?'

'Deels.'

'Al zou zoiets nooit kunnen.' Frieda reageerde niet. 'Ik weet dat je gaat zeggen dat iedereen het zou kunnen. Maar hij heeft het niet gedaan.' Bridget zweeg even en vervolgde boos: 'Waarom laat ik me trouwens door jou in de verdediging drukken? Als ik mijn telefoon pak, is de politie binnen twee minuten hier en sluiten ze je op. Of wou je me soms tegenhouden?'

'Nee,' zei Frieda. 'Bel ze maar als je dat wilt. Ik blijf zitten.'

Bridget keek haar boos aan. 'Is er nog iets anders wat je me wilt vertellen of vragen voor ik ze bel?'

'Toen de politie mijn huis doorzocht hebben ze Sandy's portefeuille gevonden. Die was verstopt in een la. Iemand moet hem daar hebben neergelegd. Iemand met een sleutel van mijn huis. En er zijn niet veel mensen die een sleutel van mijn huis hebben. Maar jullie wel.'

'O ja? Daar weet ik niks van.'

'Zal ik laten zien waar ze zijn?'

'Waarschijnlijk weet jij beter dan ik wat we allemaal in huis hebben. Je bedoelt zeker de sleutels die Sandy me heeft gegeven.'

'Ja.'

'En nu wil je dat ik uitleg waarom ik die gekregen heb.'

'Ja.'

Plotseling schoot Bridget in de lach.

'Voor alle duidelijkheid: Toen jij met onze kindertjes door Zuid-Londen doolde, terwijl de politie achter je aan zat, dacht je dat Al, of misschien Al en ik samen als een soort Bonnie en Clyde, Sandy hadden vermoord vanwege een akkefietje op het werk? En dat we ons daarna hebben ontdaan van zijn lijk en vervolgens hebben besloten om bewijs te verstoppen in het huis van zijn ex-vriendin, iemand die we nooit hadden ontmoet en van wie we hoegenaamd niets wisten. Was dat soms wat je dacht?'

'Het was een mogelijkheid.'

Bridget keek de tuin rond alsof ze die voor het eerst zag. 'Drie maanden geleden zat ik rond een uur 's nachts ook hier in de tuin. Ik had een trui en een dik jack aan en een wollen muts op mijn hoofd. En Sandy zat waar jij nu zit.'

'Om een uur 's nachts?'

'We zaten te praten en toen we het koud kregen besloten we dat een beetje beweging ons goed zou doen. We zijn de deur uit gegaan en naar Clapham Common gelopen, waar we denk ik een uur hebben gewandeld, misschien nog wel langer.'

'Hadden jullie een verhouding?'

Bridget kromp ineen. 'Ik zou je nu een klap moeten geven. Ik wilde "Carla" zeggen. Het valt niet mee om oude gewoonten af te leren. Fuck you, Frieda Klein.'

'Maar hadden jullie nou een verhouding?'

'Hij klopte na middernacht aan en maakte me wakker. Al

slaapt altijd heel diep. Sandy verontschuldigde zich. Hij wist hoe weinig nachtrust we kregen door de kinderen. Hij zei dat hij er-over dacht iets doms te doen, en wilde daar met iemand over pra-ten en ik was de enige die bij hem opkwam.'

'Je bedoelt dat…'

'Je weet wat ik bedoel.'

'Ja. Hij speelde met de gedachte om zelfmoord te plegen.'

'Dus hebben we gepraat. Hij sprak veel en ik weinig. Ik luister-de vooral. En daarna is hij naar huis gegaan. Maar hij heeft me toen wel een bos met de sleutels van zijn huis gegeven, voor het geval dat. De sleutels die jij hebt gevonden.'

'Wat heeft hij je verteld?'

'Dat hij teruggekomen was uit de VS in verband met een rela-tie, maar dat die was stukgelopen en dat hij vond dat hij een puinhoop van zijn leven maakte, en dat hij er geen gat meer in zag.' Ze wierp Frieda een blik toe waarin woede opflitste. 'Maar ik neem aan dat je gewend bent dat mensen die bij jou op de divan liggen dit soort dingen vertellen.'

'Ik heb geen divan. Wat heb je tegen hem gezegd?'

'Een cliché: dat het over zou gaan, ook al kon hij zich dat mis-schien niet voorstellen. Dat hij het de tijd moest geven en op zijn vrienden moest vertrouwen.'

Frieda voelde een steek. Zíj had dat Sandy moeten vertellen. Het was goede raad. Uiteindelijk kwam therapie voor mensen met psychische problemen vaak daarop neer. Het gewoon de tijd geven: de pijn neemt dan geleidelijk af en wordt draaglijk. Maar zij had die pijn veroorzaakt.

'Heb je er maar één keer met hem over gepraat?'

'Zo heftig alleen die keer. Maar we hebben het er vaker over ge-had. Soms belde hij 's avonds laat nog op.'

'Vond je het niet een beetje vreemd dat hij Als werk dwars-boomde, na alles wat je voor hem had gedaan?'

'Dat meen je niet,' zei Bridget op zo'n minachtende toon dat Frieda ineenkromp. 'Jij denkt dat wij er een redenatie op na hou-den als: ik help jou als je het moeilijk hebt, en als tegenprestatie mats jij mijn man op het werk.'

'Misschien wilde hij iets bewijzen.'

'Wat dan?'

'Soms kan iemand er moeite mee hebben dat hij wordt geholpen, moeite hebben met het idee dat een ander hem heeft gered.'

'Je klinkt alsof je geen hoge pet ophebt van mensen.'

Frieda kwam overeind. 'Je weet nooit hoe iemand reageert,' zei ze. 'Bel je nu de politie?'

'Al heeft het niet gedaan. Ik heb het niet gedaan.' Er volgde een lange stilte. 'En volgens mij jij ook niet.'

'Maar iemand moet het gedaan hebben,' zei Frieda.

'Ja.'

'En ik moet en zal te weten komen wie dat is.'

'Wíj moeten dat te weten komen,' zei Bridget. 'Sandy was mijn vriend. Ik bel de politie niet.'

'Heb je het Al verteld?'

'Nee.' Ze aarzelde. 'Nog niet. Maar ik denk niet dat hij er veel begrip voor zal kunnen opbrengen.'

Ze had haar man ook niets verteld over Sandy's ontreddering, dacht Frieda. Er volgde een stilte. Frieda keek naar Bridget, naar haar brede, markante gezicht en haar sterke armen. Bridget had haar handen in elkaar geslagen en staarde voor zich uit. Ze leek te wachten.

'Wil je me helpen?' vroeg Frieda uiteindelijk zacht.

Met opgetrokken wenkbrauwen keek Bridget haar aan. Haar woede leek vervlogen, in plaats daarvan was ze verdrietig, verdrietig en moe. 'Ik heb kleine kinderen. Ik kan niet de dingen doen die jij doet.'

'Die doe ik al, en dat is voldoende,' zei Frieda.

'Wat bezielt me eigenlijk. De volgende keer vraag ik om referenties.'

21

Josef had het bloedheet. Hij was op de zolder van het huis aan Belsize Park isolatieschuim aan het aanbrengen in de ruimte tussen de muren. Hoewel er daklichten waren, waar de zon door naar binnen scheen, was er ook een extra felle lamp opgehangen om de hoeken te verlichten. Josef voelde zich gevangen tussen de hitte van de lamp en die van de zon. In zijn ogen zat gruis en op zijn huid een glanslaagje van zweet en stof. Zijn haar was vochtig en zijn voeten deden zeer.

Naast hem was een andere man bezig de muurschotten weer vast te timmeren. Hij gaf op iedere spijker een harde, rake klap, gevolgd door een paar korte tikjes die Josef aan het geluid van een specht deden denken. Het was een stevige man met gespierde armen en een kaalgeschoren hoofd, waar hij zo nu en dan een grote doek overheen haalde.

Meestal werkten ze zonder te praten, soms kankerden ze hooguit wat tegen elkaar – over de hitte, over het stof, of over de rijke eigenaars die een in prima staat verkerende woning helemaal stripten om in het casco een nieuw huis te laten bouwen. Gisteren had het maatje van Josef – Marty heette hij – een radio bij zich gehad, maar vandaag had hij die thuisgelaten. Onder hen hoorden ze het geluid van de andere bouwvakkers: muziek, gevloek, het akelige snerpen van een metaalzaagmachine.

Om elf uur legde Marty zijn hamer neer. 'Ik ga een peuk roken. Kom je mee?'

Josef knikte en rechtte dankbaar zijn rug. Via een aantal trappen en talloze kamers, waarvan de meeste een minibouwplaats leken, liepen ze de tuin in. Naar Londense maatstaven was hij diep, met hoge pergola's en oplopend naar achteren; hier werd duidelijk ook nog gewerkt. De twee gingen op een stoepband zitten naast iets wat het betegelde barbecueterras zou worden, maar wat nu nog bezaaid lag met buizen en bakstenen. Josef haalde zijn pakje sigaretten tevoorschijn en bood Marty er een aan, maar die schudde zijn hoofd en draaide met zijn korte, dikke vingers behendig een sjekkie.

Josef rookte traag, nam tussen twee trekjes door telkens een slok water en sloot zijn ogen half tegen het felle zonlicht. Hij dacht na over wat hij die avond te eten zou maken, misschien iets Oekraïens. De gedachte aan zijn vaderland deed hem aan zijn twee zoons denken, die hij al heel lang niet meer had gezien, hoewel zijn vrouw – zijn ex-vrouw – hem onlangs foto's had gestuurd. Ze waren groter en steviger geworden en met hun korter geknipte haar, dat ook donkerder was geworden, zagen ze er vreemd uit zonder dat het vreemden voor hem waren. Ze waren hem nog steeds vertrouwd, en toch stonden ze ver van hem af. En bij de gedachte aan zijn zoons en de pijn in de borst die het gemis veroorzaakte moest hij aan Frieda denken, want alleen Frieda wist hoe hij zich voelde, maar precies op dat moment ging de achterdeur open en kwamen twee mensen – een man en een vrouw – de tuin in lopen.

Aanvankelijk dacht Josef dat het aannemers of architecten waren. De man, die eruitzag als een rugbyspeler, droeg een lichtgrijs pak en de vrouw, die klein was en iets kordaats had, een beige rok, een witte blouse en platte schoenen. Hij kneep zijn ogen samen en kreunde.

'Wat is er?' vroeg Marty.

'Ik ken die vrouw. Ze is politie.'

'Politie?'

'Ze komen voor mij, weet ik zeker.'

'Voor jou! Wat heb je dan uitgehaald, man?'

'Ik? Niks. Zíj doen fout.' Toch voelde hij zich niet op zijn gemak. Hij herinnerde zich hoe ze Frieda's tijdelijke buurman die haar had beroofd hadden achtergelaten. Maar hoe kon de politie dat weten? Nee, dat kon niet, hield hij zichzelf voor.

Hussein en Bryant baanden zich een weg door het bouwafval. 'Meneer Morozov,' zei Hussein, 'ik ben hoofdinspecteur Hussein.'

Ze hield haar legitimatie op, maar Josef, die nog steeds op de stoepband zat, maakte een wegwerpgebaar. 'Weet ik. We hebben elkaar ontmoet. U zit achter Frieda aan.'

'We zijn naar haar op zoek. We willen u even spreken.'

'Goed.'

'Maar apart graag.'

'Moet ik weg?' vroeg Marty. Hij stond op en liep een eind verder de tuin in, waar hij met zijn rug naar hen toe nog een sjekkie rolde.

'Weet u waarom we hier zijn?' vroeg Hussein.

Josef haalde zijn schouders op.

'Volgens mij weet u waar Frieda is.'

'Ik weet niets.'

'U weet dat we in haar huis een camera hebben opgesteld.'

'Dat ik heb gezien, natuurlijk.'

'Daardoor weten we dat u iedere dag naar haar huis gaat.'

'Dat is geen misdaad.'

'U blijft er altijd vrij lang.'

Josef liep rood aan. 'Nou en?' vroeg hij.

'Wat doet u daar?'

'Kat verzorgen. Planten water geven. Zorgen dat alles er goed uitziet.' Hij wierp de twee politiemensen een vuile blik toe. 'Voor wanneer ze weer thuis kan komen.'

'Soms blijft u er wel een uur.'

'Geen misdaad,' zei Josef weer. Hij was niet van plan te vertellen dat hij door het huis dwaalde, in Frieda's stoel ging zitten en even in haar studeerkamertje bleef staan om haar aanwezigheid te voelen.

'Wanneer hebt u voor het laatst contact met haar gehad?'

Hij maakte een wuivend gebaar. 'Toen ze wegging.'

'Ik geloof u niet.'

Josef schokschouderde weer.

'U begrijpt dat we u het land uit kunnen zetten,' zei Bryant ineens.

'U weet niets,' zei Josef. 'Daarom probeert u mij bang te maken. Maar ik ben niet bang.'

'Weet u dat ze er geweest is?'

'Wat?' Josef keek Hussein met samengeknepen ogen aan. 'Frieda?'

'Ja.'

'In haar huis?'

'Ja.'

'Ah,' zei hij. Het klonk als een zucht.

'Wist u dat?'

'Nee.'

'Hebt u iets voor haar achtergelaten?'

'Nee.'

'Waarom was ze daar?'

'Is haar huis.' Hij stond op en nam een slok water. 'Misschien heimwee. Ik alles schoon en goed voor haar achterlaten.'

'U denkt dat ze naar huis is gegaan, simpelweg omdat ze heimwee had?'

'Kent u heimweegevoel?'

Hussein maakte een ongeduldig gebaar. 'Ze zit flink in de problemen. Als u echt een vriend van haar bent, vertelt u ons waar we haar kunnen vinden voordat ze zich nog verder in de nesten werkt.'

'Ik ben een vriend van haar,' zei Josef. 'Ik zeg niets. Maar u zult zien.'

'Wat zullen we zien, Josef?'

'Ik ben meneer Morozov.'

'Goed. Meneer Morozov. We zijn u niet vijandig gezind.'

'Frieda's vijand is mijn vijand.'

'We zijn Frieda's vijand niet. Maar we moeten haar vinden. En we denken dat u ons daarbij kunt helpen.'

'Nee.'

'Belemmering van de rechtsgang is een ernstig misdrijf.'

Josef reageerde niet en haalde zijn pakje sigaretten uit zijn achterzak, tikte er eentje uit en stak hem op.

'U hebt ons kaartje,' zei Hussein. 'Als u iets te binnen schiet…'

Ze gingen weg. Josef ging weer zitten en Marty kwam naar hem toe.

'Fuck,' zei hij. 'Ik kan er niets aan doen dat ik iets heb opgevangen. Jij bent bevriend met die vrouw die op de vlucht is.'

Josef knikte. 'Ze is een vriendin.'

'En weet je waar ze is?' Er klonk bewondering door in Marty's stem.

'Misschien wel. Misschien niet.'

'Denk je dat ze haar zullen vinden?'

'Nee.'

'Maar ze kan zich toch niet eeuwig schuilhouden.'

'Is waar.' Josef keek somber. Hij drukte zijn sigaret uit op een baksteen en stond op. 'We moeten werken.'

'Ik wil nog een koekje.'

'Nee, je hebt er al drie gehad.'

'Ik wil een koekje.' De stem van Tam schoot nog verder omhoog en haar gezicht werd nog roder. 'Ik wil een kóékje.'

'Nee.'

'Ik ga gillen.'

'Kun je doen, maar je krijgt geen koekje meer.'

Tam sperde haar mond wijd open, waardoor er van haar gezicht haast niets meer te zien leek, en begon snerpend te gillen. Frieda tilde Rudi op, die zich aan haar benen probeerde op te trekken, en nam hem op schoot. Zijn gewicht was rustgevend, zijn haar was schoon en rook naar shampoo. Het gegil hield aan, afgewisseld met gesnik.

Bridget kwam met twee bekers thee de kamer in.

'Wat is er aan de hand?'

'Niets.'

'Is ze gevallen?'

'Nee.'

'Ik wil nog een koekje,' brulde Tam. 'Maar dat mag niet van Carla.'

'O, is dat alles?'

'Het is niet eerlijk.'

'Eerlijk?' Bridget trok haar wenkbrauwen op en keek haar dochtertje sceptisch aan. 'Alsjeblieft, thee.' Ze gaf Frieda een beker met een afbeelding van een papegaaiduiker. 'Ik heb trouwens een oppas gevonden,' zei ze haast terloops.

'Waarschijnlijk is dat het beste.'

'Dat denk ik ook.'

Ze dronken thee. Eindelijk kwam Tam tot bedaren. Ze stopte haar duim in haar mond en met haar beentjes voor zich uit gestrekt viel ze binnen een paar tellen in slaap.

'Enig hè, kinderen?' zei Bridget. 'Luiers en driftbuien, geschaafde knieën, vlekken op kleren en gebroken nachten. Geen moment voor jezelf.' Ze glimlachte naar Frieda. 'Zoals je waarschijnlijk al hebt gemerkt, is geduld niet mijn sterkste punt.'

'Maar je werkt toch ook? Dat moet het gemakkelijker maken.'

'Ik zou knettergek worden als ik ze continu om me heen had.'

'Dat komt misschien doordat je zoveel van ze houdt,' zei Frieda. 'Misschien is het daarom zo overweldigend.'

Bridget wierp haar een blik toe. 'Nu ben je Frieda Klein, hè? Niet Carla. De Frieda Klein van wie Sandy hield.'

Frieda liet haar kin op Rudi's hoofd rusten. Langzaam dommelde hij ook in. Ze voelde zijn adem door hem heen stromen, zijn borst rijzen en dalen. 'Het verklaart niet alles,' zei ze bedachtzaam.

'Wat, liefde?'

'Dat Sandy vertwijfeld is geraakt en een puinhoop van zijn leven maakte doordat ik bij hem weg ben gegaan, dat klopt niet, bedoel ik.'

'Denk je niet dat je radeloos kunt worden als je iemand verliest?'

'Ik ben psychotherapeute, weet je nog wel? De radeloosheid wordt niet veroorzaakt door het verlies zelf, maar door wat het verlies bij je blootlegt. Sandy was gevoelig, maar ook sterk en hij kon zich heel goed beschermen.'

'Denk je?'

'Ja. Jij niet dan?'

'Hij heeft zichzelf niet beschermd tegen jou.'

'Maar dat is niet de reden waarom hij zo uit zijn doen was. Jij zei dat hij zijn leven niet in de hand had.'

'Klopt.'

'Wat bedoelde je daarmee?'

Bridget aarzelde, ze was nog steeds huiverig om de dingen die hij haar had toevertrouwd door te vertellen aan een ander. 'Hij voelde zich schuldig.'

'Schuldig over zijn relaties met vrouwen?'

'Vooral daarover, denk ik.'

'Kun je daar iets meer over vertellen?'

'Denk je dat dat iets te maken heeft met zijn dood?'

'Dat weet ik niet.'

'Hij had de ene verhouding na de andere,' zei Bridget. 'En die heeft hij niet altijd netjes beëindigd.'

'Ik heb Veronica Ellison ontmoet,' zei Frieda, die aan de woorden moest denken die Veronica had gebruikt om te beschrijven hoe Sandy het had uitgemaakt – bot en onverschillig, doordat hij zich zelf ellendig voelde.

'Dat weet ik.' Bridget lachte. 'Carla was heel inventief, hè?'

'Weet je wie die andere vrouwen waren?'

'Ik ken er een paar. Een onderzoeksassistente aan de universiteit – Bella. Bella Fisk. Volgens mij was ze smoorverliefd.'

'Maar hij niet?'

'Nee.'

'En dan was er nog iemand die Kim heette. Of Kimberley. Haar achternaam weet ik niet meer.'

Frieda fronste. Ergens in haar achterhoofd kwam een herinnering naar boven. 'Was dat een oppas?'

'Nog een?' zei Bridget. 'Zou kunnen.'

'Zijn zus had een oppas die Kimberley heette.'

'Met dat soort vrouwen legde hij het aan.'

'Nog iemand anders?'

'Er waren andere vrouwen, maar ik heb geen idee wie. Hij had het met mij alleen over de vrouwen die ik heb genoemd.'

'Kun je nog iets anders bedenken?'

'Nou.' Bridget staarde even naar buiten, 'Hij was bang.'

'Bang?' Die indruk had Veronica Ellison ook gehad.

'Maar dat wist je toch al?'

'Hoe zou ik dat moeten weten? We hadden elkaar al heel lang niet meer gesproken.' Frieda moest denken aan de laatste keer dat ze Sandy had gezien, voor The Warehouse, toen hij haar met een vertrokken gezicht een zwarte vuilniszak met haar spullen had toegesmeten.

'Hij zei dat hij je probeerde te bellen om het erover te hebben. Hij dacht dat jij wel zou weten wat hij moest doen. Heeft hij er dan niet met je over gepraat?'

Frieda keek Bridget recht aan. 'Ik wiste zijn berichten altijd.'

'Zonder er eerst naar te luisteren?'

'Ja.'

Met Tam tussen hen in, die met een halfopen mond zachtjes snurkte, en Rudi, die op Frieda's schoot aanvoelde als een warm bundeltje, zwegen ze even.

'Je hebt geen idee waar hij bang voor was?' vroeg Frieda ten slotte.

'Nee. Maar hij had alle reden om bang te zijn, hè?'

Frieda liep terug naar Elephant and Castle. Ze deed er bijna een uur over. De dag was overgegaan in de avond: zacht licht, de straten druk met zomers geklede mensen. Tieners die op skateboards voorbij ratelden. Stelletjes die arm in arm liepen. Voor de pubs stoepen vol drinkende mensen.

Ze liep onder de spoorbrug door, en toen ze langs Thaxted House kwam moest ze aan haar eigen huisje denken, dat in de zomer koel en schemerig was, alsof het zich onder water bevond. Ze verlangde er zo hevig naar dat ze moest slikken. Aangekomen bij haar tijdelijke onderkomen, deed ze de voordeur van het slot en stapte naar binnen. In de keuken hoorde ze stemmen. Er werd gepraat, gelachen. Ze liep naar haar kamer en deed de deur open.

'Frieda,' hoorde ze, toen ze hem net dicht wilde doen.

Ze draaide zich om.

'Josef! Wat doe jij hier?'

'Aardige vrouw heeft me binnengelaten.' Josef maakte ronde gebaren voor zijn borst.

'Ileana,' zei Frieda. 'En dat mag je niet doen. Je moet zeggen: de aardige vrouw met bruin haar. En je moet hier weg.'

'Ik moet helpen.'

'Nee! Je moet helemaal niet helpen. Ga weg.'

'Frieda, ik het niet verdragen.'

Ze deed een stap naar hem toe, legde haar hand op zijn schouder en keek in zijn trieste, bruine ogen. Zijn adem rook naar wodka. 'Het is al goed. Wie weet nog meer dat ik hier ben?'

'Niemand. Ik heb het niemand verteld. Ik heb het Lev gevraagd en die heeft me de plek gewezen. Ik heb veel omwegen gemaakt, kleine straatjes gelopen, zodat niemand kon volgen. Ook de politie niet.' Hij snoof minachtend. 'Niemand. Ik bewaar jouw geheim.' Hij legde zijn grote hand op zijn hart. 'Ik help jou.'

'Josef, jij loopt meer risico dan wie ook. Ze kunnen je het land uit zetten.'

'Bedreiging.' Hij maakte een wegwerpgebaar met zijn hand. Daarna bukte hij en haalde een fles wodka uit zijn canvas tas. 'Dit is vreselijke plek. Zullen we een borrel drinken?'

Frieda keek naar de fles die hij haar toestak, vervolgens naar haar sjofele kamertje, naar de laagstaande zon die door de smoezelige ramen naar binnen scheen, naar de dunne oranje gordijnen, die slap neerhingen. Ze schoot in de lach. 'Waarom ook niet?'

Josefs gezicht klaarde op. Hij bukte opnieuw en haalde twee borrelglaasjes uit zijn tas. 'Altijd voorbereid,' zei hij.

'Op de thuiskomst,' zei Frieda.

Ze klonken met elkaar en namen een slok.

Ongeveer vijf seconden nadat Josef was weggegaan, werd er aan-geklopt.

'Ja?'

Grijnzend stak Mira haar hoofd om de deur.

'Is hij weg?' vroeg ze.

'Ja, hij is weg.'

'Hij mag blijven,' zei Mira. 'Hij mag de hele nacht blijven.'

'Het is gewoon een vriend van me.'

'Ja, ja,' zei Mira lachend. Ze kwam de kamer in en keek om zich heen, op zoek naar een plekje waar ze kon zitten. Dat was er niet.

'Wij over jou praten, Ileana en ik.'

'Dat heb ik liever niet.'

'Ileana zegt jij bent weggelopen bij je man.'

'En wat denk jíj?'

'Weet niet zeker. Maar nu hebben wij Josef ontmoet. Interessante man.'

Frieda kwam overeind en duwde Mira naar de deur.

'Hij is niks voor jou,' zei ze. 'Het is een Oekraïener.'

Mira keek verward. 'Oekraïeners niet zo slecht. Roemenen slecht. Russen een beetje. Oekraïeners niet.'

Frieda deed de deur achter Mira dicht.

22

Achter een afvalcontainer in de buurt van King's Cross was een dakloze man gevonden, doodgeschopt. Karlsson vond het een van de meest deprimerende zaken die hij ooit had gehad: niet alleen omdat de man, wiens naam onbekend was, zo was mishandeld en achtergelaten als oud vuil, maar ook omdat niemand zijn lichaam opeiste, zijn identiteit kende, iets van zijn leven wist of erom treurde dat hij dood was. Het slachtoffer zag er oud uit, maar volgens de patholoog-anatoom was hij pas rond de vijftig. Zijn bezittingen, die hij in een oud, verroest winkelwagentje met zich mee had gezeuld en die vervolgens verspreid in de buurt van zijn lichaam waren aangetroffen, bestonden uit een slaapzak, een stel kapotte dekbedden, een paar blikjes bier, een plastic zakje met sigarettenpeuken, zes lege aanstekers en wat hondenvoer, hoewel hij geen hond had gehad. Niemand had iets gezien, niemand wist iets, niemand kon het iets schelen.

Karlsson keek naar de foto's van zijn twee kinderen, Bella en Mikey, op zijn bureau: deze man was ook ooit een klein kind geweest, een baby die had rondgekropen en gehuild en gelachen. Hoe kon een leven zo ontsporen? 'Arme donder,' mompelde hij.

Er werd aangeklopt en Yvette stak haar hoofd om de deur.

'Sorry dat ik je stoor.'

'Ik kan wel wat afleiding gebruiken. Wat is er? Hebben de jongens een nieuw spoor gevonden?'

'Nee. Maar daarvoor ben ik hier ook niet. Er is iemand die je wil spreken.'

'Wie?'

'Een vrouw, Elizabeth Rasson heet ze. Ik heb haar gevraagd waar het over ging, maar ze zei dat ze alleen met jou wilde praten. Ze is heel vasthoudend.'

'Elizabeth Rasson?' Karlsson fronste zijn wenkbrauwen. 'Maar dat is…' Hij zweeg. 'Maakt niet uit. Laat haar maar komen.'

Lizzie Rasson stormde zijn kantoor in, bleef toen staan en keek om zich heen alsof ze niet zeker wist waar ze was of hoe ze er was gekomen. Ze was broodmager, haar sleutelbeenderen tekenden zich scherp af, en ze had een verbijsterde uitdrukking op haar gezicht die Karlsson wel vaker zag.

'Mevrouw Rasson,' zei hij, terwijl hij haar zijn hand toestak. 'Wilt u niet gaan zitten?'

'Lizzie,' zei ze. 'We zijn elkaar een keer eerder tegengekomen. Of in elk geval samen in dezelfde kamer geweest. Maar dat zul je je wel niet meer herinneren.'

'Ik geloof van wel.'

'Het is lang geleden. Dat ik het nog weet komt omdat ik doorgaans geen politiemensen ontmoet, en omdat Sandy niets van je moest hebben.'

'O.'

'Sandy is mijn broer.'

'Dat weet ik.'

'Was. Was mijn broer. Dat leer ik maar niet af. Hoelang duurt dat?'

'Voordat je de verleden tijd gebruikt, bedoel je?'

'Ja.'

'Waarschijnlijk zal het nog heel lang vreemd aanvoelen.'

'Ik ratel zo omdat ik dan niets hoef te zeggen, als je begrijpt wat ik bedoel.'

'Dat begrijp ik. Ga zitten.' Karlsson trok een stoel naar achteren. Lizzie plofte erin neer en sloeg haar lange benen over elkaar. Haar knieën waren heel knokig, zag hij.

'Als kinderen hadden we een hechte band – we schelen maar veertien maanden. Later zijn we een beetje uit elkaar gegroeid, maar toen hij terug was uit Amerika, zag ik hem regelmatig. Het ging niet goed met hem en hij kwam vaak bij ons langs, tja, we zijn tenslotte familie. Ik was de enige familie die hij had, nadat…' Ze slikte de rest van haar woorden in en wreef over haar gezicht.

'Wat kan ik voor je doen?'

'Je bent goed bevriend met Frieda, toch?' vervolgde Lizzie, alsof Karlsson niets had gezegd.

'Ze is een vriendin van me, ja.'

'Ja.' Er klonk veel verbittering door in dat ene korte woordje. 'Daarom mocht Sandy je niet. Hij vond jullie te close. Hij was jaloers. Vooral toen het uit was. Ze heeft hem niet netjes behandeld, vind je ook niet?'

'Het stuklopen van een relatie gaat altijd gepaard met verdriet,' zei Karlsson behoedzaam. 'En Frieda…'

'Ja, ja, Frieda is een geval apart. Zelfs nu. Denk je dat ze mijn broer heeft vermoord?'

Dat ze hem dat zo recht op de man af vroeg overrompelde Karlsson. 'Nee.'

'Je bedoelt dat je niet dénkt dat ze het heeft gedaan.'

'Nee, ik bedoel dat zij het niet was.'

'Waarom? Omdat ze een vriendin van je is?'

Karlsson knipperde met zijn ogen en kneep met zijn duim en wijsvinger in zijn neusbrug. 'Daar komt het denk ik wel op neer,' zei hij uiteindelijk.

'Frieda boft maar met zulke vrienden. Maar je klinkt niet als een politieman.'

'Dat komt omdat ik niet aan deze zaak werk. Je weet toch dat ik niets met het onderzoek te maken heb, hè? Als je informatie wilt of iets te zeggen hebt, moet je bij hoofdinspecteur Hussein zijn. Ik kan je haar nummer wel geven.'

'Dat is niet de reden dat ik hier ben.'

'Waarom ben je dan gekomen?'

'Ik heb nagedacht.'

Karlsson wachtte.

Lizzie trok een grimas en keek naar buiten. 'Over de laatste weken van Sandy's leven.'

'Ga door.'

'Hij was totaal uit zijn doen. Je kent – kénde Sandy. Hij had zich altijd in de hand, was beheerst. Maar vlak voor zijn dood niet meer. Hij verloor langzaam de greep op zijn leven, als je je daar iets bij kunt voorstellen.'

Karlsson knikte maar zei niets. Op zijn telefoon knipperde een lampje, maar hij sloeg er geen acht op.

'Hij had iets verkeerds gedaan,' zei Lizzie.

'Wat dan?'

'Dat weet ik niet.'

'Je moet met Sarah Hussein gaan praten. Het zou belangrijk kunnen zijn.'

Lizzie maakte een ongeduldig gebaar met haar hand.

'Ik praat nu met jou. Hij was niet alleen uit zijn doen, hij was ook bang.'

Karlsson leunde naar voren in zijn stoel. 'Waar was hij bang voor, Lizzie?' zei hij zacht. 'Voor wie was hij bang?'

'Nee. Zo was het niet. Je begrijpt het niet.'

'Leg het dan uit.'

'Hij probeerde steeds in contact te komen met Frieda.'

'Ja, dat weet ik.'

'Maar ze nam nooit op. Hij heeft haar gebeld, gemaild, maar ze reageerde nooit.'

'Ik neem aan dat ze dacht dat ze elkaar niets meer te zeggen hadden.'

'Nee. Hij zat niet meer achter haar aan, in elk geval niet op het laatst.'

'Hoe bedoel je?'

'Volgens mij is hij altijd van haar blijven houden en toen hij bang was heeft hij als een gek geprobeerd met haar in contact te komen.' Er welden tranen op in Lizzies ogen. 'Als een gek,' herhaalde ze.

'Belde hij Frieda voor hulp?'

'Nee.'

'Waarom dan?'

'Ik dacht dat zij hem had vermoord, en dat het er niet toe deed. Maar als ze het niet heeft gedaan, moet ik haar waarschuwen, hoe gemeen ze ook is geweest.'

'Kun je niet wat duidelijker zijn, alsjeblieft? Wat bedoel je?'

'Hij vreesde niet voor zijn eigen leven, maar voor dat van haar. Hij dacht dat ze in gevaar was.'

Karlsson staarde Lizzie Rasson aan. Hij voelde een druppeltje zweet over zijn slaap naar beneden parelen. 'Je broer dacht dat Frieda in gevaar was?'

'Ja.'

'Dat heeft hij je zelf verteld?'

'Ja. Maar op dat moment was hij dronken en toen hij stierf ging het goed met Frieda. Daarom dacht ik dat het niet belangrijk was. Dat het een hersenspinsel van hem was. Maar nu moet ik haar waarschuwen. Dat is het laatste wat ik voor Sandy kan doen.'

'Ik weet niet waar ze is. Maar we moeten het Sarah Hussein vertellen.'

'Je moet haar waarschuwen,' zei Lizzie weer. 'Anders gebeurt er ook iets verschrikkelijks met haar.'

Nadat Lizzie Rasson was weggegaan, belde Karlsson Hussein, die luisterde naar wat hij te melden had, maar zo stil bleef dat Karlsson steeds even vroeg of ze nog wel aan de lijn was.

'Wat denk je?' vroeg hij toen hij zijn verhaal had gedaan, maar zonder te vertellen dat Frieda moest worden gewaarschuwd.

'Waarschijnlijk is het een dwaalspoor. Frieda heeft haar ex vermoord en daarom is ze ervandoor gegaan. Want waarom zou ze dat doen als ze onschuldig was?'

'Omdat ze erin is geluisd.'

'Dat is een theorie,' zei Hussein. 'Maar een theorie waar we niets mee kunnen zolang dokter Klein niet is opgepakt.'

'Sandy was bang dat Frieda iets zou overkomen. En toen is

Sandy vermoord. Duidt dat er niet op dat je de verkeerde op het oog hebt?'

'Nee, het duidt erop dat we Frieda Klein moeten opsporen en ondervragen.'

'Maar…'

'Ik begrijp je bezorgdheid,' zei Hussein, 'maar ik hoop dat jíj begrijpt dat ik niet bezig ben je vriendin erin te luizen, maar dat ik de waarheid probeer te achterhalen. Dat is mijn werk. Mijn doel. En dat is in het belang van iedereen, ook dat van Frieda.'

'Tuurlijk,' zei Karlsson.

'En? Wil je ons helpen?'

'Hoe bedoel je?'

'Waar is ze? Ik neem aan dat dat de reden is waarom mevrouw Rasson naar jou is gegaan en niet naar mij – omdat ze dacht dat jij Frieda zou kunnen waarschuwen dat ze gevaar loopt. Ik ben niet helemaal op mijn achterhoofd gevallen.'

'Dat heb ik ook nooit gedacht.'

'En?'

'Ik weet niet waar ze is.'

'Echt niet?'

'Nee. Ik weet het niet.'

Karlsson wist het echt niet, maar na zijn telefoongesprek met Hussein zei hij tegen Yvette dat hij even de deur uit ging. Vijfendertig minuten later zat hij in The Warehouse bij Reuben McGill op de spreekkamer. Reuben zat met opgerolde mouwen te roken op de vensterbank van een openstaand raam.

'Wordt dit een lastig gesprek?' vroeg hij.

'Ik maak me zorgen over Frieda's veiligheid. Ik heb je hulp nodig.'

Reuben gooide zijn peuk uit het raam en draaide zich om naar Karlsson. 'Wou je me daarmee aan het praten krijgen?'

'Frieda verkeert in gevaar.'

'Ja, het zal wel.'

'Ik ben hier als haar vriend. Ik ben niet bij het onderzoek betrokken.'

Reuben keek hem met samengeknepen ogen aan. 'Wat voor gevaar?'

'Weet ik niet. Maar voordat hij werd vermoord heeft Sandy haar geprobeerd te waarschuwen.'

Reuben liep weg van het raam, ging aan zijn bureau zitten en liet zijn kin op zijn handen rusten. 'Ik weet niet hoe ik je zou kunnen helpen,' zei hij.

'Je hoeft me niet te vertellen waar ze is, je moet haar vertellen wat ik jou net heb verteld.'

'Ik weet niet waar ze is.' Hij zag Karlsson sceptisch kijken. 'Echt waar. Ze is verdwenen.'

'Is er echt geen manier waarop je met haar in contact kunt komen?'

'Nee.' Reuben spreidde zijn handen, waardoor zijn gezicht er vrijwel helemaal achter schuilging en sloot zijn ogen. Karlsson wachtte. 'Zweer je dat je me niet belazert?'

'Ik belazer je echt niet.'

Reuben sprak traag en aarzelend. 'Geen idee waarom ik het je vertel, maar als iemand iets weet over Frieda dan is het Josef. Misschien is het een vreselijke vergissing dat ik je dit vertel.'

'Ik zal hem niet in de problemen brengen.'

'Dat zou Frieda je nooit vergeven.'

'Waar is hij nu?'

'Hij werkt in een huis aan Belsize Park. Maar het is een stijfkop, zoals je weet.'

'Dat zie ik dan wel.'

Reuben knikte, schreef het adres op een blaadje dat hij van een schrijfblok scheurde en stak het Karlsson toe. 'Als het fout loopt, zal ik met alle wapens uit mijn psychotherapeutische arsenaal achter je aan gaan,' zei hij.

'Dat zal ik in mijn oren knopen,' zei Karlsson, waarop hij het blaadje aannam en wegging.

Karlsson trof Josef aan in de achtertuin van het huis. Hij zat met een groepje bouwvakkers thee te drinken en te roken. Toen hij Karlsson zag kwam hij overeind en keek hem argwanend aan.

'Niks te zeggen.'

Karlsson nam hem bij de arm en leidde hem weg van het groepje mannen dat nieuwsgierig naar hen keek. 'Ik heb je iets te vertellen.'

'Jij denkt mij bang maken?'

'Ik ben niet gekomen om te dreigen.' Hij stak zijn hand op om te voorkomen dat Josef hem in de rede zou vallen. 'Ik vraag je niet of je weet waar ze is. Ik wil je alleen deze brief geven.' Uit de binnenzak van zijn colbert haalde hij de brief die hij in een café verderop in de straat had geschreven.

Josef deinsde achteruit alsof het een bom was die elk moment in zijn gezicht kon ontploffen. 'Dit is truc.'

'Wat nou, truc. Ik geef je alleen een brief. Het is belangrijk dat Frieda hem leest, maar het is aan jou of je hem geeft of niet.'

'Ik weet niets.'

'Dan verdoe ik mijn tijd.' Karlsson wachtte even. 'Ik ben een vriend van Frieda en denk dat ze in gevaar verkeert.'

'Je bent politie.'

'Dat ook. Maar je kunt me vertrouwen.'

Josef trok een grimas. Zijn gezicht zat onder het stof, er zat gruis in zijn haar en hij had blaren op zijn handen, zag Karlsson.

'Gevaar, zei je.'

'Ja.'

Josef wierp hem een duistere blik toe. 'Als ik hem aanneem, zegt dat niets.'

'Nee, oké.'

Weer stak Karlsson hem de brief toe en deze keer nam Josef hem aan. Zodra Karlsson weg was, pakte Josef zijn telefoon. Frieda had hem haar nieuwe nummer gegeven. Hij toetste het in. Ze nam niet op.

Frieda voorvoelde dat ze binnenkort afscheid moest nemen van Ethan, in elk geval voor een tijdje. Ze konden zo niet doorgaan. Ze stapten op een bus, liepen door naar het bovendek en gingen helemaal voorin zitten. Ethan ging op de stoel staan om naar buiten te kijken en gaf onafgebroken commentaar op wat hij zag:

mensen en honden en katten en auto's en fietsen en huizen en winkels. De bus reed door Elephant and Castle en sloeg Old Kent Road in, waar ze uitstapten. Ethan zei dat hij moe was en honger had.

'Wacht,' zei Frieda.

Ze nam hem bij de hand en samen liepen ze rechts een straat in; en toen was daar ineens, als bij toverslag, iets wat Ethan nog nooit had gezien. Ze gingen de poort door en liepen over de kinderkopjes naar de stallen. Twee paarden staken hun hoofd naar buiten en keken hen nieuwsgierig aan. Frieda tilde Ethan op.

'Je mag ze wel aaien,' zei ze. Met haar vrije hand streek ze over de zachte, zalmroze huid tussen de neusgaten van een van de paarden. Ethan schudde zijn hoofd en deinsde naar achteren. Hij durfde de paarden niet te aaien, maar wilde ook niet weg. Zelfs toen ze terug naar de straat liepen, keek hij steeds achterom, alsof hij bang was dat de stallen zouden verdwijnen als hij ze uit het oog verloor. Daarna kwamen ze langs de smederij. Frieda probeerde uit te leggen wat een hoefijzer was. Ethan keek moeilijk. Frieda wist niet of hij begreep wat ze vertelde, maar dacht van niet.

Ze wandelden verder over bekende heuvels en oevers. Frieda wees Ethan op een grote pijpleiding boven het spoor. Een paar minuten later trok ze hem een zijstraatje in waar twee grote putdeksels waren.

'Doe dit eens,' zei ze. Ze ging op haar knieën zitten en legde haar oor op een putdeksel. Ethan deed haar na. 'Hoor je het?' vroeg ze.

Ethan ging overeind zitten en knikte.

'Weet je wat het is?' vroeg ze.

Hij schudde zijn hoofd.

'Heel, heel lang geleden was hier een rivier,' zei ze. 'Een kleine rivier. Die liep door de straten en er voeren boten op. En paarden, zoals de paarden die wij net hebben gezien, die dronken eruit. Maar toen hebben ze de rivier verborgen. Ze hebben hem onder de grond gestopt en er huizen en wegen op gebouwd. En toen vergaten de mensen hem. Maar de rivier is er nog steeds.' Ze roffelde op de metalen deksel. 'Daar, daarbeneden. Hij heet de Earl's Sluice.'

'Sluice,' zei Ethan plechtig.

'Goed zo. Alleen jij en ik weten dat hij daar stroomt en wij zullen hem niet vergeten, hè?'

'Nee,' zei hij braaf.

Frieda kwam overeind en nam hem bij de hand.

Toen ze aankwamen bij de Theems, duwde Ethan zijn gezicht tegen de reling, alsof hij het water wilde aanraken. Hij leek gehypnotiseerd.

'Deze kant op,' zei Frieda. Samen liepen ze westwaarts over het pad langs de rivier. Toen Ethan na een paar honderd meter aan haar arm begon te hangen om aan te geven dat hij echt heel moe was, boog ze zich naar hem toe en fluisterde: 'Ik heb een verrassing voor je.'

'Wat dan?'

Ze trok hem mee door het hekje van de kinderboerderij. Toen Ethan de geiten zag en de haantjes en de konijnen leek hij haast te bezwijken onder de lading kennis die hij opdeed. Aanvankelijk stond hij alleen maar met open mond te kijken. Vervolgens rende hij rond en wees het ene dier na het andere aan. Na een tijdje nam Frieda hem mee naar het café, waar ze een ijsje voor hem kocht, maar hij was ongedurig, begon te huilen en zei dat hij terug wilde naar de dieren. Dus nam Frieda haar koffie mee naar buiten en hield hem in de gaten terwijl hij terugging naar de wei.

Er kwam een schoolklas aangelopen, een hele stoet zesjarigen die allemaal een fluorescerend geel hesje droegen, als een ploeg miniatuurbouwvakkers. Na een tijdje ging Ethan naast twee meisjes staan. Het ene hield een konijn in haar armen, het andere streelde het. Even later liep een jonge onderwijzeres naar hen toe en zei iets tegen Ethan wat Frieda niet kon verstaan. Ethan keek achterom en wees naar Frieda, waarop de onderwijzeres hem bij de hand nam en naar Frieda toe liep. 'Sorry,' zei ze. 'Hij mag niet in de buurt van onze kinderen komen. Misschien gebeurt er iets.'

'Niet als ik erbij ben,' zei Frieda.

'Dat zijn nu eenmaal de regels,' zei de onderwijzeres. 'Ik kan er ook niets aan doen.'

'Dat zeggen ze allemaal,' zei Frieda.

De onderwijzeres keek haar niet-begrijpend aan, maar Frieda draaide zich om en trok Ethan mee, die moe en drenzerig was en over zijn toeren riep dat hij de geit wilde aaien.

23

Gavin, de bouwopzichter, was niet blij.

'Wat voor noodgeval?' vroeg hij.

'Over een uur ben ik terug,' zei Josef. 'Misschien over twee.'

'Twee uur? Wat krijgen we nou? Ga je trainen voor de marathon?'

'Ik doe zijn werk wel,' hoorden ze iemand zeggen.

Gavin en Josef keken achterom. Het was Marty.

'Hoe bedoel je?' zei Gavin. 'Als je naast je eigen werk ook nog dat van hem kunt doen, waarvoor hebben we hem dan nog nodig?'

'Joe is de beste vakman die hier rondloopt. En als hij zegt dat het een noodgeval is, dan is het een noodgeval.'

Met een zekere angst keek Josef van de een naar de ander. Het kon goed gaan, maar voor hetzelfde geld ging het fout. Gavin liep rood aan, maar Marty's gezichtsuitdrukking bracht hem op andere gedachten. 'Goed, twee uur,' zei hij. 'Maar maak er geen gewoonte van.'

Toen hij wegging knikte Josef Marty toe als teken van dank.

'Problemen?'

'Een vriendin.'

'Die Frieda?'

Josef haalde zijn schouders op. 'Misschien.'

'Ze boft maar met een vriend als jij.'

'Nee, ik bof met haar.'

De tocht duurde nodeloos lang. Op Chalk Farm Station moest Josef wachten op de lift en de trein bleef tien minuten stilstaan in een tunnel, waarvoor herhaaldelijk verontschuldigingen werden aangeboden over de intercom. Toen hij bij Elephant and Castle naar boven liep had hij weer bereik en belde hij Frieda nog een keer. Geen reactie. Hij rende naar de flat waar Frieda woonde, klopte op de deur en belde aan. Geen reactie. Toen hij nog een keer aanklopte hoorde hij geluiden achter de deur. Eindelijk werd er opengedaan. Door de blonde vrouw, niet die rondborstige.

'Frieda, is ze hier?'

'Weet ik niet. Misschien in haar kamer.'

Josef liep langs haar heen en deed de deur van Frieda's kamer open. Het bed was opgemaakt alsof een legerofficier het zou komen inspecteren. Hij keek om zich heen. Mira stond achter hem.

'Ze is er niet vaak. Werk met de kinderen, denk ik.'

'Waar?'

'Weet ik niet.'

Hij haalde de brief tevoorschijn en keek ernaar. Moest hij hem aan deze vrouw geven? Hij dacht aan Frieda en daarna aan Karlsson. Karlsson overtrad de wet. Het risico leek te groot. Hij stopte de brief terug in zijn zak.

'Zeg Frieda dat ze me moet bellen,' zei hij. 'Als ze belt of terugkomt, zeg dat ze me belt. Belangrijk.'

'Je kunt wachten,' zei Mira. 'Koffiedrinken.'

'Nee,' zei Josef. 'Zeg dat ze me moet bellen.'

Frieda zat in de Watched Pot koffiebar te wachten. Bella Fisk had er eigenlijk niets voor gevoeld om haar te ontmoeten, maar uiteindelijk had ze toegestemd tien minuten voor haar vrij te maken. Frieda vroeg zich af hoe ze haar zou herkennen, ze had geen idee hoe ze eruitzag. Maar toen de deur openging en er een vrouw binnenkwam die om zich heen keek, twijfelde Frieda geen moment. Ze begon Sandy's type te herkennen. Bella was lang en droeg een donkere jurk en blauwe leren laarzen die ze maar tot halverwege had dichtgeregen. Ze had bruin krullend haar en oogde kordaat en slim. Toen ze Frieda naar haar zag kijken, kwam ze naar haar tafel.

'Waar gaat dit over?' vroeg ze.

'Fijn dat je wilde komen.'

'Ja, maar waarom moet jij zo nodig het verleden oprakelen?'

'Ik heb Sandy gekend. Een tijd geleden. Wil je koffie? Het duurt niet lang.'

Bella ging zitten en Frieda liep naar de bar om twee koffie te bestellen.

'Leuke tent,' zei ze toen ze terugkwam.

'Best aardig, ja,' zei Bella. 'Het is mijn stamkroeg. Dadelijk komt een vriend van me. We gaan uit.'

'Prima,' zei Frieda.

'Hoe bedoel je, "prima"? Natuurlijk is dat prima. Tien minuten, heb ik gezegd. Vertel waarom je me wilde zien.'

'Iedereen is geschokt over wat er met Sandy is gebeurd. Ik probeer in contact te komen met mensen die hem hebben gekend.'

'Waarom?'

'Ik wil weten hoe het met hem ging. Vlak voor zijn dood.'

'Ex-vriendje, zeker?'

'Gewoon een vriend,' zei Frieda.

Er verscheen een ironisch lachje op Bella's gezicht. 'Ja, het zal wel.' Toen een vrouw van middelbare leeftijd langskwam met een blad waar twee enorme koppen koffie op stonden zweeg ze even. Zodra de vrouw weg was keek Bella Frieda uitdagend aan.

'Ehm… hoe heette je ook alweer?'

'Carla.'

'Carla. Grappig. Hij heeft die naam nooit genoemd. Nou dan, Carla, wat wil je weten, over hoe Sandy was op het werk?' Frieda gaf geen antwoord. Ze nam traag een paar slokken koffie en wachtte. 'Goed,' zei Bella, 'wie heb je allemaal gesproken?'

'Ik wil alleen maar weten hoe het met Sandy ging.'

Er viel een stilte. Bella's houding veranderde. Ze dacht diep na en maakte een ongedurige indruk.

'Ik weet niet wat je wilt. Ben je soms een stalker?'

'Nee. Sandy is dood. Iemand die dood is kun je niet stalken.'

'Dat weet ik zo net nog niet,' zei Bella om zich heen kijkend. 'Trouwens, als mijn vriend komt – en die komt zo – dan kunnen we het beter alleen maar hebben over hoe Sandy was op het werk. Niet dat het veel voorstelt, Tom en ik hebben nog niet echt iets met elkaar, maar je weet hoe het is als je iemand nog maar net kent.'

'Natuurlijk. Hoe ging het met Sandy?'

Bella kneep haar ogen samen. 'Ik probeer nog steeds hoogte van je te krijgen. Probeer me voor te stellen hoe het zou zijn om bij de ex-liefjes van mijn ex-vriend na te vragen hoe het met hem ging.'

'Ik weet dat het vreemd lijkt. Maar alles verandert als iemand is vermoord. Oude regels gelden dan niet meer. Om redenen die pijnlijk en ingewikkeld zijn, is het voor mij van belang te weten hoe Sandy's leven was voordat hij stierf.'

'Om het een plekje te geven, bedoel je?'

'Zo zou je het kunnen noemen,' zei Frieda.

'Heeft hij je gekwetst?'

Frieda knarste met haar tanden. 'Min of meer.'

'Goed dan. Maar ik denk niet dat ik je veel verder kan helpen. Hij heeft het nooit over je gehad, als je dat soms had willen horen. Het spijt me. En we waren niet close. We werkten samen, zijn een paar keer uit eten geweest en hebben zo nu en dan een wip gemaakt, dat is alles.'

'Je vertelt het alsof het niet veel om het lijf had.'

'We hadden wel iets,' zei Bella, starend naar haar koffie, waar ze nog geen slok van had genomen. 'Maar zo heel veel nou ook weer niet.'

'Waarom is het uitgegaan?'

'Weet ik niet. Hoe gaan die dingen? Je leert elkaar kennen, kunt het goed met elkaar vinden, je gaat een paar keer met elkaar naar bed en dan houdt het ineens op.'

'Vond je het erg?'

De glimlach van Bella was nu ernstiger, minder spottend. 'Je geeft niet gauw op, dat moet ik je nagaven,' zei ze. 'Ik heb dit zelfs nooit aan mijn vriendinnen verteld. Ik moet leren me hier beter tegen te wapenen. Het was fijn om met Sandy samen te werken, maar hij leek ongelukkig en ik dacht dat hij me nodig had. En misschien was dat ook zo, maar niet op de manier die ik dacht. Het was niet zijn schuld.'

'Iemand zei dat hij bot deed tegen de vrouwen met wic hij iets had.'

'O, íemand.' Bella klonk denigrerend.

'Dat hij ze kwetste en zich vervolgens schuldig voelde.'

'Was dat bij jou ook zo?' Frieda gaf geen antwoord. 'Mij heeft hij in elk geval niet gekwetst. We hadden elkaar niets beloofd. De vrouw met wie hij iets had voordat hij het met mij aanlegde – of misschien zag hij haar ook nog wel toen wij wat met elkaar hadden – heeft er volgens mij wel verdriet van gehad, maar niet lang. Al vrij snel daarna heeft ze troost gevonden bij een ander.'

'Wie was dat?'

Bella kneep haar ogen tot spleetjes. 'Ik zie niet in wat jou dat aangaat.'

'Was het soms Veronica Ellison?' vroeg Frieda.

'Als je dat al weet, waarom vraag je het dan aan mij?'

'Ze was van streek.'

'Tot ze met Al het bed in dook.'

'Al?'

'Laat maar.'

'Bedoel je Al Williams?'

'Ik vind je een beetje eng worden. Wat wil je? Wat doet het er nog toe? Je krijgt hem er toch niet mee terug.'

'Ik wil alleen een paar dingen ophelderen,' zei Frieda. Haar hersenen werkten op volle toeren. Veronica had iets gehad met Sandy, en daarna met Al. Al was getrouwd met Bridget, een van de beste vriendinnen van Sandy, degene naar wie hij toe ging als hij het moeilijk had. Wat betekende dat? En wist Bridget ervan? Ze herinnerde zich de keer dat ze Bridget en Al voor het eerst had gezien, op de herdenkingsbijeenkomst voor Sandy, en dat ze toen Veronica na haar korte toespraak allebei hadden getroost. Maar Bella was nog steeds aan het woord en Frieda dwong zich weer naar haar te luisteren. Ze zei iets over hoe klein het universitaire wereldje was en dat iedereen het daar met iedereen deed: zij met Sandy, Veronica met Sandy, Veronica met Al…

Maar toen viel ze stil omdat de deur open was gegaan. Er kwam een man binnen, gekleed in zwarte jeans en een leren jack. Hij knikte naar Bella en kwam bij hen aan het tafeltje zitten. Bella stelde hem voor.

'Dit is Carla,' zei ze. 'Ze was vroeger bevriend met Sandy. Ik heb je over hem verteld.'

Hij gaf Frieda een hand. Die van haar verdween bijna helemaal in de zijne. 'Het is voor het eerst dat ik iemand ken die is vermoord.'

'Kende jij Sandy dan ook?'

'Nou, ik ken iemand die hem kende.'

'Dat klinkt alsof je het grappig vindt,' zei Bella. Ze stond op en liep naar een deur achter in het café.

'Gevoelig onderwerp,' zei Tom, die haar nakeek. Daarna keek hij Frieda belangstellend aan. 'Bella heeft het wel over Sandy gehad, maar nooit over jou.'

'Het is de eerste keer dat we elkaar zien.'

'Hoezo?'

'Ik had geen contact meer met Sandy. Ik wilde iemand ontmoeten die met hem heeft samengewerkt.'

'En wat doe jíj, Carla?'

'Ik werk als oppas.'

'Geeft dat voldoening?'

'Het is maar tijdelijk.'

'Interessant,' zei Tom. 'Zeg, Carla, zou je een keer iets met me willen gaan drinken?' Hij vroeg het alsof hij haar een zak chips aanbood.

Onwillekeurig bleef Frieda naar de deur kijken waardoor Bella was verdwenen. Was het vreemd om je plaatsvervangend gekwetst te voelen en je te schamen, terwijl je die ander eigenlijk niet kende? 'Eh, we drinken nu toch samen koffie,' zei ze behoedzaam.

'Je weet wel, iets gaan drinken.'

'Lijkt me geen goed idee.'

'Ach, het was te proberen,' zei Tom opgewekt. 'Nooit geschoten, altijd mis.'

'Bella is nog geen dertig seconden weg.'

'O, Bella?' Tom keek alsof hij haar helemaal was vergeten. 'Ach, dat stelt niets voor.'

Het leek erop dat ze elkaar niets meer te vertellen hadden. Tom liep naar de bar en bestelde een grote cappuccino. Bella en hij kwamen tegelijk terug naar het tafeltje. Tom leunde achterover, dronk koffie en keek Bella en Frieda welwillend aan alsof het twee goede vriendinnen waren. Frieda wilde weg, maar ze had nog één vraag.

'Leek Sandy nerveus? Of zelfs bang?'

'Waarom zou hij bang zijn?' vroeg Tom.

'Hij is vermoord,' zei Frieda. 'En ik vroeg het aan Bella.'

'Maar waarom vraag je het?'

'Het was een vriend van me. Ik maak me er druk om.'

'Daar is het nu een beetje laat voor,' zei Tom.

'Weet ik,' zei Frieda terwijl ze opstond.

'Hij leek oké,' zei Bella snel. 'Hij werkte hard. Maar het ging goed met hem.'

'Ik betaal,' zei Frieda.

'Dat heb ik al gedaan,' zei Tom. 'Jij mag de volgende keer betalen.'

Frieda was eraan gewend om in speeltuinen rond te hangen. Deze was in Parliament Hill Fields, bij het joggingpad. Frieda zag haar. Ze gaf een peuter op een schommel telkens een duwtje. Er waren te veel mensen en deze keer kon Frieda haar identiteit niet verhullen. Ze liepen naar de kleine draaimolen. Frieda keek op haar telefoon. Nog een bericht van Josef. Daar zou ze straks wel op reageren. Hoelang zouden ze blijven? Eindelijk verlieten ze de speeltuin, liepen door het park en gingen daarna links de spoorbrug over. Frieda volgde hen en toen ze de straat bereikten zag ze dat er geen andere mensen in de buurt waren. Ze versnelde haar pas en tikte de vrouw op de schouder. Ze keek om.

'Kim,' zei Frieda.

Kims gezichtsuitdrukking veranderde van schrik in verbijstering. 'Frieda?' zei ze. 'Wat doe jij in godsnaam…?' En toen sloeg de verbijstering om in woede. 'Hoe wist je dat ik hier was?'

'Dat heeft Lizzie me verteld,' zei Frieda.

'Die wil niet met jou praten.'

'Ik heb ook niet gezegd dat ik het was.'

'Ben je gek geworden? Jezus, je bent volslagen getikt.' Ze haalde haar mobieltje uit haar zak. 'Ik bel de fucking politie.'

'Wacht,' zei Frieda.

'Waarom?'

Kim hield het kleine jongetje bij zijn handje vast. Hij droeg een blauw T-shirt met een raket erop. Frieda ging op haar hurken zitten en keek hem aan. 'Hoe heet je?' vroeg ze zacht.

'Robbie,' zei hij.

'Dag, Robbie. Ik wil heel even met Kim praten, goed?' Ze kwam weer overeind. 'Wist Lizzie ervan?'

Kims ogen flikkerden. 'Waarvan?'

'Van jou en Sandy, terwijl jij voor haar werkte.'

'Trut.'

'Stop die telefoon weg, Kim. Ik wil heel even met je praten en daarna ben ik weg. Maar als jij niets wilt zeggen, moet ik met iemand anders gaan praten.' Frieda legde haar hand op Kims schouder. 'Kijk me aan, Kim. Ik heb niets meer te verliezen. Dat moet je goed beseffen. Maar als je mijn vragen beantwoordt ben ik zo weer weg. Begrepen?'

'Het stelde niks voor.'

'Daar gaat het me niet om.'

'Het gebeurde gewoon.'

'Maakt niet uit.'

'Het was nadat jullie uit elkaar waren.'

'Hoelang heeft het geduurd?'

Kim keek verbaasd. 'Hoelang? We hebben het maar twee keer gedaan. Of eigenlijk maar één keer. De eerste keer kon hij niet echt…'

'Dat hoef ik niet te horen. Hoe is het uit geraakt?'

Kim was knalrood geworden. 'Het was stom. Ik was verliefd

op hem, maar we wisten allebei dat het niet klopte. Hij zat niet goed in zijn vel.'

'Was hij bang?'

'Bang? Nee. Hij was alleen een beetje somber. Op een bepaalde manier was hij aardig. Hij verontschuldigde zich. Maar je wil geen verontschuldigingen horen als je allebei, je weet wel…'

'Wie wist ervan?'

'Waarom zou iemand het hebben geweten? Ik vond mezelf alleen maar stom.' Kim keek naar Robbie, die aan haar arm hing. 'Ik had niet verwacht dat hij er met iemand over zou praten, maar blijkbaar heeft hij het jou verteld.'

'Sandy heeft het me niet verteld.'

'Bedoel je dat hij het iemand anders heeft verteld?'

'Had je geen vriendje?' vroeg Frieda.

'Dat wist Sandy niet.'

'Goed,' zei Frieda. 'Dat is alles.'

Ze draaide zich om en wilde weggaan, maar Kim legde een hand op haar arm. 'Wacht, mag ik jou wat vragen?'

'Ja.'

'Waar ben je mee bezig?'

'Dat weet ik zelf ook niet,' zei Frieda. 'Van het een komt het ander.'

Pas 's avonds kreeg Frieda de brief die Karlsson haar had geschreven. Ze belde Josef, die nadrukkelijk fluisterend zei dat hij bij haar langs zou komen zodra hij weg kon. Ze hoorde gehamer en geroep.

Toen ze terugkwam in het huis was Mira Ileana's haar aan het knippen. De keukenvloer lag bezaaid met donkere natte lokken. Op de tafel stonden twee bekers thee, de sfeer was vredig. Frieda zette de melk die ze had gekocht in de koelkast en pakte de andere boodschappen uit: theezakjes, koffie, schoonmaakmiddelen. 'Dat ziet er mooi uit.'

Mira liet de schaar vlak bij Ileana's oor klikken. 'Jij daarna.'

'Ik dacht het niet. Mijn haar is kort genoeg.'

'Niet korter. Alleen meer stijl. Laagjes.' Ze wees met de schaar naar Frieda. 'Speelser.'

'Heel aardig van je, maar…'

'Jij koopt eten voor ons. Wij willen graag terugdoen. Dan voelen we ons beter.'

Frieda wilde weer weigeren, maar de opmerking van Mira bracht haar op andere gedachten. Reuben zei altijd dat ze niet goed was in het aannemen van attenties, of het vragen om hulp, en hij had gelijk. Iedereen moet de kans krijgen iets terug te doen.

'Goed dan,' zei ze aarzelend. 'Maar alleen wat bijknippen. Niks rigoureus.'

Toen Josef kwam trof hij haar dan ook aan met een handdoek om haar schouders terwijl Mira druk bezig was haar natte haar te knippen.

'Weer knippen?' zei Josef misprijzend. 'Maar Fr…' Net op tijd hield hij zich in. 'Het is al kort. Waarom nog korter?'

'Volgens mij denkt Mira dat ik er stijlvoller uit kan zien. Wat heb je voor me?'

Josef haalde de envelop tevoorschijn, die inmiddels verkreukeld en besmeurd was.

'Ik heb niets gezegd,' zei hij. 'Zelfs niet dat ik hem geef aan jou.'

'Mooi.'

Ze pakte de blanco envelop aan en legde hem op haar schoot. Kleine haarlokjes vielen op de grond. Mira's handen voelden merkwaardig aangenaam aan op haar hoofd.

'Doe dan,' zei Mira. 'Niet letten op mij.'

Frieda stak haar vinger onder de dichtgeplakte flap van de envelop en haalde er een velletje papier uit dat ze openvouwde. Zodra ze de eerste woorden – 'Beste Frieda' – zag, vouwde ze de brief weer dicht en legde hem terug op haar schoot, onder haar hand. Karlsson. Ze had zijn handschrift meteen herkend. Waarom schreef Karlsson haar en hoe had hij geweten dat Josef haar zou kunnen vinden? Heel even deed ze haar ogen dicht. De schaar voelde koud aan in haar nek.

'Klaar,' zei Mira. 'Wil je in spiegel kijken?'

'Ik weet zeker dat het goed zit.'

'Heel chic.'

'Dat klinkt goed.' Ze stond op en deed de handdoek af. 'Hartstikke bedankt.'

'Ik föhn het nog even.'

'Nee, het is goed zo. Dat doe ik zelf wel.'

'Zeker weten?'

'Zeker weten.' Ze keek naar Josef, die een kop thee voor zichzelf had gemaakt en in een kastje de koekjes had gevonden. 'Ik ga deze brief lezen. Blijf hier, ik ben zo terug.'

'Wil je dat ik meekom?'

'Nee.' Ze pakte de brief en ging niet naar haar kamer, maar naar buiten. In de buurt van Thaxted House was een braakliggend landje waar een huis was gesloopt en dat op een alternatieve tuin leek, met vlinders tussen de vlinderstruiken en onkruid en brandnetels die tussen de scheuren in het beton omhoogschoten. Ze ging achterin met haar rug tegen de muur zitten en maakte de brief open.

Beste Frieda,

Ik geef deze brief aan Josef in de hoop dat hij ervoor kan zorgen dat jij hem krijgt. Misschien loop je gevaar. Lizzie Rasson, Sandy's zus, is bij me langs geweest. Ze zei dat Sandy de laatste weken voor zijn dood alles geprobeerd heeft om met jou in contact te komen omdat hij je wilde waarschuwen. Meer weet ik niet. Ze had geen idee waarom. Ik denk dat je het serieus moet nemen. Hussein weet niet dat ik deze brief heb geschreven en dat Josef weet waar je bent.

Frieda, geef jezelf alsjeblieft aan. Uiteindelijk zullen ze je vinden en dan wordt de zaak veel erger. Als je naar de politie gaat, ben je veilig. Het onderzoek zal verdergaan. Dat beloof ik.

Alsjeblieft, neem dit serieus.

Vriendelijke groet,
Karlsson

Frieda las de brief langzaam en aandachtig. Het viel haar op dat hij formeel was – Karlsson verwees niet één keer naar hun gemeenschappelijke verleden en hun vriendschap en ging ook niet in op het risico dat hij voor haar nam. En hij nam een groot risico, wist ze – hij zette zijn hele carrière op het spel. Ze stopte de brief in haar zak, leunde achterover tegen de muur en voelde de ruwe bakstenen door haar dunne blouse. Net als de keer dat ze hem op tv had gezien – bleek en gespannen naast de commissaris – kreeg ze de aanvechting om naar het dichtstbijzijnde politiebureau te gaan en zichzelf aan te geven. Om een punt te zetten achter de hele toestand.

Maar toen moest ze aan Sandy's lichaam in het mortuarium denken, aan het bandje met haar naam om zijn pols. Ze dacht aan alle sms'jes, voicemailberichten en e-mails die ze had gewist zonder ze te lezen of ernaar te luisteren. Als wat Karlsson had geschreven waar was, dan klopten haar ideeën niet, in elk geval niet die over Sandy's dood. Bridget had gezegd dat hij bang was, maar nu leek hij niet zozeer te hebben gevreesd voor zijn eigen leven als wel voor dat van haar – of misschien voor zijn eigen leven én dat van haar. Dat betekende dat de moord zowel met zijn leven te maken had als met dat van haar. Natuurlijk had ze dat al geweten, want iemand had zijn portefeuille bij haar thuis verstopt om haar erbij te lappen. Maar ze had gedacht dat dat een afleidingsmanoeuvre was geweest. Nu moest ze ervan uitgaan dat iemand het op háár had gemunt. Ze dwong zich helder te denken en orde te scheppen in haar chaotische gedachten. Sandy was vermoord door iemand die had geprobeerd haar daarvoor te laten opdraaien. De moordenaar was niet Dean, zoals ze aanvankelijk had gedacht, want Dean had ergens ver weg Miles Thornton gestraft. Sandy had in de laatste maanden voor zijn dood niet goed in zijn vel gezeten – hij had haar gemist, was boos op haar geweest, had vrouwen bot behandeld, had zich schuldig gevoeld, had met de gedachte gespeeld zich van het leven te beroven, was bang geweest voor iets of iemand, en ervan overtuigd dat Frieda gevaar liep. Waarom zou ze gevaar lopen als dat niet uitging van Dean? Waarom zou een en dezelfde persoon een bedreiging vormen voor hen beiden – of was hij slechts vermoord om haar te treffen? Dat idee was zo afschuwelijk dat ze er niet aan wilde denken en domweg in de warmte van de schemering naar het vervagende blauw van de lucht staarde.

Sandy was vervuld geweest van schuldgevoel, van schuldgevoel en angst. Waarom? Met al haar geesteskracht wierp ze zich op deze vraag in de hoop zo een antwoord te forceren. Ze zag weer voor zich hoe hij voor The Warehouse iets had geschreeuwd – wat? – en haar de vuilniszak met haar spullen had toegesmeten. Er kwam een idee bij haar op en bij gebrek aan beter klampte ze zich daaraan vast, het was haar laatste strohalm.

Toen ze terugkwam was Josef er nog steeds. Mira, Ileana en een andere vrouw die zich voorstelde als Fatima zaten wodka te drinken terwijl Josef hun een spelletje leerde waarbij kaarten op tafel werden gesmeten en veel werd geschreeuwd. Maar toen hij Frieda zag kwam hij meteen overeind en liep naar haar toe.

'Het is goed,' zei ze.

'Wat kan ik nu doen?'

'Niets.'

'Zal ik antwoord meenemen?'

'Nee.' Ze aarzelde. 'Maar als je hem ziet, bedank hem dan.'

24

De volgende dag paste Sasha 's ochtends op Ethan, dus hoefde Frieda hem pas na twaalven op te halen. Ze besloot naar Bridget en Al te gaan en toen ze hun huis tot op een paar honderd meter genaderd was, belde ze hen. Bridget nam op.

'Ik ben het, Frieda. Zou ik Al even kunnen spreken? Het gaat over een paar dingen op de universiteit waar hij me misschien iets over kan vertellen.'

'Oké,' zei Bridget. 'Maar Frieda,' – ze sprak ineens zachter waardoor Frieda haar slechts met de grootste moeite kon verstaan – 'hij weet van niets.'

'Wat weet hij niet?'

'Wie jij werkelijk bent.'

'Heb je het hem dan niet verteld?'

'Nog niet.'

'Wat discreet van je. Ik had gedacht dat je het hem zou vertellen.'

'Het ligt moeilijk,' zei Bridget. 'Ik weet niet hoe hij zal reageren. Een oppas die gezocht wordt voor moord.'

'Dat kan ik me voorstellen.'

'En hij weet ook niet hoever Sandy heen was.'

'Jíj bent goed in het bewaren van geheimen,' zei Frieda.

'Ik besef heel goed wiens geheim ik zou verraden. Hou dat in je achterhoofd als je met Al praat.'

Al kwam aan de lijn. 'Wat kan ik voor je doen?'

'Het is een beetje pijnlijk,' zei Frieda. 'Ik zou je even willen spreken, maar ik wil niet dat iemand ons kan horen en ik sta zo ongeveer voor jullie deur.'

'Wat zeg je? Dat je in de buurt van ons huis bent?'

'Ja.'

'Maar je wilt niet langskomen?'

'Precies.'

'Ik begrijp er helemaal niets van, maar ik wilde net gaan joggen. Over vijf minuten ben ik bij je.'

Hij kwam naar haar toe gerend; zijn schenen waren bleek, zijn ellebogen en knieën knokig.

'Bridget zei dat je iets wilde weten over Sandy's werk. Maar waarom ben je daarin geïnteresseerd? En waarom wil je hier praten?'

Al wist niet wie ze was en ze had geen idee hoe ze het hem moest uitleggen. 'Ik heb nagedacht over de moord op Sandy en heb een paar dingen ontdekt.' Ze was zich ervan bewust dat hij haar met zijn vrijwel kleurloze ogen aankeek en dat ze onzeker klonk.

'Ik snap er niets van,' zei Al vriendelijk. 'Je bent oppas, toch? Onze oppas. Tenminste, dat was je.'

'Klopt.'

'En om een of andere reden wil je me iets vragen over Sandy, omdat je nagedacht hebt over zijn dood.'

'Ik weet van jou en Veronica Ellison,' zei Frieda ineens. Ze had genoeg van de poppenkast.

'Wát zeg je?'

'Ik zei dat ik weet van jou en Veronica Ellison.'

Hij staarde haar aan, zij staarde terug.

'Daar ga ik niet eens op in,' zei hij uiteindelijk.

'Eerst had Sandy iets met Veronica, en toen jij.'

'En wat wil je daarmee zeggen?' vroeg hij. Zijn toon was nog steeds uitermate beleefd.

'Ik vroeg me af of Sandy dat wist. Of Bridget.'

'O ja?'

'Ik kan het niet aan Veronica vragen. Ze is met vakantie en neemt haar telefoon niet op. Ik dacht dat jij het me wel kon vertellen.'

'Ben je niet goed bij je hoofd?' vroeg hij. Hij zei het niet beledigend, eerder verbaasd. 'Waarom zou ik jou in godsnaam iets over mijn privéleven vertellen?'

'Omdat ik dan misschien beter begrijp waarom Sandy is vermoord.'

Al haalde een iPod mini waar het snoer van de oordopjes omheen zat gewikkeld uit een zak van zijn joggingshorts. Moeizaam haalde hij het snoer uit elkaar.

'Weet Bridget het?' vroeg Frieda weer.

Met een minachtende blik keek hij haar aan. 'Nee, ze weet het niet. En ik hoop dat ze het nooit te weten komt ook – of jij zou het om een of andere duistere reden nodig moeten vinden het haar te vertellen.' Er gleed een merkwaardig lachje over zijn gezicht. 'En je moet natuurlijk doen wat je goeddunkt.'

Frieda moest aan de hartstochtelijke liefdesbrieven uit een ver verleden denken die ze in een afgesloten kistje in Bridgets studeerkamertje had gevonden. Maar het was niet de prachtige Bridget die een geheim met zich meedroeg, het was haar academische, slungelige echtgenoot.

Ze walgde bijna van zichzelf, maar stelde de vraag toch: 'Wist Sandy het?'

'Geen idee. Ik neem aan van niet. Wie zou het hem verteld hebben? Waar denk jij trouwens het recht vandaan te halen om dit soort vragen te stellen? Ik ben er klaar mee. En jij, meisje, zou nog weleens flink in de problemen kunnen komen als je hiermee door blijft gaan. Niet iedereen is zo goedaardig als ik.' Vervolgens deed hij de oordopjes in, knikte haar toe, draaide zich om en begon langzaam te joggen.

Die middag nam Frieda Ethan mee naar het park. Hij was uitgelaten: hij gooide brood naar de eendjes en in de speeltuin draafde hij van de glijbaan naar de wip en van de wip naar de schommel, waar ze hem op zette en zo hoog de lucht in duwde dat hij het angstig uitgilde van plezier. Toen ze hem van de schommel tilde en hij onderuitgezakt in de buggy zat keek ze naar zijn gezichtje, waarin ze zowel Sasha als Frank herkende. Ze zou hem missen, besefte ze. Ze was eraan gewend geraakt dat hij zijn handje naar haar uitstak, of zo plotseling op haar schoot in slaap viel dat het haar telkens weer verbaasde.

Ze gaf hem zijn bekertje sap en een koekje, duwde de buggy het park uit en ging op weg naar Sasha's huis. Het was een sombere, grauwe dag en ze dacht aan de brief van Karlsson. Ze mijmerde over zijn kinderen, Bella en Mikey, die heel lang met hun moeder en stiefvader in Spanje hadden gewoond. Ze herinnerde zich hoe vreselijk Karlsson hen had gemist. Hij had haar het gevoel beschreven als een hevige pijn, alsof er iets aan hem vrat. Terwijl ze daaraan dacht kwamen er een paar druppels uit de hemel vallen en klonk in de verte laag gerommel. Ze versnelde haar pas in de hoop dat ze voor de stortbui bij Sasha's huis zou zijn. En toen zag ze een paar meter heuvelafwaarts een groepje mannen, eigenlijk jongens nog maar, stoeien en schreeuwen. Het duurde even voor ze doorhad dat tussen hen in iemand op de grond lag, een man met een dikke baard, vervilt grijs haar en sjofele kleren. Ze treiterden hem en lachten. Toen een van de jongens een leeg bierblikje opraapte en dat naar het hoofd van de man gooide kon ze die met een hoge beverige stem horen jammeren. Ze zag dat andere mensen ook keken, maar schichtig, niet bereid in te grijpen. Er laaide woede in haar op, woede die na het beschamende gesprek met Al zuiver en puur aanvoelde. Terwijl ze Ethan vast gordde in de buggy, keek hij haar met zijn heldere ogen aan.

'Ethan, ik ga dadelijk heel hard rennen en dan ga jij heel hard schreeuwen. Zo hard als je kunt. Goed?'

'Nu?'

'Nu.'

Hij sperde zijn mond wijd open en slaakte een kreet waarvan haar oren pijn deden. Ze haalde diep adem en rende met de heen en weer schuddende buggy de heuvel af naar het groepje jongens. Ethans gebrul veranderde in schel gekrijs. De buggy knalde tegen een van de jongens op, Frieda zag een geschrokken, puisterig

243

gezicht. Ze draaide zich om naar de volgende en haalde met haar vuist naar hem uit. Ze voelde huid tegen haar knokkels en hoorde gekreun. De man op de grond had zich als een foetus opgerold, omringd door zijn schamele bezittingen. Weer draaide ze zich om en reed met de buggy in op een jongen met een hoodie, die haar met haast komische verbazing aanstaarde.

De jongens namen de benen. Van de overkant van de straat kwamen mensen toegesneld. De man bewoog zich, tilde zijn hoofd op. Ze zag dat hij huilde.

'Jeetje,' zei iemand opgewonden. 'U was geweldig. Gewoonweg geweldig. Hoe hebt u dat voor elkaar gekregen?'

'Ik heb de politie gebeld,' zei een ander. Een man met een mobieltje in zijn hand kwam naar haar toe. 'Ze kunnen elk moment hier zijn. Ik heb het gefilmd met mijn telefoontje.'

'Je hoeft niet meer te schreeuwen,' zei Frieda tegen Ethan, hoewel hij inmiddels niet meer onafgebroken gilde en wat schor was gaan klinken.

'Ze zijn weggerend,' zei de man tegen Frieda. 'Ik had u moeten helpen. Maar het ging allemaal zo snel dat ik de kans niet kreeg.'

'Maar wel de kans om het te filmen,' zei een vrouw.

'Het is al goed,' zei Frieda. 'Ik moet weer verder.'

'Maar de politie zal ongetwijfeld met u willen praten.'

'U kunt toch vertellen wat er is gebeurd? U hebt het gezien.' Ze keek naar de man op de grond: dakloos en ook nog eens gemolesteerd. 'Zorg voor hem. Haal iets te drinken en praat met hem.'

'Maar…'

Frieda liep weg en duwde de buggy snel de heuvel op. Tegen de tijd dat ze de top had bereikt, was Ethan in slaap gevallen.

'Ik denk dat mijn tijd als oppas erop zit,' zei ze die avond tegen Sasha.

'Je hebt me al geweldig geholpen. Dit weekend komen een paar sollicitanten langs. Ik weet zeker dat daar een geschikte oppas bij zit. En ik heb nog verlofdagen.'

'Een paar dagen kan ik het nog wel doen.'

'Je hebt al meer dan genoeg gedaan. Ik weet niet wat ik zonder jou had moeten beginnen. Ethan zal je missen. Ik ook.'

'Goed dan,' zei Frieda. 'En nu moeten we een verhaal voor jou verzinnen, voor het geval iemand vragen komt stellen.'

Toen ze wegliep van Sasha's huis, zag ze dat Frank haar tegemoetkwam. Ze kon niet meer oversteken of afslaan, daarom zette ze een zorgeloos gezicht op en liep rustig door. Hij maakte een vermoeide, verdrietige indruk, zijn donkere wenkbrauwen waren gefronst. En hij zag haar niet, leek dwars door haar heen te kijken, alsof ze niet bestond. Dat gevoel had ze soms zelf ook.

'Moet je eens kijken,' zei Yvette Long, terwijl ze een krant op Karlssons bureau wierp.

Hij pakte de krant en keek ernaar. 'Mooi,' zei hij. 'Een actieve burger. Goed van haar.'

'Je hebt niet goed genoeg gekeken.'

Hij liet zijn blik langs de kop gaan – PASSANTE ONTPOPT ZICH ALS POWERVROUW – en las het verhaal over een vrouw die met een buggy een stel jongemannen had belaagd, omdat ze een dakloze man aanvielen. Er stond een wazige foto bij van een vrouw met heel kort donker haar die felgekleurde kleding droeg en met een buggy op de jongens af rende.

'Shit,' zei hij.

'Dat zei ik ook,' zei Yvette. 'En iemand heeft het gefilmd met zijn mobieltje. Het staat op de website.'

'Laat eens zien.'

Yvette liep naar haar bureau en tikte iets in op haar computer. 'Alsjeblieft,' zei ze.

Hij klikte op 'Play'. Eerst waren de beelden schokkerig en vaag, maar daarna werden ze scherp. Een jongen met een open mond gooide iets, daarna dook ineens een gestalte op: een rennende vrouw met een buggy waar een hels lawaai uit kwam en die ze als een stormram voor zich uit duwde. Toen iemand voor haar langs liep wiens gezicht slechts vaag was te zien, verdween ze even, maar daarna kwam ze weer in beeld, met haar rug naar de camera. Daarna was het filmpje afgelopen. Het had ongeveer twintig seconden geduurd.

'Ze zou het kunnen zijn,' zei hij.

'Ze is het.'

Hij keek er nog een keer naar. Ja. En hij kon wel raden wie er in die buggy had gezeten. 'Die vervloekte Frieda,' zei hij, maar hij was merkwaardig opgetogen.

Een paar kilometer verderop kwam een telefoontje binnen voor commissaris Crawford.

'Het is professor Bradshaw,' zei zijn assistente. 'Het gaat over Frieda Klein.'

Toen Sasha opendeed zag ze er niet alleen zenuwachtig uit, maar ook overstuur.

'Ik ben hoofdinspecteur Sarah Hussein. Dit is rechercheur Glen Bryant. Mogen we binnenkomen?'

Sasha reageerde niet. Ze veegde alleen een lok haar uit haar gezicht.

'Gaat het wel goed met u?' vroeg Hussein.

'Ik heb het zwaar. Ik heb een zoontje.'

'Dat weten we.'

'En mijn oppas heeft me net laten zitten, heel irritant.'

Hussein en Bryant keken elkaar aan.

'Mogen we binnenkomen?'

Ethan zat aan een piepklein rood tafeltje te tekenen met krijtjes en trok dikke rode, zwarte en bruine strepen.

'Wat is het?' vroeg Hussein, maar voor hij antwoord kon geven tilde Sasha hem op, en ging met hem op schoot op de bank zitten. Hij bewoog ongedurig en trok aan haar haar.

'Ik moet hem naar bed brengen,' zei Sasha. 'Het is tijd voor zijn slaapje.'

'We wachten wel even,' zei Hussein.

Bryant liep door de kamer en bekeek de boekenplanken terwijl het geluid van de tegensputterende Ethan wegebde. Bryant streek over de schoorsteenmantel en bekeek zijn vinger. 'Er mag hier weleens een stofdoek overheen,' zei hij.

Sasha kwam terug en ging weer op de bank zitten. Boven was vaag gejengel te horen.

'Hij slaapt nog niet,' zei Hussein.

'Hij wil nooit naar bed,' zei Sasha. 'Zelfs niet als hij zijn ogen niet meer open kan houden.'

'En 's nachts?'

'Hetzelfde. Ik heb het idee dat ik al een eeuwigheid niet echt heb geslapen.'

'Ik weet er alles van,' zei Hussein. 'Je moet hem laten huilen, dan valt hij vanzelf in slaap.'

'Dat kan ik niet.'

Hussein knikte naar Bryant, die een foto uit een map haalde en aan Sasha gaf.

'Deze is eergisteren genomen vlak bij Clissold Park,' zei hij. 'Een vrouw greep in toen iemand werd aangevallen.'

'Dat klinkt lovenswaardig,' zei Sasha.

'Ze is weggegaan voordat de politie kwam,' zei Bryant. 'In de pers wordt ze de powervrouw genoemd. Ze zoeken haar. Wij ook.'

'Waarom laat u die foto aan mij zien?'

'Kijk nog eens goed.'

'Waarom?'

'Denkt u dat het Frieda Klein is?' vroeg Hussein.

'Hij is een beetje wazig.'

'Mensen die haar kennen denken van wel.'

'Maar waarom vraagt u het aan míj?'

'Deze mysterieuze powervrouw liep met een buggy.'

'Nou dan,' zei Sasha.

'Hoe bedoelt u: "nou dan"?'

'Dan kan het Frieda niet zijn.'

'Behalve als ze op een kind paste,' zei Hussein. 'Bovendien is het een heel goede dekmantel, niet? In Londen lopen zoveel mensen met een buggy. Niemand let op ze.'

Sasha antwoordde niet. Ze krabde over de rug van haar hand

247

alsof ze kriebel had. Dit was het moment waar Frieda het over had gehad. Dat leek een eeuwigheid geleden. Ze hadden geoefend wat ze moest zeggen.

'We hebben mensen gesproken die Frieda kennen of met haar werken,' zei Hussein. 'En u bent de enige met een klein kind. Waarom bent u niet naar uw werk?'

'Dat heb ik toch al gezegd. Ik heb geen oppas meer.'

'Wie heeft eergisteren op uw zoontje gepast?'

'Hij heet Ethan.'

'Wie paste er op Ethan?'

'De oppas.'

'Kunnen we haar spreken?'

'Ze is weg.'

'Waarheen?'

'Terug naar huis. Naar Polen.'

'Naar Polen. Hoe heet ze?'

'Maria.'

'Maria hoe?'

'Dat weet ik niet.'

'U liet uw kind achter bij een vrouw van wie u de achternaam niet kent?'

'Ik zat met mijn handen in het haar. Mijn andere nanny had plotseling opgezegd. Ik had haar ontmoet in het park. Ze zei dat zij wel een tijdje wilde oppassen. Maar nu is zij ook weg.'

'Maria uit Polen. Werkte ze voor een bureau? Hebt u haar rekeningnummer?'

'Ik betaalde haar contant. Ik weet dat het eigenlijk niet mag, maar iedereen doet het.'

'Hebt u haar telefoonnummer?'

Sasha haalde een papiertje uit haar broekzak en gaf dat aan Hussein. Hussein keek ernaar. 'Had ze soms zo'n mobieltje met een telefoonkaart?'

'Waarschijnlijk wel.'

'Kan de vader van Ethan bevestigen wie er op uw kind paste?'

'We zijn uit elkaar. Hij laat praktisch alles aan mij over. Wat er van dag tot dag gebeurt weet hij niet.'

'Hij is advocaat, toch? Frank Manning.'

'Klopt.'

'Heeft hij het met u over uw vriendin Frieda gehad? Over de juridische gevolgen?'

'Nee.'

'Veel mensen beseffen niet hoe ernstig het is een onderzoek van de politie te hinderen. Daar staat zelfs gevangenisstraf op. Begrijpt u dat?'

'Ja.'

Hussein legde een hand op Sasha's arm. 'Ik weet dat Frieda u in het verleden heeft geholpen en dat u bij haar in het krijt staat.'

Ze zag tranen over Sasha's wangen stromen. Sasha haalde een tissue uit haar zak en snoot haar neus. Hussein had het gevoel dat ze er bijna was. Nog één zetje.

'Dit waanzinnige gedrag moet ophouden,' zei ze. 'Het beste wat u voor uw vriendin kunt doen is ons helpen haar te vinden.'

Sasha schudde haar hoofd. 'Nee,' zei ze. Haar stem klonk verrassend vast. 'Ik weet het niet. Ik kan u niet helpen.'

'Weet u wat voor risico u loopt?' zei Hussein. 'U zou achter de tralies kunnen verdwijnen. Dan raakt u alles kwijt. En wordt u gescheiden van uw zoon.'

'Waarschijnlijk is hij toch beter af zonder mij.'

'Mevrouw Wells. Denkt u nou echt dat wij uw verhaal geloven? We kunnen het natrekken.'

Sasha veegde haar neus af met de tissue. 'Ik heb u alles verteld wat ik weet. U kunt natrekken wat u wilt.'

'Goed,' zei Hussein. 'We beginnen van voren af aan en gaan iets dieper in op de details. En daarna beginnen we nog een keer van voren af aan. Wij hebben alle tijd.'

Toen Hussein en Bryant weg waren ging Sasha naar Ethans slaapkamer. Hij sliep. Zoals altijd boog ze zich over hem heen om te controleren of hij nog wel ademde. Soms was ze zo bezorgd dat ze hem wakker maakte om er absoluut zeker van te zijn, maar deze keer bewoog hij een beetje en kermde even. Daarna ging ze weer naar beneden, pakte de telefoon en liep ermee naar het plaatsje achter het huis. Ze toetste een nummer in, er werd opgenomen.

'Frieda?'

'Ja, Sasha, ik ben het.'

'De politie is langs geweest.'

'Het spijt me.'

'Het geeft niet. Ik heb ze verteld wat we hadden afgesproken.'

'Dat bedoelde ik niet. Ik heb je in gevaar gebracht. Ik heb Ethan in gevaar gebracht.'

'Je hebt mij en Ethan enorm geholpen.'

'Over niet al te lange tijd is het allemaal achter de rug,' zei Frieda. 'Zowel voor jou als voor mij.'

'Daar belde ik je over. In zekere zin. Ik moet je iets vertellen.'

'Wat dan?'

'Dat kan niet via de telefoon. Ik moet je zien.'

'Dat is op dit moment niet zo handig.'

'Ik moet je echt zien.'

Frieda zweeg even. 'Goed dan. Waar?'

'In Stoke Newington Church Street zit een koffiebar. Black Coffee heet die. Kunnen we daar morgen om halfelf afspreken?'

'Heb je oppas voor Ethan?'

'Frank komt vanmiddag. Misschien kan hij hem meenemen. Of ik neem hem mee. Hij zal het leuk vinden je weer te zien.'

'Dus het gaat beter tussen Frank en jou.'

'Ik probeer hem zover te krijgen dat hij meer doet.'

De volgende ochtend nam Frieda een vroege trein naar Dalston en was ze om halftien, een uur voor haar afspraak met Sasha, in Stoke Newington Church Street. Het wemelde er van de cafés. Ze liep Black Coffee voorbij en stak over naar een ander café ongeveer dertig meter verderop. Ze ging bij het raam zitten en bestelde koffie. Er lag een stapel kranten voor de klanten. Ze pakte er een en sloeg hem open, maar las hem niet. In plaats daarvan keek ze naar de straat. Ooit, in wat een vorig leven leek, hadden Sandy en zij in restaurants vaak naar de mensen aan de andere tafeltjes gekeken en voor de grap, of als oefening, geprobeerd te raden wat ze daar deden, wat hun verhalen en problemen waren.

Maar nu was het bittere ernst dat Frieda naar de voorbijgangers in Stoke Newington Church Street keek. Ze zag groepjes moeders, sommige met een kinderwagen, die terugliepen nadat ze de oudere kinderen naar school hadden gebracht. Een oude vrouw baande zich met een rollator pijnlijk traag een weg over de stoep. Op een gegeven moment wilde haar rollator bij een uitrit die de stoep kruiste niet meer vooruit. Alsmaar probeerde de vrouw de wieltjes de stoeprand op te krijgen, maar het lukte haar niet. Frieda vond het haast ondraaglijk om te blijven zitten en alleen maar toe te kijken. Uiteindelijk hielpen twee jongens, waarschijnlijk spijbelaars, de oude vrouw over het piepkleine obstakel heen.

Pal naast Black Coffee was een bushalte met een rij wachtende mensen. Twee oude vrouwen, van wie een met een boodschappenwagentje. Een jonge vrouw die bezorgd op haar horloge keek, waarschijnlijk zou ze te laat op haar werk komen. Een jongeman, begin dertig, leren jack, jeans, oordopjes in. Drie tieners, twee jongens en een meisje. Het meisje leek een zus van een van de jongens. Een stel van middelbare leeftijd, samen, maar zwijgend. Hij deed iets met zijn mobiel, zij leek geërgerd.

De bus kwam eraan, waardoor de rij aan Frieda's zicht werd onttrokken. Toen de bus wegreed waren de twee oude vrouwen er niet meer. De jonge vrouw keek nog steeds op haar horloge. Een oude man en een oude vrouw sloten onafhankelijk van elkaar aan in de rij, net als twee tienermeisjes. Een andere bus hield stil en reed weer weg. De jonge vrouw was er niet meer. Frieda was belachelijk opgelucht. De twee jongens en het meisje en de twee tienermeisjes waren ook weg. Maar de man met de oordopjes stond er nog steeds. Weer kwam er een bus aan en daarna nog een en nog een. Frieda ging de rij als een soort organisme beschouwen, blijvend, maar steeds van samenstelling veranderend: muterend, krimpend, uitdijend. Maar de man met de oordopjes stond er nog steeds.

Frieda bestelde nog een kop koffie. Schuin aan de overkant stond een auto fout geparkeerd. De ramen spiegelden, waardoor ze niet kon zien of er iemand in zat. Ze keek op haar horloge. Het was kwart over tien. Ze zag het bekende groene uniform van een parkeerwachter. Ze keek naar hem en hoopte dat hij naar de auto zou lopen. Parkeerwachters worden toch betaald op basis van het aantal bonnen dat ze uitschrijven? Hij boog zich naar de auto en leek iets tegen iemand te zeggen. Daarna liep hij door zonder een bekeuring uit te delen. Aan de overkant kwam en ging een bus. De man met de oordopjes stond er nog steeds. Hij en die andere in de auto hadden net zo goed in uniform kunnen zijn, zo duidelijk was het.

Een jonge vrouw kwam Frieda's koffie brengen.

'Waar is de wc?'

'Achterin de deur door,' zei de vrouw wijzend.

Frieda stond op en liep door de deur. Recht voor haar was de wc-deur. Rechts was een opslagruimte met kartonnen dozen en blikken. Links zat een nooduitgang. Ze duwde de deur open en stapte een zijsteegje in. Ze liep het steegje uit, weg van Stoke Newington Church Street. Toen ze een paar keer was afgeslagen kwam ze uit bij een park. Ze liep het in en hoopte maar dat de mensen niet nog steeds op zoek waren naar de powervrouw.

Bijna zonder na te denken stak ze het park door, verliet het via het hek aan de andere kant en vervolgde haar weg zuidwaarts naar de rivier. Een tijdlang had ze het gevoel dat haar geest zich in een mist bevond die maar heel langzaam optrok. Ze hadden Sasha dus in de tang. Ze probeerde die gedachte van zich af te zetten, maar besefte toen dat het haar schuld was. Alles was haar schuld, daarom dwong ze zichzelf er wel over na te denken. Ze stelde zich voor hoe de politie Sasha had verhoord, dat ze dreigden haar te vervolgen en dat ze Ethan dan zou verliezen. Eerst haar partner, dan haar kind. Toen stelde ze zich voor dat Sasha haar belde, en hoe moeilijk ze het moest hebben gevonden haar vriendin in de val te laten lopen. Vriendin. Alleen al bij de gedachte aan dat woord voelde ze een steek van wroeging. Wat deed ze haar vrienden aan?

Ineens merkte ze dat ze op de Blackfriars Bridge naar het water stond te staren. Onder haar voer een lange, open boot voorbij. Er was een feestje aan de gang, een paar jolige gasten achterin zwaaiden naar haar en een van hen riep iets wat ze niet kon verstaan. Naast hen zag ze een vrouw met donker haar. Ze stond in haar eentje, had geen drankje en liet haar handen op de reling rusten. Plotseling keek ze omhoog en zag Frieda, ze leken iets in elkaar te herkennen maar daarna, vrijwel meteen, was de boot te ver weg en was het moment voorbij.

Frieda pakte haar mobieltje. Dat was nu besmet, het zou mensen op haar spoor brengen. Ze liet haar hand op de reling rusten en liet de telefoon los. Met een plons die ze kon zien, maar niet kon horen, belandde hij in de rivier. Ze keek naar het water en moest ineens aan Sandy denken. Deze rivier had hem verzwolgen en vervolgens weer prijsgegeven. Voor het eerst dacht ze aan het fysieke aspect van de dagen dat zijn lichaam in het water had gelegen, deinend op het tij, alsof hij werd in- en uitgeademd.

Toen ze terugkwam in de flat hoorde ze mensen praten. Ze stak haar hoofd om de keukendeur. Ileana en Mira zaten aan tafel. Ze dronken rode wijn uit een whiskyglas bij de lunch en er lagen restjes pizza in een doos.

'Er is over voor jou,' zei Mira. 'En wat wijn.'

Ileana schonk de fles leeg in een glas. De wijn bruiste en borrelde als cola. Frieda nam een slok. De wijn smaakte ook naar cola. Mira monsterde haar.

'Haar goed,' zei ze. 'Moe ook.'

'Dank je,' zei Frieda.

'Nee, nee,' zei Ileana. 'Eet pizza, drink wijn, dan slapen.'

'Ik maak alleen wat thee voor mezelf.'

'Er is geen thee. En er is melk maar niet goed.' Ileana snoof.

'Ik ga wel thee en melk kopen,' zei Frieda. 'Hebben jullie nog iets anders nodig?'

Ze bleken inderdaad nog andere dingen nodig te hebben, zoveel zelfs dat Frieda op zoek ging naar een oude envelop om een lijstje te maken.

Ze deed er langer over dan ze had gedacht. Het boodschappenlijstje was verrassend ingewikkeld. Ze moest de man achter de toonbank twee keer vragen waar iets stond. Elke keer slaakte hij een zucht, deed zijn koptelefoon af en liep vermoeid door de winkel. De ene keer moest hij op een stoel klimmen, de andere keer ging hij naar het magazijn. Eindelijk verliet Frieda de winkel. Het was middag, zonnig en warm. Maar ze wilde alleen maar in bed kruipen met een kop thee. Niet om te slapen. Dat zat er niet in. Ze had stilte nodig om de gebeurtenissen van die dag te verwerken.

Ineens werd ze op haar schouder getikt en draaide ze zich om. Het was Mira. Frieda schrok zo dat ze niets kon uitbrengen.

'Is niet goed,' zei Mira. 'Politie daar.'

'Waar?'

'In flat.'

Nog steeds kreeg Frieda slechts met de grootste moeite een woord over haar lippen.

'Maar hoe kom jij dan hier?'

Mira hapte naar adem. Frieda wist niet of dat kwam door het rennen of door de stress.

'Ileana opendoen. Ik hoor, ga naar slaapkamer, klim raam uit. Ik pak spullen voor je. Niet veel. Geen tijd.'

Ze gaf Frieda een plastic boodschappentas. Hij voelde niet zwaar aan.

'En dit.' Mira haalde een pak bankbiljetten uit haar zak. 'Van jou,' zei ze.

'Dank je. Maar hoe wist je waar het was?'

'Frieda. Jij stopt geld achter de spiegel.'

'Ja.'

'Dus vind ik dat.'

'O.' Frieda keek naar de bankbiljetten en toen weer naar Mira. 'Dank je,' zei ze weer. 'Heel erg bedankt.'

Mira keek naar de tas die Frieda bij zich had.

'Jij houdt eten? Is goed.'

Frieda schudde haar hoofd en gaf de tas aan Mira.

'Flat nu niet goed,' zei Mira. 'Jij moet gaan.'

'Ja.'

Mira pakte Frieda's vrije hand, niet alsof ze die wilde schudden, maar alsof ze haar vast wilde houden. Ze schoof Frieda's mouw omhoog. Daarna haalde ze een pen uit haar zak, klikte hem tegen haar borst open en begon iets op Frieda's onderarm te schrijven. Een nummer, zag Frieda.

'Je belt ons,' zei Mira.

'Over een tijdje.'

'Sterkte van ons,' zei Mira.

'Ja. Maar komt het goed met jou? Met de politie?'

Mira hield de tas op. 'Geen probleem. Ik heb boodschappen gedaan.'

25

Met opgeheven hoofd en een zonnebril op hield Frieda er flink de pas in, maar ze had geen flauw benul waar ze heen ging. De politie had haar opgewacht bij de koffiebar en was haar nieuwe onderkomen op het spoor gekomen. Het net sloot zich steeds strakker om haar heen, steeds meer wegen werden afgesloten. Even overwoog ze Josef weer te bellen, maar ze had geen telefoon meer; bovendien had hij al zoveel voor haar gedaan en ze had geen zin in de volgende troosteloze, vreemde kamer.

Ze liep door tot ze geen idee meer had waar ze was, ergens in een doolhof van steegjes en haveloze huizen. Daar bleef ze staan om in de tas te kijken die Mira haar had gegeven. Er zat een cafetière in, de nieuwe rode rok waar ze een hekel aan had, twee blouses, de donkere broek die ze had gekocht voor de begrafenis van June Reeve, de hele inhoud van haar ondergoedlade, de whiskyfles die bijna leeg was, en een pakje speelkaarten dat niet van haar was. En ze had natuurlijk haar geld nog, hoewel ze het daar niet lang mee zou uitzingen. Ze stond even stil bij wat ze niet had: haar dierbare wandelschoenen, een sjaal die ze van Sandy had gekregen, haar schetsboek en potloden, haar tandenborstel, haar sleutels... Met de strakblauwe lucht boven zich en het warme asfalt onder haar voeten bleef ze staan mijmeren. De leegte van haar leven maakte haar bijna duizelig. Het leek haast alsof ze in een tijdloze ruimte zweefde. Toen nam ze een beslissing en liep door.

Anderhalf uur later klopte ze aan bij de grijze deur, deed een pas naar achteren en wachtte. Zodra ze voetstappen hoorde zette ze haar zonnebril af. Chloë deed open.

'Ja?' vroeg ze beleefd. Haar haar was gekortwiekt tot een rattenkopje, ze had nieuwe piercings, en een tattoo op haar schouder. 'Wat kan ik voor u doen?' Daarna fronste ze haar wenkbrauwen en zakte haar mond een beetje open. 'Fuck.'

'Mag ik binnenkomen?'

Chloë pakte haar bij de arm, trok haar het huis in en sloeg de deur achter hen dicht.

Frieda probeerde te glimlachen, maar haar mond voelde vreemd aan. 'Ik wist niet waar ik anders heen moest.'

Die woorden leken hen beiden zo te verrassen dat ze elkaar een paar seconden lang alleen maar aanstaarden tot Chloë Frieda om de hals vloog en zo dicht tegen zich aan trok dat ze bijna geen adem meer kreeg.

'Ik ben zo blij dat je er bent.' De tranen sprongen haar in de ogen.

'Ik blijf niet lang. Een nachtje maar.'

'Ben je belazerd.'

'De politie zit achter me aan.'

'Weet ik. Maar ze zullen je niet vinden.'

Frieda had het gevoel dat ze op een plek was aangekomen die haar zeer vertrouwd was, maar toch voelde het vreemd, als een droom, om hier in dit huis te zijn waar ze zo vaak orde had geschapen in Olivia's chaotische leven en voor Chloë had gezorgd; nu was zíj de verstotene, was zíj degene die hulp nodig had.

'Je bent naar de kapper geweest,' zei Chloë.

'Klopt.'

'Maar om nou te zeggen dat je onherkenbaar bent...'

Ze gingen naar de keuken, waar het een indrukwekkende puinzooi was, maar deze keer kreeg Frieda zowaar niet de aanvechting om op te ruimen. Ze haalde een strooien hoed en een appel van een stoel en ging zitten. 'Waar is Olivia?'

'Naar de kroeg met haar nieuwe vlam.' Chloë snoof. 'Ze zei dat ze voor het avondeten thuis zou zijn.'

'Die nieuwe vlam mag mij niet zien.'

'Dat regel ik wel. Zin in whisky?'

'Het is nog geen zes uur.'

'Ik zal iets te eten voor je maken. Roerei? Een tosti? Ik heb zo'n tostiapparaat gekocht. Ik kan er ook tomaat en augurk bij doen, als je wilt. Of wil je misschien eerst in bad? Wil je in bad? Als je even wacht, laat ik het vollopen. Zeg maar wat je wilt.'

'Alleen thee. Ik moet een plan bedenken.'

'Thee, en daarna vertel je me wat er allemaal aan de hand is. Of misschien wil je dat helemaal niet. Ik zal natuurlijk niet aandringen, maar ik wil je wel vertellen dat ik weet dat jij Sandy niet hebt vermoord. Jij zou nooit iemand vermoorden, en al helemaal niet iemand waar je zoveel van hebt gehouden – ook al weet ik natuurlijk ook wel dat mensen juist vaak degene vermoorden waar ze het meest van houden. Hoe dan ook, ik weet dat jij het niet hebt gedaan, want dan zou je niet op de vlucht zijn geslagen. Ik ken je, ik weet dat jij vindt dat iedereen verantwoording moet afleggen voor zijn daden. Maar als je Sandy had vermoord...' Toen ze de uitdrukking op Frieda's gezicht zag hield ze haar mond. 'Thee,' zei ze.

'Graag.'

'Koekje?'

'Alleen thee.'

'Prima.'

'En daarna moet ik wat kleren van je lenen, denk ik.'

'Dat kan nog lastig worden. Ik heb van die slonzige gothic kleren, en die van mam zijn alleen geschikt voor een dronken ballerina of een overjarige diva.'

'Iets onopvallends.'

'Ik zal kijken. Ik wil je steeds aanraken om zeker te weten of je het wel echt bent.'

Frieda stak haar hand uit en Chloë greep die beet.

'Ik ben het echt,' zei Frieda, alsof ze het tegen zichzelf had.

Traag dronk ze haar thee, daarna schonk ze nog een kop in. Zonnestralen vielen door de smoezelige ramen op de tegelvloer. Ze hoorde Chloë boven heen en weer draven en met deuren slaan. Uiteindelijk kwam ze terug naar de keuken.

'Ik heb een stapel kleren in de logeerkamer gelegd,' zei ze. 'Kies maar. Misschien zijn ze niet echt geschikt. En de logeerkamer is een beetje een rommeltje. Mam heeft er spullen uitgezocht.'

'Maakt niet uit.'

'Heb je al bedacht wat je gaat doen?'

'Ik ga douchen, als je dat goedvindt, en daarna ga ik op pad. Ik kom later weer terug.'

'Je bent er nog maar net. Kom je echt wel terug?'

'Ja, heus.'

'Maar stel dat iemand je ziet.'

'Ik zorg er wel voor dat dat niet gebeurt.'

'Ik wil met je mee.'

'Nee, ik heb al genoeg mensen in gevaar gebracht.'

'Kan me niet schelen.'

'Mij wel.'

Bijtend op haar onderlip keek Chloë haar aan. 'Mag ik je iets vragen?'

'Ja.'

'En beloof je dat je eerlijk zult antwoorden?'

Frieda aarzelde. 'Ja,' zei ze uiteindelijk.

'Als ik in jouw schoenen stond en jij in de mijne, wat zou jij dan doen?'

'Ik hoop, ik hoop écht dat dat nooit gebeurt.'

'Maar jij zou iets gedaan hebben, toch? Denk je dat jij andere mensen kunt helpen, maar dat niemand jou kan helpen?'

'Ik geloof niet dat ik dat denk.' Frieda dacht aan Mira en Ileana, die grote risico's hadden genomen om haar te helpen, een onbekende van wie ze niets wisten. Als zij er niet waren geweest, had ze nu in een politiecel gezeten.

'Dus help ik je,' zei Chloë. 'En als je dat niet goedvindt, volg ik je gewoon. Kijk me niet zo aan. Ik doe het echt! Ik laat je niet weer in je eentje door de stad dwalen.'

Frieda legde een hand op haar ogen en dacht na. Toen zei ze: 'Oké, ik ga snel onder de douche, trek andere kleren aan en dan gaan we op pad.'

'Waarheen?'
'Ik moet iets ophalen.'
'Lijkt me niet al te moeilijk.'
'Helaas is het dat wel.'

Frieda kleedde zich uit, maar net toen ze onder de douche wilde stappen zag ze het telefoonnummer dat Mira op haar arm had geschreven. Heel even dacht ze erover het weg te boenen, maar iets weerhield haar daarvan. Ze wikkelde een handdoek om zich heen, ging terug naar de logeerkamer, pakte een pen en papier en noteerde het nummer. Nadat ze had gedoucht haalde ze uit de stapel kleren die Chloë had klaargelegd een broek met een hoge band en wijde pijpen, Chloë's oude Doc Martens, en een witte blouse met doorzichtige mouwen en heel veel kleine knoopjes, die nog vaag naar parfum geurde. De kleren waren in elk geval beter dan die van Carla. Ze haalde haar hand door haar natte, sprieterige haar, bond er een geblokte sjaal omheen, zette haar zonnebril op en ging naar beneden, waar Chloë haar opgewonden stond op te wachten bij de deur.

'Waar gaan we heen?'
'Naar The Warehouse. Ik moet daar iets ophalen.'
'Zullen ze je niet aangeven?'
'Tegen de tijd dat wij daar aankomen is er niemand meer.'
'Heb je de sleutels?'
'Nee.'
'Maar…' En toen viel Chloë stil. 'O, oké. Te gek. Hoe pakken we het aan?'
'Er is een schuifraam, herinner ik me, waarvan de vergrendeling al een jaar kapot is.'
'Dus klimmen we gewoon naar binnen.'
'Ik klim naar binnen. Jij gaat op de uitkijk staan.'
'Dat lijkt me nogal saai.'
'Mooi zo.'
Ze namen de bovengrondse metro naar Kentish Town West. Tijdens de rit zeiden ze nauwelijks iets en staarden allebei voor zich uit.

'Heeft het iets met Sandy te maken?' vroeg Chloë op een gegeven moment.

'Uiteraard.'

'Wat dan?'

'Dat weet ik niet precies.'

'Maar daar kom je wel achter,' zei Chloë, die daarop vertrouwde en toch gerustgesteld wilde worden. 'Daar kom je wel achter.'

'Dat hoop ik.'

'En dan kun je gewoon weer naar huis.'

'Dat is wel de bedoeling.'

Ze verlieten het metrostation en liepen via Prince of Wales
Road naar Chalk Farm.

'Waar heb je trouwens al die tijd gezeten?' vroeg Chloë.

'O, op plekken waar mensen zitten die niet gevonden willen
worden.'

Chloë pakte Frieda's arm en kneep erin. 'Ik ben zo blij dat je
daar niet meer naartoe hoeft.'

'Vertel eens hoe het met jou gaat.'

'Met mij? Nou, vergeleken met jou is er niet veel gebeurd. Zo
lang geleden is het nu ook weer niet dat je bent verdwenen.' Ze
zei het alsof Frieda een of andere goocheltruc had opgevoerd. 'Je
weet wel, gewoon z'n gangetje. Ik vind mijn opleiding leuk, maar
mam moet er niets van hebben.'

'Nog steeds niet?'

'Ze zal haar hele leven teleurgesteld blijven. Ze had gehoopt
dat haar dochter arts zou worden, nu wordt haar dochter meubelmaker.'

'Lijkt me niets mis mee.'

'En pappa...' Chloë rolde met haar ogen.

Chloë kletste door. Over het meubelmakersvak, over haar
school, over de stage die ze liep bij een niet zo best draaiende
timmerwerkplaats in Walthamstow, waar veel mannen werkten
die niet goed wisten wat ze met haar aan moesten, over Jack, en
over hoe blij ze was dat het uit was, maar toen ze dat zei schoot
haar stem trillerig omhoog. Frieda, die slechts met een half oor
naar haar nichtje luisterde en vooral oplette of ze niets ongebrui-

kelijks zag, koos ondertussen een ingewikkelde route naar The Warehouse.

Eindelijk stonden ze voor de ingang van het pand, dat iets van de weg af stond. Het zag er indrukwekkend en onneembaar uit. Door een smal steegje waar de vuilnisbakken stonden ging Frieda Chloë voor naar de achterkant. Toen ze opkeek naar de huizen achter The Warehouse zag ze hoeveel ramen er waren. Heel even meende ze achter een daarvan een gezicht te ontwaren, maar toen ze met haar ogen had geknipperd, was het een bloempot op de vensterbank. Maar in het huis links was echt iemand aanwezig: een vrouw die op haar gemak de planten in de serre water gaf. Frieda vroeg zich af of ze later moest terugkomen – maar dan zouden er andere mensen zijn om zich druk over te maken. Ze kon het maar beter meteen doen, dan had ze het gehad.

'Dit is het raam dat ik bedoel,' zei ze. Ze deed een stap naar voren en rukte eraan om het omhoog te schuiven, maar het gaf niet mee. Ze legde haar handen op het kozijn en duwde hard. Geen beweging in te krijgen. Door het raam zag ze de gang en daarachter de deur van haar kamer. 'Paz heeft het vast laten repareren,' zei ze.

'Is er een alarm?'

'Ik ken de code, dus dat kan ik uitzetten. En als Reuben als laatste is weggegaan, is de kans groot dat hij het niet heeft aangezet. Dat vergeet hij namelijk vaak.'

'Josef had hier moeten zijn. Die weet hoe je ergens binnen moet komen.'

'We hebben een koevoet nodig.'

'Ja, alsof ik die altijd bij me heb. Ik had mijn gereedschapskist moeten meenemen. Kunnen we iets met die losliggende stoeptegel?'

'Ik weet niet of dat wel…'

Voor Frieda de kans kreeg haar zin af te maken had Chloë de tegel al gepakt en hem in één vloeiende beweging tegen het raam gesmeten. Heel even ontstond er een netwerk van barsten in het glas, daarna viel het als in slow motion uit elkaar en stonden ze naar een gekarteld gat te kijken.

Frieda wist niet wat ze moest zeggen, bovendien was daar geen tijd voor. Ze haalde een paar scherven weg en maakte de sjaal om haar hoofd los om daarmee de stukjes glas die op het kozijn lagen weg te vegen. Allebei hoorden ze het alarm piepen, zo dadelijk zou het keihard afgaan.

Frieda stapte door het raam naar binnen en keek naar Chloë's fonkelende ogen en haar angstige, gespannen gezicht, omlijst door stekeltjeshaar.

'Wacht op me bij de ingang, maar uit het zicht. Je hebt genoeg gedaan. Méér dan genoeg.'

De vrouw stond nog steeds planten water te geven in haar serre. In het huis ernaast werd boven een lamp aangedaan, hoewel de lucht nog zilverblauw was. Frieda snelde door de gang naar het alarm onder de trap. Ze toetste de cijfercode in. Het gepiep hield aan. Ze probeerde het opnieuw, deze keer langzaam, om er zeker van te zijn dat ze het goed deed. Nog steeds wilde het rode lampje niet groen worden. De code moest zijn veranderd, of ze herinnerde zich hem niet goed meer. En inderdaad, na een paar korte waarschuwende piepjes begon het alarm zo hard te blèren dat haar trommelvliezen er haast van scheurden en het kabaal door haar schedel stuiterde alsof ze knallende hoofdpijn had.

Merkwaardig rustig – haar hartslag was regelmatig – ging ze zonder te rennen naar haar kamer. Het was alsof ze niet weg was geweest. Alles stond op zijn plek. De boeken op de planken, de doos tissues op het lage tafeltje, de pennen in de beker naast het Moleskine-notitieboek. Ze trok de diepe la onder in haar bureau open en jawel, de losjes dichtgeknoopte vuilniszak lag er nog steeds in. Ze haalde hem eruit, hoorde de spullen die erin zaten tinkelend naar beneden glijden, schoof de la weer dicht, verliet de kamer en sloot de deur. Vervolgens stapte ze door het raam naar buiten. In de huizen waren nog meer lampen aangegaan. In een tuin stond iemand met zijn hand boven zijn ogen te turen in een poging te zien wat er aan de hand was.

Via het smalle steegje liep ze naar de vooringang, waar Chloë zich achter een uitgebloeide rododendron platdrukte tegen de muur. Haar gezicht was vertrokken van angst.

'Ze hadden de code veranderd. Kom, we gaan.' Ze nam Chloë bij de arm, loodste haar naar de straat, liep de andere kant op dan ze gekomen waren en dook een doolhof van achterafstraatjes in. Achter hen klonk het alarm. Frieda's zware schoenen knelden, haar hals deed zeer. Toen ze hem aanraakte en daarna naar haar hand keek zag ze bloed.

'Komt de politie niet?' vroeg Chloë.

'Het alarm staat niet in verbinding met het politiebureau. Daarvoor was te vaak vals alarm geweest.'

'Missie volbracht?' vroeg Chloë na een paar minuten. Haar stem klonk schor.

'Ja.'

'Dus nu komt alles goed?'

'We zullen zien.'

Chloë ging als eerste het huis in om te kijken of Olivia alleen was. Daarna kwam Frieda ook binnen. Bij het zien van Frieda begon Olivia luid en opgewonden te snikken, alsof er een knop was omgedraaid. Ze huilde, slaakte kreten en wapperde met haar handen. Over haar wangen stroomde mascara naar beneden. Ze rukte de deur van de koelkast open en pakte er een fles mousserende wijn uit, hoewel er al een open fles wijn op tafel stond.

Frieda ging zitten. Ze was merkwaardig kalm, voelde zich ver af staan van wat er zich om haar heen afspeelde. Chloë maakte roerei voor hun drietjes. Olivia dronk – uit haar eigen glas, uit dat van Frieda en dat van Chloë – zat te ratelen en stelde vragen waar Frieda geen antwoord op gaf. Aan haar voeten stond de vuilniszak. Ze dacht aan de laatste keer dat ze Sandy had gezien. Schreeuwend en met zijn knappe gezicht vertrokken van woede had hij haar de vuilniszak toegesmeten. Maar wat had hij geroepen? Ze kon het zich niet herinneren. Had ze maar beter opgelet, nu was het te laat.

Frieda haalde stapels kleren, boeken en fotoalbums van het bed en maakte het op. Ze ging weer onder de douche en trok het nachthemd aan dat Olivia haar had geleend. Het was wit, met ruches rond de hals, waardoor ze eruitzag als een personage uit een victoriaans melodrama. Daarna stortte ze de inhoud van de vuilniszak uit op de slaapkamervloer. Er rolde een flesje shampoo over het kleed. Er zat nog maar een klein bodempje in.

Ze pakte de spullen een voor een op en begon met de kleren: wat ondergoed, een dunne blauwe blouse, een grijze broek, een zeer oude kleurige trui. Verder een koperen armband, een reisschaakspel, een schetsboek – ze sloeg het open en keek naar haar tekeningen van lang geleden: een oude vijgenboom die in de buurt van haar huis tussen het gebarsten plaveisel groeide, een brug over een kanaal, Sandy's gezicht, onafgemaakt… Bodylotion. Twee boeken. Lippenbalsem. Een groen kommetje dat ze hem had gegeven en dat hij haar nu verpakt in krantenpapier teruggaf – het verbaasde haar dat het nog heel was. Een schort dat hij voor haar had gekocht. Een haarborstel. Een tandenborstel. Een schrijfblok met een spiraal, vol aantekeningen voor een lezing over automutilatie. Een foto van haar die hij had genomen en bij zich had gedragen in zijn portefeuille. Ze legde hem omgekeerd op de grond. Een telefoonoplader. Een zakje veldbloemenzaadjes. Handgel. Een dun doosje met houtskoolstaafjes, allemaal gebroken. Vijf ansichtkaarten van het Tate Modern. Ze staarde ernaar: er zat een portret bij van een vrouw die door een open raam naar buiten keek; ingetogen kleuren, verstilling en stilte. Toen ze even met de zak schudde hoorde ze iets tinkelen. Ze stak haar hand erin: een paar oorbellen en een geplastificeerde batch die ze ooit gedragen moest hebben tijdens een of andere conferentie.

Ze ging op haar hurken zitten en keek naar alles wat er lag. Zover ze kon zien was er niets bijzonders bij. Enkel de restanten van een relatie die voorbij was: gelukkige herinneringen die hun glans hadden verloren.

26

'Wat hebben Sophie en Chris je verteld over dit adres?' vroeg Hussein. In de ochtendkoelte reden ze over New Kent Road. Winkeliers deden hun rolluik omhoog, leveranciers laadden dozen uit.

Bryant haalde zijn schouders op. 'Ze hadden een anonieme tip gekregen dat ze daar was. Maar het bleek een dood spoor. Er wonen twee vrouwen – Oost-Europese vrouwen, maar geen teken van Klein. Dat is alles.'

Hij sloeg een kleinere straat in en parkeerde voor Thaxted House. Toen ze waren uitgestapt, spoog Bryant zijn kauwgum uit, fatsoeneerde zijn broekspijpen en keek daarna om zich heen.

'Daar is het,' zei hij, wijzend naar een deur op de begane grond.

'Oké.'

Hussein liep erheen, drukte op de bel, maar omdat geen geluid te horen was, klopte ze vervolgens hard aan. Toen de deur een stukje opening – hij zat op de ketting – verscheen er een deel van een gezicht. 'Ja?'

'Ik ben hoofdinspecteur Hussein.' Ze hield haar legitimatie op. 'En dit is mijn collega rechercheur Bryant. Mogen we binnenkomen, alstublieft?'

'Waarom?'

'We willen u een paar vragen stellen.'

'We hebben al vragen beantwoord.'

'Dat was een eerste onderzoek. We willen graag nog wat meer van u horen.'

Het gezicht verdween. Op de achtergrond hoorden ze een andere stem, toen ging de deur dicht, en nadat de ketting eraf was gehaald ging hij weer open en stonden er twee vrouwen voor Hussein en Bryant. De ene was lang en weelderig met bruin haar en bijna zwarte ogen onder zware wenkbrauwen; de andere was kleiner, mager, met een grote bos geblondeerd haar en blauwe oogschaduw. Met hun armen over elkaar geslagen stonden ze in een vrijwel eendere houding van verzet.

'Wat vragen?' vroeg de donkerharige vrouw.

'Zoals u al van onze collega's hebt gehoord, zijn we op zoek naar een vrouw.' Hussein zweeg even, maar het gezicht van de vrouwen gaf niets prijs. 'We hebben reden om aan te nemen dat ze hier verblijft. Frieda Klein is haar naam.'

Geen van beiden zei iets.

'Ze zal niet haar echte naam hebben gebruikt,' vervolgde Hussein.

'Zoals gezegd: geen vrouw,' zei de donkere.

'Mogen we even rondkijken?' vroeg Bryant.

'Geen vrouw,' herhaalde de donkerharige.

'Wie woont hier?'

'Wij wonen hier.'

'En u bent?'

'Waarom wilt u dat weten?'

'We zijn bezig met een onderzoek,' zei Bryant. 'Wij stellen de vragen en u beantwoordt die.'

'Ik ben Ileana. Zij' – ze wees met haar duim – 'is Mira. Genoeg?'

'Voorlopig,' zei Hussein. 'Wonen er hier nog meer mensen?'

'Nee.'

'Hoeveel kamers hebt u?' vroeg Bryant.

'O, dit is de kamerbelastingvraag.'

'Nee.' Hussein liep het halletje in.

'Is omdat onze buren niets moeten hebben van mensen als wij.'

'Nee, omdat we op zoek zijn naar een vrouw, ze heet Frieda Klein.' Ze haalde een foto van Frieda uit haar aktetas en hield die op. Geen van beiden nam hem aan. Met een uitdrukkingsloos gezicht keken ze er alleen maar even naar. 'Herkent u haar?'

'Nee.'

'U hebt haar nooit gezien?'

'Niet zover ik weet.'

'We zijn naar haar op zoek omdat we haar willen verhoren in verband met een ernstig misdrijf. We hadden vernomen dat ze hier zou zijn.'

'U hebt de verkeerde informatie.'

De blondine haalde haar armen van elkaar. 'Kijk zelf als u niet gelooft.'

Hussein en Bryant gingen eerst naar de keuken, waar ze alleen een druiprek met pannen zagen, een goed gevulde koelkast en een halfvolle fles wodka op een dressoir, met daarnaast een paar speelkaarten. Vervolgens bekeken ze de kamers. Er was een derde slaapkamer, maar daar was niet veel te zien: alleen een afgehaald bed, een nachtkastje en een versleten vloerkleed. Verder helemaal niets.

'Dank u voor uw hulp,' zei Hussein beleefd.

'Als u informatie achterhoudt…' begon Bryant, maar Hussein legde een hand op zijn arm.

'Kom, we gaan,' zei ze. 'We hebben ze lang genoeg lastiggevallen.'

'Het was weer een dood spoor,' zei Hussein later tegen Karlsson. 'Eerst die verdomde misser bij het café en nu dit.'

'Was er helemaal niets verdachts?'

'Niets. Behalve als het verdacht is dat vrouwen om zeven uur 's ochtends zijn opgemaakt, wodka drinken en de afwas doen.'

'Van wie was de tip afkomstig?'

'Geen idee. Misschien heeft de vrouw gelijk en is ie van iemand die het niet fijn vindt om naast vrouwen uit Bulgarije en Roemenië te wonen. Hoe kan iemand nu zomaar van de aardbodem verdwijnen?'

'Dat kan ook niet.'

'Behalve als ze geholpen wordt.' Ze keek Karlsson recht aan. Hij hief zijn hand om haar terecht te wijzen. 'Ik weet niet waar ze is, Sarah.'

'Maar als je het wel wist. Als je wel een idee had?'

'Ik vind dat ze zichzelf moet aangeven.'

Hussein kwam overeind en wilde weggaan, maar op de drempel bleef ze staan en draaide zich om. 'Geloof je echt dat ze het niet heeft gedaan?'

'Ja.'

'Zeg je dat als politieman of als vriend?'

'Maakt dat iets uit?'

Maar het was als vriend, niet als politieman, dat hij vroeg in de avond naar Thaxted House ging, een paar straten verderop parkeerde en traag door de avondwarmte slenterde. Toen hij aanklopte werd er niet opengedaan. Hij probeerde door de brievenbus te gluren, maar kon niets zien. Er was geen licht aan en hij hoorde geen geluiden.

'Wat wilt u?' hoorde hij achter zich. Er stonden twee vrouwen: een donkerharige en een blonde. Ze droegen tassen en Karlsson rook eten van de afhaalchinees.

'Ik ben Malcolm Karlsson, ik hoopte dat u me zou kunnen helpen.'

'We hebben al met politie gesproken. Zij niets vinden.'

'Ik ben een vriend van Frieda.'

'Wij kennen geen Frieda.' De donkere vrouw viste een sleutel uit haar achterzak en stak hem in het slot. De deur kwam uit op een donker halletje. 'Ga weg.'

'Nee, verdomme. Ik weet dat Frieda hier geweest is, ook al gebruikte ze misschien een andere naam. En volgens mij is Josef hier ook geweest.'

Geen van beiden zei iets, maar het ontging hem niet dat ze elkaar geschrokken aankeken. 'Ik heb Josef hierheen gestuurd met een brief voor Frieda. Ik wilde haar waarschuwen.'

'U?'

'Ja, mag ik alstublieft even binnenkomen?'

'Mira?' zei de donkerharige. Mira knikte haast onmerkbaar, waarna ze een pas opzij deden om hem binnen te laten.

Ze gingen op de gammele, bij elkaar gescharrelde stoelen rond de keukentafel zitten. De vrouwen haalden de deksels van de dampende bakjes met eten. Karlssons oog viel op de wodka op het dressoir en zag dat het Josefs merk was.

'Honger?' vroeg Ileana.

'Nee, dank u,' zei Karlsson, hoewel hij begon te watertanden van de geur die uit de bakjes opsteeg. 'Ik wil u geen problemen bezorgen en ik begrijp best dat u me niet vertrouwt. U hebt gelijk dat u op uw hoede bent. Ik verwacht ook niet dat u me vertelt dat Frieda hier is geweest. Maar weet u waar ze nu is? Weet u of het goed met haar gaat?'

'Wij kennen geen Frieda.'

'Of hoe ze zich ook noemde.'

Mira nam een enorme hap rijst met een klieder rode saus, daarna zei ze met volle mond: 'Iedereen naar die vrouw vragen.'

'Wie bedoelt u? Sarah Hussein?'

'Zij. De man die erbij was. De twee die daarvoor kwamen. Maar ook die andere.'

'Is er nog iemand langs geweest?'

'Kijk.' Ileana rolde haar mouw op en liet Karlsson een gemene blauwe plek op haar onderarm zien. 'Hij dit doen.'

'Wie heeft dat gedaan?'

'Man.'

'Beweert u dat er iemand die niet van de politie was langs is geweest om navraag te doen naar Frieda en dat hij u heeft mishandeld?'

'Eerst heel aardig en lief doen. Daarna mishandelen en dreigen. Mensen altijd dreigen met hetzelfde, dat wij uitgezet worden.'

'Wat vervelend. Maar u weet niet wie het was?'

'Gewoon man,' herhaalde Ileana, alsof alle mannen voor haar hetzelfde waren.

'Hoe zag hij eruit?'

Ze haalde haar schouders op. 'Niets.'

'Niets?'

Mira boog over de tafel en zei: 'Zij bedoelt: gewoon.'

'Ik bedoel: níéts.' Ileana wierp Mira een vuile blik toe.

'Niet lang en niet klein,' zei Mira. 'Niet dik en niet dun. Niet lelijk en niet knap. Gewoon.'

'Blank?'

'Niet niet-blank.'

'Ik begrijp het,' zei Karlsson, hoewel hij zich er niets bij kon voorstellen. 'Welke kleur haar had hij en wat voor kleren had hij aan?'

'Mooi jack,' zei Mira dromerig.

'Hoe klonk hij?'

'Normaal.'

'Had hij een accent?'

Mira keek hem meewarig aan. 'Iedereen heeft een accent, alleen niet hetzelfde.'

Karlsson zette een fles wodka op tafel. Josef schonk twee borrelglaasjes tot de rand toe vol. Beiden sloegen de wodka in één keer achterover, waarna Josef de glaasjes weer vulde.

Deze keer nam Karlsson maar een klein slokje. 'Ik heb Mira en Ileana ontmoet.'

Josef dronk zijn glas leeg. Toen hij het weer op tafel zette klonk er een tikje. 'En?'

'Ik weet dat ze daar heeft gezeten en dat ze er nu weer weg is.'

Josef zei niets. Hij keek Karlsson met zijn zachte bruine ogen aan.

'Ik moet haar spreken, Josef,' zei Karlsson. 'Ik denk dat ze in grote problemen zit. Iemand heeft het op haar gemunt.'

'Iedereen heeft het op haar gemunt.'

'Weet jij waar ze is?'

Josef schonk zich een derde glas wodka in, pakte het op en liet het in zijn vereelte handen draaien. 'Nee,' zei hij uiteindelijk.

'Echt niet?'

'Dit is de waarheid.' Hij legde zijn hand op zijn hart. 'Ik weet het niet.'

'Oké. Maar als jij haar vindt, of zij contact opneemt met jou, zeg haar dan dat ik haar moet spreken. Als haar vriend.'

Josef keek bezorgd en knikte.

'Dank je. Ik moet ervandoor – is Reuben er trouwens niet?'

'Hij is nog in The Warehouse. Alles opruimen.'

'Wat ruimt hij dan op?'

'Probleem. Iemand heeft ingebroken. Ik heb het raam gerepareerd en hij tot laat blijven om zeker te zijn dat alles veilig is.'

'Wat vervelend. Heeft hij de politie gebeld?'

'Nee.'

Karlsson ging niet meteen naar huis, maar reed eerst naar The Warehouse. Hij belde aan en Paz deed open. Ze had haar mouwen opgerold en haar haar samengebonden in een paardenstaart. Ze maakte een nerveuze indruk. 'Ik heb gehoord dat er bij jullie is ingebroken.'

'Het valt wel mee.'

'Wie is het?' hoorde Karlsson roepen en even later zag hij Reuben. 'Karlsson. Wat doe jij hier?'

'Josef zei dat iemand hier heeft ingebroken.'

'Iemand heeft een steen door een ruit gegooid. Je weet wel. Die kids van tegenwoordig.'

'Heb je de politie gebeld?'

Reuben maakte een wegwerpgebaar.

Jack Dargan kwam eraan met in zijn ene hand een poetslap en in zijn andere schoonmaakspray. Toen hij naast Reuben en Paz kwam staan viel er een korte stilte.

'Nou, voor de draad ermee,' zei Karlsson.

Alle drie trokken ze een gespeeld verbouwereerd gezicht.

'Hoe bedoel je?' vroeg Reuben.

'Het was Frieda, toch?'

'Pardon?'

'Dat het Frieda was.'

'Dat is belachelijk. Ik weet niet waar je het over hebt.'

Jack streek met zijn handen door zijn haar, een typerend gebaar voor hem, waardoor het rechtovereind ging staan. 'Ik ook niet,' zei hij met een onecht lachje.

'Hallo, ik ben het, hoor,' zei Karlsson.

Reuben trok zijn wenkbrauwen op. 'Weet ik. Hoofdinspecteur Karlsson van de Met.'

'Een vriend.'

Reuben floot zachtjes. 'Wat zou je baas hiervan vinden?'

Karlsson haalde zijn schouders op. 'Ik hoop dat die het nooit te horen krijgt.'

'O, hou in godsnaam op,' zei Paz geërgerd. 'Dit is idioot. Ja, het was Frieda. Wil je het zien?'

'Wat zien?'

'Kom maar mee.'

Ze gebaarde naar de ontvangstbalie en klikte op de muis van de computer. En daar was Frieda ineens. Het beeld was korrelig, maar het was onmiskenbaar Frieda, die met opgeheven hoofd en vrij rustig door de gang naar hen toe kwam lopen. Het was alsof ze Karlsson aankeek, dwars door hem heen keek.

'Wat is haar haar kort,' zei hij.

'Een soort vermomming, vermoed ik,' zei Reuben.

'Waarom was ze hier?'

'Zie je die zak die ze in haar hand heeft?'

'Ja.'

'We zijn er vrij zeker van dat het de zak is die Sandy haar heeft toegesmeten toen hij naar The Warehouse kwam,' zei Jack. 'Daar weet je van. Hij was buiten zichzelf van woede. Ik had hem nog nooit zo meegemaakt.'

'Wat zit erin?'

'Ik heb erin gekeken.' Paz klonk defensief. 'Toen ze verdwenen was, en de politie haar zocht en de zaak breed werd uitgemeten in de media ben ik naar haar kamer gegaan om te kijken of daar niets was wat...' Ze zweeg, trok haar schouders overdreven hoog op en rolde met haar ogen. 'Je weet wel.'

'Niets was wat haar verdacht kon maken?'

'Ja. Maar het waren gewoon persoonlijke spulletjes, dingen

die nog in Sandy's huis hadden gelegen. Wat kleren, boeken. Niets bijzonders.'

'Weten jullie waar ze nu is?'

Ze schudden hun hoofd.

'Maar ze begint wel roekeloos te worden,' zei Jack.

Karlsson knikte. 'Misschien weet ze dat de tijd dringt.'

Hoewel Karlsson al vanaf zes uur 's ochtends op was en alleen een oud croissantje had gegeten in de kantine, ging hij daarna nog steeds niet naar huis. Wellicht had zijn eigen opmerking hem doen beseffen dat hij bang was en reed hij daarom in de invallende schemering naar Sasha's huis in Stoke Newington.

27

Ze zag bleek, haar haar was slap en haar ogen leken te groot voor haar magere gezicht. Ze wrong zich in de handen, haar nagels waren afgekloven en ze had een koortslip. Karlsson wist dat Frieda zich altijd zorgen om Sasha maakte en dat ze na de geboorte van Ethan een postnatale depressie had gekregen waarvan ze nog niet helemaal was hersteld.

'Ik wil alleen dat het goed met haar gaat,' zei ze, terwijl ze met de rug van haar hand over haar wangen streek.

'Dat willen we allemaal.'

'Door mij is ze alleen maar nog verder in de nesten gekomen. Maar ik vond het zo fijn dat ze weer terug was. Zelfs wanneer ze het zelf moeilijk heeft, geeft ze je toch een veilig gevoel.'

'Weet je waar ze nu is?'

'Nee. Dat heb ik ook al tegen die politievrouw gezegd en het is echt waar. Ze wilde het me niet vertellen. Ik heb haar geprobeerd te bellen, maar ze neemt niet op.'

'Heb je echt geen enkel idee?'

'Ik weet niet of ik het je zou vertellen als ik een idee had, maar ik heb echt geen flauw benul.'

'Hoe kwam ze op je over?'

'Goed. Niet bang. Rustig. Gefocust. Je weet hoe ze kan zijn.' Karlsson knikte: dat wist hij inderdaad. 'Ze was ook heel lief voor Ethan, maar wel streng.' Bij die herinnering schoot ze in de lach. 'Als hij huilde omdat hij iets wilde, deed ze alsof ze hem niet hoorde. Hij blijft maar naar haar en de andere kinderen vragen.'

'Andere kinderen?'

'Ze paste ook nog op twee andere kleintjes.'

'Frieda paste op dríé kinderen?'

'Ja, niet te geloven, hè? De ouders waren goede vrienden van Sandy. Ik geloof dat de man een collega van Sandy was.'

'Juist, ja,' zei Karlsson. Er speelde een lachje om zijn lippen. 'Wel smiechtig van haar trouwens. Weet je hoe ze heten?'

'Al en Bridget. Wacht.' Met een frons op haar gezicht dacht ze na. 'Zij had een Italiaanse achternaam. Bellucci? Ja, volgens mij wel. Die van hem weet ik niet. Waarom?'

'Misschien weten zij iets.'

'Komt het wel goed met haar?'

Karlsson keek naar haar samengeknepen handen.

Er werd aangebeld.

'Dat zal Frank zijn,' zei Sasha. 'Hij komt wat kleren van Ethan terugbrengen.' Ze streek een lok achter haar oor.

Toen Frank de kamer in kwam stond Karlsson op. Hoewel ze elkaar nooit goed hadden gekend en ze elkaar niet meer hadden gezien sinds Sasha en Frank uit elkaar waren, schudde Frank hem hartelijk de hand en vroeg naar zijn kinderen, van wie hij zelfs nog wist hoe ze heetten. Samen gingen ze weg.

'Borrel?' vroeg Frank toen ze buiten op de stoep stonden.

Karlsson keek op zijn horloge. Het was nog geen negen uur.

'Twee mannen die thuis niemand hebben die op ze wacht,' zei Frank.

'Klinkt triest.'

'Op de hoek is een kroeg.'

Karlsson wist geen reden te bedenken om de uitnodiging af te slaan. Ook dat was triest.

Met twee glazen bier en twee zakjes chips kwam Frank naar het tafeltje.

'Je kijkt naar me met die typische smerissenblik van je.'

Karlsson schudde zijn hoofd. 'Ik heb het gevoel dat ik in de spiegel kijk. Alleen is de man in de spiegel iets jonger en draagt hij een mooier pak.'

Frank keek naar zijn krijtstreeppak en zijn witte overhemd met open boord alsof hij die nog nooit eerder had gezien. 'Ik moest naar de rechtbank. Eigenlijk is het een uniform.'

'Heb je gewonnen?'

'Nou, een overwinning zou ik het niet willen noemen. Het openbaar ministerie was bewijs kwijtgeraakt en hun belangrijkste getuige kwam niet opdagen. De rechter heeft de jury toen opgedragen mijn cliënt vrij te spreken.'

'Je bent goed in je vak,' zei Karlsson. 'Tenminste, dat heb ik gehoord.'

'Maar…?'

'Niet maar, én.'

Frank scheurde de zakjes chips open. 'Ik kan je niet volgen.'

'Het gaat over Frieda. Ik wilde je iets vragen.'

'O.' Frank hield Karlssons blik gevangen. 'Voordat je verdergaat, moet je weten dat ik een tijdje heel boos op haar ben geweest.'

'Dat heb ik gehoord.'

'Ik gaf haar de schuld van mijn breuk met Sasha.' Spijtig haalde hij zijn schouders op. 'Het is altijd makkelijker om een ander de schuld te geven.'

'Dat kan ik me voorstellen. Ben je nog steeds boos?'

'Niet meer zo erg. Ze was vooral een goede vriendin van Sasha – ze is ook iemand die je als vriendin wilt, toch? Iemand die je aan jouw kant wilt hebben.'

'Zeker,' zei Karlsson.

'En inmiddels begrijp ik dat ze een echte vriendin voor Sasha is geweest. Ze dacht dat het voor Sasha beter was als ze bij me wegging. Misschien had ze gelijk. Alhoewel…' Hij zweeg en wreef met zijn beide handen over zijn gezicht. 'Wat wilde je me over Frieda vragen?'

'Ik weet nooit wat ik moet denken van de dingen die ze doet. Ik heb haar al ooit opgezocht in een politiecel, op de intensive care, maar dit is van een heel ander kaliber. Ik geloof nooit dat dit goed afloopt. Maar ze heeft hoe dan ook hulp nodig.'

'Ze heeft vrienden,' zei Frank.

'Goede vrienden zelfs. Maar ze heeft vooral een goede advocaat nodig.'

'Ze heeft toch al een advocaat?'

'Ja, Tanya Hopkins, maar dat is geen strafpleiter. Bovendien zaten Frieda en zij niet op één lijn.'

Frank knikte. 'Het is de taak van een advocaat om de waarheid te vertellen. Maar vaak wil de cliënt die niet horen.'

'Dat geldt niet voor Frieda.'

'Nee, dat denk ik ook niet.'

'Dat is juist het probleem met Frieda. Het gaat haar er niet om dat de aanklacht wordt ingetrokken, ze wil de waarheid boven tafel krijgen.'

Frank lachte. 'Een rechtszaak is geen therapie. In een rechtszaak gaat het louter om winnen en verliezen.'

'Maar wat vind je ervan?'

Frank nam een slok bier.

'Ik weet het niet. Zoals je weet houdt de politie er niet van om voor paal te worden gezet. En vergeet niet dat ik het slachtoffer kende en de ex ben van de beste vriendin van de beklaagde. Maar ik zal mijn best doen. Hou me maar op de hoogte. Alsjeblieft.' Hij haalde een visitekaartje uit zijn portefeuille en gaf het aan Karlsson. 'Als ze weer opduikt, zal ik met alle plezier met haar praten. Maar of zij daar iets voor voelt…'

Er viel een stilte waarin ze bier dronken en chips aten.

'Weet je dat ze een tijdje op Ethan heeft gepast?' vroeg Frank ineens.

'Ja. Wist jij daarvan?'

'Hoe bedoel je? Op dat moment? Natuurlijk niet. Dat heeft Sasha me pas achteraf verteld, toen de politie argwaan kreeg. Frieda had de benen genomen en Sasha was helemaal overstuur. Goddank toen pas, want anders had ik het moeten melden. Ik ben advocaat, godbetert. Als ik het geweten had en het voor me had gehouden, zou ik onmiddellijk van het tableau zijn geschrapt. En dan had Sasha geen woord meer tegen me gezegd. Maar ik keur het niet goed wat ze gedaan heeft. En wat Frieda gedaan heeft ook niet.'

'Zijn de verhoudingen tussen Sasha en jou weer genormaliseerd?' vroeg Karlsson met een zekere gêne.

Frank leek dwars door hem heen naar iets anders te kijken. 'Of de verhoudingen zijn genormaliseerd?' zei hij uiteindelijk. 'Klinkt dat niet heel zakelijk? Hoe heeft het ooit zover kunnen komen dat de verhoudingen tussen mij en de vrouw van wie ik hield en die de moeder van mijn zoon is, genormaliseerd zijn. Toen ik Sasha leerde kennen kon ik mijn geluk niet op.' Hij klonk dromerig en sprak alsof hij het eigenlijk tegen zichzelf had. 'Ze is zo mooi en ik dacht dat ik haar kon redden. Ze is iemand die je het gevoel geeft dat je haar moet redden, vind je ook niet? Soms vond ik het een nachtmerrie om bij haar te zijn. Alsof ik in slow motion een ongeluk zag gebeuren, maar het niet kon voorkomen. Ik heb het gevoel dat ik alles heb geprobeerd, maar dat het allemaal vergeefs is geweest.'

Samen verlieten ze de kroeg. Ze gaven elkaar een hand.

'Wat ga je nu doen?' vroeg Frank.

'Weet ik niet. Afwachten. Helpen waar ik kan.'

'En wat gaat Frieda doen, denk je?'

Karlsson maakte een hulpeloos gebaar. 'Joost mag het weten. Ik ken Frieda al jaren, maar ik weet nooit wat ze gaat doen. En als ze iets heeft gedaan, begrijp ik het ook niet. Ze heeft ingebroken bij The Warehouse, de kliniek waar ze werkte.'

'Waarom?'

'Weet ik niet. Het had iets met Sandy te maken, maar wat precies weet ik niet.'

Frank trok een grimas. 'Inbraak en huisvredebreuk,' zei hij. 'Een kind in gevaar brengen. Daar maak je geen goede sier mee in de rechtszaal.'

'Ik denk niet dat het tot een rechtszaak komt,' zei Karlsson terwijl hij zich omdraaide om weg te gaan. 'Ik denk dat er iets gebeurt.'

'Wat dan?'

'Overtreed je nu niet de belangrijkste regel van een advocaat?'

Frank keek niet-begrijpend. 'Hoe luidt die regel dan?'

'Stel nooit een vraag waarop je het antwoord al weet. Dank voor het biertje, Frank.'

Inmiddels was hij zo moe dat zijn ogen prikten, maar hij wist dat hij voorlopig niet zou kunnen slapen. Hij had geen zin om thuis in zijn eentje wakker te liggen en zich af te vragen waar Frieda kon zijn of hoe hij haar kon vinden. Hij moest denken aan wat Sasha had gezegd en terwijl hij van de kroeg naar zijn auto liep haalde hij zijn telefoon uit zijn zak. Hij googelde Bridget Bellucci, en nog geen minuut later had hij haar e-mailadres gevonden. Hij schreef een bericht waarin hij vertelde dat hij een vriend was van Frieda en dat hij het erg op prijs zou stellen als Al en zij een keertje met hem wilden praten, strikt vertrouwelijk natuurlijk en het liefst zo snel mogelijk. Hij had de mail nog niet verzonden of hij hoorde zijn telefoon pingen: er verscheen een antwoord op het schermpje. 'Waarom niet nu meteen?' stond er, gevolgd door een adres.

Karlsson keek op zijn horloge. Het was tien over tien en Bridget en Al woonden helemaal in Stockwell. Toch stapte hij in zijn auto, toetste het adres op zijn TomTom in en reed weg.

Zelden had hij twee echtelieden gezien die zulke tegenpolen van elkaar waren als Bridget en Al: zij was levendig en had donker haar, een olijfkleurige teint en een Italiaans temperament, hij was slungelig, had peper-en-zoutkleurig haar, een droge zelfspot, en was een typisch Engelse academicus. Karlsson zat aan hun keukentafel thee te drinken. Hij snakte naar whisky, maar hij moest nog rijden; bovendien tolde zijn hoofd van vermoeidheid en dat zou van drank alleen maar erger worden, wist hij.

Weer legde hij uit dat hij politieman was, maar dat hij niet in die hoedanigheid was langsgekomen. Als alles achter de rug was – wat dat ook mocht inhouden – zou hij moeten nadenken over zijn daden, besefte hij. Maar nu nog niet.

'Karlsson, zei u?' Bridget keek hem onderzoekend aan.

'Ja.'

'Noemde ze zich daarom Carla?'

'Wat zegt u?'

'Karlsson. Carla.'

'Dat weet ik niet. Volgens mij is het slechts…' Hij merkte dat het hem niet lukte de zin af te maken. Hij pakte zijn theekopje met twee handen vast en bracht het naar zijn mond.

'Waar kunnen wij u mee helpen?' vroeg Al beleefd, alsof Karlsson hun de weg had gevraagd.

'Ik moet Frieda vinden.'

'Die werkt niet meer bij ons.'

'Hebt u enig idee waar ze zou kunnen zijn?'

'Nee,' zei Bridget. 'Ik heb nooit geweten waar ze 's avonds heen ging. Ik wist heel weinig over haar, zelfs toen ik ontdekt had wie ze werkelijk was.'

'O.'

'Ze werkte voor ons,' zei Al, 'omdat ze Sandy kende. We hebben haar goddomme onze kinderen toevertrouwd in de overtuiging dat ze nanny was, terwijl ze ondertussen haar eigen onderzoek deed en gezocht werd door de politie.'

'Eigenlijk was ze best een goede oppas,' zei Bridget. 'Een beetje onorthodox.'

'Tot gisteren wist ik niet wie ze was.' Al wierp Bridget een trieste maar ook beschuldigende blik toe. 'Volgens mij heeft ze een tijdje gedacht dat ik de moordenaar was.'

'Dat wíj de moordenaars waren,' corrigeerde Bridget hem. 'Ja, dat dacht ze.'

'Dat u Sandy had vermoord?'

'Ja.'

'Hoezo dacht ze dat?'

'Ik had zijn sleutels,' zei Bridget. 'En die van haar.'

'Waarom?'

'Sandy heeft me ooit een sleutelbos gegeven waar die van haar ook aan zaten. Meer zit er niet achter.'

'En ik had een motief,' voegde Al eraan toe. Karlsson wist niet of Al boos was of dat hij het grappig vond. 'Hij heeft me genaaid. Op het werk, bedoel ik.'

'En Frieda had dat ontdekt?'

'Ja, ze heeft heel veel dingen ontdekt,' zei Al.

'Ik mocht haar wel,' zei Bridget. 'Waarom is het voor u zo belangrijk dat u haar vindt?'

'Omdat ik denk dat ze in gevaar is.'

'Hoe dat zo?'

'Volgens mij heeft de moordenaar van Sandy het nu ook op haar gemunt.'

'Jezus, maar wij kunnen u niet helpen,' zei Bridget. 'We weten niet waar ze is. Ik heb geprobeerd haar te helpen – heb haar de namen genoemd van Sandy's vriendinnetjes. Ik heb haar alles verteld wat ik dacht dat relevant kon zijn.'

'Zoals?'

Bridget bleef even roerloos zitten. Ze keek Al niet aan toen ze Karlsson vertelde dat Sandy zijn hart bij haar had uitgestort, dat hij op het laatst absoluut niet goed in zijn vel zat en dat ze bang was geweest dat hij iets doms zou doen.

Al keek geschokt. 'Dat hij misschien zelfmoord zou plegen, bedoel je?'

'Ja.'

'En het is nooit bij je opgekomen om dat mij te vertellen?'

'Dat was niet aan mij, hij had me in vertrouwen genomen.'

'Zelfs niet toen hij was vermoord?'

'Juist toen niet.'

'Waarom ging het zo slecht met hem?' vroeg Karlsson.

'Hij vond dat hij een puinhoop van zijn leven maakte. Ik denk dat hij zich schuldig voelde over de manier waarop hij sommige vriendinnen had behandeld – ze had gekwetst zoals hij zelf was gekwetst.'

'Door Frieda?'

'Dat denk ik wel.'

'En Frieda heeft deze vriendinnen opgezocht?'

'Ja.'

'Weet u bij wie ze langs is geweest?'

'Ik weet dat ze Veronica Ellison en Bella Fisk heeft gesproken. Die werken allebei aan de universiteit. En met de vorige oppas van Sandy's zus.'

'Maar ze is niets wijzer geworden?'

'Tegen die tijd was ze onze oppas niet meer. Ik weet niet wat ze heeft ontdekt.'

'Dank u.'

'Sandy wordt morgen begraven.'

'Dat weet ik.'

'Ik hou een toespraak en Al draagt een gedicht voor: 'Fear no more the heat of the sun'. Kent u het?'

'Volgens mij heb ik het ooit gehoord bij een begrafenis.'

'Sandy was bang. Wist u dat?'

'Heeft hij u dat verteld?'

'Hij probeerde met Frieda in contact te komen om er met haar over te praten.'

'Dat had je me moeten vertellen, Bridget,' zei Al. Zijn gezicht was vertrokken en bleek.

'Misschien wel, maar ik kon het niet. Het spijt me.' Maar het klonk niet gemeend. Ze keek Karlsson aan. 'Ik wou dat we u konden helpen. Ik hoop dat het goed komt met haar, en dat u haar vindt voor een ander dat doet.'

Karlsson kon de slaap niet vatten en vroeg zich af of Frieda zich ook zo voelde als ze 's nachts over straat dwaalde. Misschien deed ze dat wel op dit moment – hij probeerde zich voor te stellen waar ze zou lopen, wat ze dacht en wat ze van plan was.

Morgen zou Sandy eindelijk worden begraven. Frieda wist dat natuurlijk. Wat zou ze doen als om elf uur 's ochtends zijn naasten samenkwamen en zijn doodskist de kapel binnen werd gedragen? Zijn familie, vrienden en collega's zouden er zijn, de politie zou er zijn. Waar zou Frieda zijn?

28

'Ik woon de uitvaartdienst bij,' zei Hussein. 'Jij blijft buiten. En er zullen nog drie anderen van ons op de uitkijk staan.'

'Ze komt toch niet.' Bryant stak een sigaret op en inhaleerde diep.

'Dat moeten we nog maar zien.'

'Ze weet dat wij haar hier opwachten. Dit is wel de láátste plek waar ze heen zal gaan.'

'Hoe meer ik over Frieda Klein te weten kom, hoe sterker ik ervan overtuigd raak dat de laatste plek weleens de eerste zou kunnen zijn.'

'Dat klinkt bijna Bijbels.'

'Wat zeg je? O, laat maar zitten.'

'Ga je erheen?' vroeg Frieda aan Olivia toen ze in de keuken koffie zaten te drinken.

Olivia zette haar beker neer en boog over de tafel. 'Chloë zegt dat we niet moeten gaan, maar ik vind van wel, ik in ieder geval. Ondanks alles.'

'Ik dacht dat je er helemaal niets voor zou voelen.'

'Afscheid nemen is belangrijk.'

'Chloë,' zei Olivia tegen haar dochter, die op dat moment de keuken binnenliep, 'Frieda vindt dat we wél naar de begrafenis moeten.'

Chloë keek Frieda aan.

'Wil je niet dat ik bij jou blijf?'

'Nee. Maar luister eens, Olivia, er zullen heel veel mensen zijn.'

'Weet ik. Ook mensen van de pers, toch? Wat zal ik aantrekken? Iets zwarts? Of is dat een beetje overdreven?'

'En de politie.'

'Waarom? O, tuurlijk, ik snap al waarom.'

'Maar red jij het wel?' vroeg Chloë aan Frieda. Ze keek bezorgd.

'Ja, hoor.'

Reuben trok zijn zomerpak en een felblauw overhemd aan. Hij had Josef een colbertje geleend dat de Oekraïener iets te krap zat. Josef stak een roos in het knoopsgat van de linkerrevers en stopte een klein flesje wodka en een pakje sigaretten in de zakken. Hij had zijn schoenen gepoetst tot ze blonken en zich met extra zorg geschoren.

'Zij komt niet?' vroeg hij aan Reuben.

'Zo stom is zelfs Frieda niet.'

Olivia en Chloë gingen om halftien van huis. Olivia wilde een goede plaats bemachtigen. Ze droeg haar lange grijze rok, een mouwloos wit blousje en talloze zilveren kettingen en armbanden. Haar haar was opgestoken in een ingewikkelde knot die nu al losraakte, en haar nagels en lippen waren rood. Op het allerlaatste moment dacht ze eraan een handvol tissues in haar tas te stoppen.

'Ik moet altijd huilen bij begrafenissen. Zelfs als ik de overledene niet goed heb gekend, of misschien wel júíst als ik die niet goed heb gekend – want dan denk je na over je eigen leven, toch? God, ik kan nou al janken.' Ze liet zich door Chloë meesleuren.

Frieda waste de ontbijtboel af en ging naar boven om te douchen en zich aan te kleden. Ze had nauwelijks kleren, maar Chloë en Olivia hadden haar een paar broeken gegeven en verschillende blousejes, waarvan ze de eenvoudigste en dunste uitkoos, omdat het warm zou worden. Daarna zette ze haar zonnebril op en verliet het huis. Het was even voor tienen. Ze had alle tijd.

Om tien over halfelf had Hussein haar positie achter in de kapel ingenomen en zat ze te kijken naar de mensen die binnenkwamen. Sommigen herkende ze: Sandy's zus Lizzie Rasson natuurlijk, met haar echtgenoot en een klein kind, en aardig wat mensen van de universiteit die ze in de loop van het onderzoek hadden ondervraagd. Daarna zag ze Reuben McGill, samen met Josef en de jongeman met een wilde oranje haardos van The Warehouse, wiens naam ze zich niet meer herinnerde. Hij droeg een gestreepte broek en een paars overhemd. Een vrouw die bijna vooraan zat draaide zich om en gebaarde wild. Haar herkende Hussein ook: Frieda's schoonzus, of ex-schoonzus, samen met haar dochter.

Langzaam stroomde de kapel vol. Dadelijk zouden er geen zitplaatsen meer zijn en zouden er mensen moeten blijven staan. Een slanke vrouw en een degelijk ogende man gingen aan de andere kant van het gangpad zitten. De vrouw herkende Sasha, maar de man niet.

Frieda liep Primrose Hill op. Het was helder en warm en ze zag de dierentuin liggen en de City, die zich daarachter uitstrekte in het zonlicht. Mensen lagen op het gras, dat al geel verkleurde doordat de zomer vroeg was begonnen. Ze trok haar schoenen uit en deed haar zonnebril af. Het was elf uur. Op dit moment zou Sandy's kist de kapel in worden gedragen. Wat voor muziek zou er worden gespeeld? Wie zouden er spreken? Ze stelde zich de vele rouwenden voor: zij, degene die hem zo goed had gekend, was er niet bij – zij was hierheen gekomen, de plek waar ze samen zo vaak samen waren geweest, ongeacht het seizoen. Dit was haar eigen privéceremonie, maar hoe kon ze afscheid nemen van iemand die ze zo innig had bemind, zo plotseling in de steek had gelaten, en had zien afglijden in woede en verdriet waaraan hij bijna onderdoor was gegaan?

'… Dit is het moment waarop gelovigen en niet-gelovigen afscheid nemen van Sandy Holland…'

Hussein keek naar de ernstige gezichten. De kist stond op een baar, Lizzie Rasson en haar man zaten vooraan. Ze was al zachtjes aan het snikken. Hussein bekeek het uitvaartboekje: dadelijk zou Lizzie spreken, maar zou haar dat wel lukken?

'… en hem gedenken, ieder op zijn eigen manier…'

Frieda haalde herinneringen op aan Sandy zoals hij was geweest toen ze elkaar hadden leren kennen. Ze zag het ene na het andere beeld van hem aan haar geestesoog voorbijtrekken: Sandy die lachte, Sandy liggend in bed, Sandy die voor haar kookte, Sandy zoals hij geweest was op de trouwreceptie van zijn zus, toen zij naar hem toe was gegaan nadat ze lang van elkaar gescheiden waren geweest, en de manier waarop hij toen naar haar had gekeken. Sandy aangeslagen aan haar ziekenhuisbed, Sandy bij haar op de stoep, terug uit Amerika, omdat ze hem eindelijk had verteld wat haar in haar jeugd was overkomen. En tot slot een boze, verwarde, gekwetste, vernederde en razend jaloerse Sandy. En elk beeld toonde hem zoals hij was geweest. Pas na iemands dood kunnen al zijn uiteenlopende kanten samenvallen.

Een opvallend mooie vrouw liep naar voren.

'Mijn naam is Bridget,' zei ze op heldere toon. 'Sandy was mijn vriend en ik hield van hem. Nee. Ik hou van hem. Dat hij dood is wil niet zeggen dat hij verdwenen is uit ons hart. Ik hou van hem, maar het was geen gemakkelijke man, zoals de meesten van u ongetwijfeld weten. Ik wil u vertellen over de keer dat ik hem ontmoette…'

Hussein luisterde met een half oor naar de toespraak en de rimpelingen van gelach. Frieda zou niet komen. Ze voelde een steek van teleurstelling want ook al wist ze dat het irrationeel was, ze had verwacht dat Frieda iets zou hebben weten te verzinnen om het afscheid toch te kunnen bijwonen.

Een paar mensen huilden, de meesten zachtjes, maar voorin klonk een snuivend, verstikt geluid dat volgens Hussein afkomstig moest zijn van Olivia. Niet ver van Hussein zat Sasha, met haar hoofd rustend op de schouder van de man naast haar, die haar teder op de rug klopte.

Ze vroeg zich af waar Karlsson was. Ze had verwacht dat hij er zou zijn.

In haar hoofd nam Frieda afscheid van Sandy. Ze vertelde hem dat ze het heel erg vond wat er allemaal was gebeurd en dat ze hem niet zou vergeten. Ze sloot haar ogen en voelde een zacht briesje op haar gezicht.

'Dag, Frieda,' klonk het achter haar. Even bleef ze roerloos naar de skyline staren. Toen draaide ze zich om. 'Karlsson,' zei ze.

'Ik ben al een tijdje naar je op zoek.'

'Hoe wisten ze dat ik hier zou zijn?'

'Dat wisten ze niet. Maar ik wel.'

'Hoe dan?'

'Ik weet dat Sandy en jij hier heel vaak kwamen.'

'Dus je bent niet alleen politieman maar ook helderziend.'

'Mag ik je gezelschap houden?'

'Heb ik een keus?'

'Natuurlijk. Als je zegt dat ik moet weggaan, doe ik dat. Maar zeg dat alsjeblieft niet.'

'Je bent hier niet in…' Ze lachte wrang, 'in functie?'

'Nee.'

'Je gaat buiten je boekje, Karlsson.'

'Dat heb ik een tijdje geleden al gedaan.'

'Maar als ík dat ooit deed werd je altijd woedend op me.'

'Denk maar niet dat ik dat nu niet zou worden.'

'Oké, je mag blijven.'

Hij ging naast haar op het gras zitten, trok zijn colbertje uit en rolde zijn mouwen op. 'Jaren geleden heb je mij hier mee naartoe genomen. Ik vroeg je toen me iets bijzonders te vertellen over de dingen waar we naar keken en toen wees je naar de dierentuin en zei je dat niet lang daarvoor vossen het pinguïnverblijf waren binnengedrongen en er een stuk of twintig hadden doodgebeten.'

'Volgens mij waren het er een stuk of tien.'

'Oké, tien dan. Je haar valt me trouwens mee. Ik was nogal geschokt toen ik je op de video zag.'

'Welke video?'

'De video waarop is te zien dat je inbreekt bij The Warehouse.'

'O.'

'En die Reuben uiteraard niet aan de politie heeft gegeven.'

'Ik vind het vervelend dat anderen erbij betrokken raken.'

'Het duurt niet lang meer voor ze je aanhouden.'

'Dat weet ik.'

'En als ze dat doen, zal dat niet leuk zijn.'

'Nee.'

'En ondertussen loop je volgens mij gevaar.'

'Zou kunnen. Ik heb het idee dat iemand me telkens een stap voor is.'

'Hoe kun je er zo kalm onder blijven?'

'Ben ik kalm?'

'De vraag is, Frieda: wat gaan we nu doen?'

Ze keek hem aan, hij voelde de helderheid van haar blik. Zachtjes raakte ze met haar vingertoppen zijn arm aan. 'Ik vind het fijn dat je "we" zegt.'

Allebei keken ze zwijgend naar de kantoorkolossen die zich aftekenden tegen de blauwe lucht.

'Ga je jezelf aangeven?' vroeg Karlsson uiteindelijk. 'Dat is beter dan dat ze je oppakken, en we schakelen de beste advocaat in die er is. Ik ben al navraag aan het doen.'

'Nog niet.'

'Sarah Hussein is heel redelijk.'

'Dat geloof ik zo.'

'Waar woon je nu?'

Frieda schudde alleen haar hoofd.

'Zeg me wat ik moet doen, Frieda. Nu ik je gevonden heb, kun je niet weer onderduiken.'

'Nog een paar dagen.'

Karlsson staarde voor zich uit, naar het waas dat boven de stad hing. 'Maar dan moet je me wel iets beloven.'

'Wat dan?'

'Dat je me belt als je me nodig hebt, al is het midden in de nacht.'

'Dat is aardig van je.'

'Maar je belooft het niet, merk ik. Heb je een mobieltje?'

'Dat heb ik weggegooid.'

'Alsjeblieft.' Hij pakte zijn colbertje dat naast hem op het gras lag, haalde uit het borstzakje zijn portefeuille, maakte hem open en zocht naar een visitekaartje. 'Hou dit bij je. Al mijn nummers staan erop. En dit is mijn vaste nummer thuis.' Hij schreef het op de achterkant van het kaartje.

Frieda nam het aan. 'Ik moet weg. Ik heb het gevoel dat ik hier een beetje in de kijker loop en de uitvaart zal ondertussen wel bijna afgelopen zijn.'

Karlsson keek op zijn horloge. 'Ja, zo ongeveer.'

Frieda trok haar schoenen aan en zette haar zonnebril weer op. Ze stond op en glimlachte naar hem. 'Dag,' zei ze met een opgeheven hand als afscheidsgroet. 'Dank je wel, lieve vriend.'

29

Toen Karlsson zijn kantoor in liep zat Yvette Long op hem te wachten. Ze keek bezorgd.

'Glen Bryant heeft gebeld. Hussein wil je spreken.'

'Ik zal haar terugbellen.'

'Hij zei dat het dringend was.'

'Goed.'

'Waar was je?'

'Ik heb een contact gesproken.'

'Moet ik daar meer over weten?'

'Beter van niet.'

'En er is een zekere Walter Levin voor je langs geweest.'

'Wie is dat?'

'Hij deed een beetje vaag. Ik denk dat hij van het Home Office is. Grijs haar, bril. Zei heel vaak "super".'

'Ik zou niet weten waar het over gaat.'

'Hij heeft zijn kaartje achtergelaten.' Yvette wees naar Karlssons bureau.

'Daar heb ik nu geen tijd voor.'

Karlsson belde Hussein. Het was een zeer kort gesprek. Yvette keek naar hem tot hij uitgesproken was. 'Ik ga er meteen heen,' zei hij, maar toen zag hij haar gezichtsuitdrukking. 'Wat is er?'

'Je sluit me buiten,' zei ze.

'Dat is voor je eigen bestwil.'

'Het komt goed met haar,' zei Yvette. 'Hoe het ook uitpakt.'

'Bedoel je Hussein?'

'Je hebt het tegen mij,' zei Yvette. 'Doe niet alsof het een grap is.'

'Ik weet zo net nog niet of het wel goed komt met haar.'

'En met jou?'

'We zien wel.'

Onderweg flitsten allerlei gedachten over wat hij moest zeggen en wat hij moest vragen door Karlssons hoofd. Maar toen hij bij het politiebureau aankwam, werd hij niet naar het kantoor van Hussein gebracht. Zonder enige verklaring klopte de jonge politieagente op de deur van een vergaderzaal. Daarna deed ze de deur open en ging iets opzij om Karlsson binnen te laten. Er waren slechts twee mensen in het zaaltje. Helemaal achterin aan het hoofd van de lange tafel zaten hoofdinspecteur Hussein en commissaris Crawford. Hier ging het dus over. Toen Karlsson de deur achter zich dichtdeed was hij merkwaardig rustig. Hij ging tegenover hen zitten. Er stonden glazen en een kan water op tafel. Hij pakte een glas en schonk het vol. Met een vragende blik keek hij naar de andere kant van de tafel.

'Nee, dank je,' zei Hussein.

De commissaris reageerde niet. Karlsson zag dat Crawford zijn kaakspieren spande, alsof hij zich moest dwingen niets te zeggen.

Karlsson nam een slok en zette het glas voorzichtig neer op een onderzettertje dat was opgesierd met het embleem van de Metropolitan Police. Een kroontje boven op een ster die meer weg had van een sneeuwvlok. Dat laatste had hij nooit eerder opgemerkt.

'Ik kom net terug van de begrafenis,' zei Hussein. 'Maar dat wist je al.'

'Ja.'

Er viel een stilte.

'Ik had gedacht dat je wel een vraag zou hebben,' zei Hussein.

'Zoals?'

'Iets als: was Frieda er?'

'Natuurlijk was ze er niet. Maar ik heb wel een andere vraag.'

'Namelijk?'

'Geloof je het echt?'

'Ik begrijp je niet,' zei Hussein.

'Geloof je na al het onderzoek dat je hebt verricht nog steeds dat dokter Frieda Klein, beëdigd arts, praktiserend psychotherapeute en voormalig adviseur van dit politiekorps, haar ex heeft vermoord, zijn lichaam in de Theems heeft gedumpt – o, en ook nog een bandje met haar eigen naam om zijn pols zou hebben laten zitten? Geloof je dat echt?'

Karlsson keek de commissaris aan. Hij verwachtte dat die zou zuchten of minachtend zou snuiven, maar dat deed hij niet. Zijn wangen waren alleen een beetje roze geworden, dat was alles. Crawford leek zijn besluit allang genomen te hebben. Voor hem deed deze bijeenkomst er helemaal niet toe, maar hij moest hem nu eenmaal uitzitten.

'Nee, dat geloof ik niet,' zei Hussein.

'Natuurlijk geloof je dat wel.'

Hussein schudde haar hoofd. 'Het lijkt wel alsof ik weer op de politieacademie zit.' Ze sloeg met haar vuist op tafel. 'Je verzamelt bewijs en bouwt een zaak op. Als de zaak niet sterk genoeg is, kan Frieda Klein die in de rechtszaak onderuithalen. Maar je slaat niet op de vlucht. Je houdt je aan de regels, je houdt je aan de wet. Ik ben in landen geweest waar de politie afgaat op het instinct, zich laat leiden door persoonlijke overtuigingen en het niet zo nauw neemt met de wet om gelijk te krijgen. Ik zou daar niet willen wonen. Jij wel?'

'Het onderzoek in de zaak tegen Frieda Klein is uitgevoerd door mensen die wrok tegen haar koesteren.'

'Er was geen zaak tegen Frieda Klein. Toen ik de leiding kreeg, had ik nauwelijks van haar gehoord. En als jij – of iemand anders – met relevant bewijs was gekomen, zou ik daar in iedere fase van het onderzoek voor hebben opengestaan. Maar dat heb je niet gedaan.'

'Het is niet alleen dat,' zei Karlsson. 'Van meet af aan is het onderzoek veel te veel gericht geweest op Frieda.'

'Daar ga je weer. "Frieda dit", "Frieda dat". Het lijkt wel alsof je het opneemt voor een vriendin. Maar zo hoor je in een politie-onderzoek niet te werk te gaan.'

'Ze heeft het niet gedaan. Zo simpel is het.'

'Heb je het over de Frieda Klein die je hebt opgezocht in de politiecel nadat ze iemand had aangevallen in een restaurant? De Frieda Klein die een vrouw de keel heeft doorgesneden?'

'Zelfs Hal Bradshaw heeft gezegd dat het noodweer was.'

'Maar Frieda Klein heeft nooit bekend. En zelfs nu ze op de vlucht is voor de politie, is ze weer betrokken geraakt bij een knokpartij.'

'Je bedoelt dat ze heeft ingegrepen om een misdrijf te voorkomen?'

'Nu is het mooi geweest,' zei de commissaris. Karlsson kende Crawford als een opvliegend man, maar nu sprak hij rustig. 'Dit is allemaal niet relevant. Hoofdinspecteur Hussein heeft dit onderzoek volgens het boekje uitgevoerd, het is maar dat je het weet.'

'Kunnen we met die conclusie niet beter wachten tot het onderzoek is afgerond?'

Nu spuwden Crawfords ogen vuur, maar hij hield zich een paar seconden stil. Hij keek op een velletje papier dat voor hem op tafel lag en verschoof het een stukje. Toen hij begon te praten deed hij dat luid en duidelijk, als een notaris die een officiële akte voorleest.

'Er is ons ter ore gekomen dat je mensen hebt ondervraagd die bij de zaak betrokken zijn. Is dat waar?'

'Van wie heb je dat gehoord?'

'Is het waar?'

'Ik heb een stel mensen gesproken van wie ik dacht dat ze misschien informatie voor me hadden.'

'Had je daar toestemming voor van hoofdinspecteur Hussein?'

'Nee.'

'Heb je er een rapport van opgemaakt?'

'Nee.'

Crawford pakte een pen en krabbelde iets op het velletje papier. Karlsson zag dat hij geen aantekeningen maakte maar wat zat te droedelen.

'Nog één vraag,' zei Crawford. 'Heb je contact gehad met Frieda Klein?'

Karlsson haalde diep adem. Dit was het moment waarop hij had zitten wachten. Hierna was er geen weg meer terug.

'Ja.'

Hussein en Crawford waren zichtbaar geschokt. Maar toen Crawford weer sprak, deed hij dat beheerst.

'Heb je haar gezien?'

'Ja.'

'Voor alle duidelijkheid,' zei Crawford. 'Heb je contact gehad met een voortvluchtige terwijl de politie achter haar aan zat?'

'Nee. Ik heb haar vandaag pas gezien.'

'Heb je Hussein daarvan op de hoogte gesteld?'

'Dat doe ik bij dezen.'

'Ik neem aan dat je haar niet hebt aangehouden.'

Karlsson dacht even na. 'Ik was het niet eens met haar beslissing om…' Hij zweeg even, zocht de juiste woorden. 'Het op haar eigen houtje te doen.'

'Op haar eigen houtje?' vroeg de commissaris met een lichte stemverheffing.

'En ik denk dat ze in gevaar is, dat de echte moordenaar van Sandy Holland het ook op haar heeft gemunt.'

'O, denk je dat?'

'Ja, dat denk ik inderdaad.'

'Je wordt natuurlijk op non-actief gesteld. En je kunt disciplinaire maatregelen verwachten. Nu ik gehoord heb hoever je bent gegaan, zal ik laten onderzoeken of je strafrechtelijk kunt worden vervolgd. Ik hoef je niet te vertellen wat voor straf er staat op het belemmeren van de rechtsgang.'

Karlsson stond op.

'Ik kan niet geloven wat je gedaan hebt, Mal,' zei de commissaris. 'Wat je jezelf hebt aangedaan. En je collega's.'

Karlsson haalde zijn politiebadge uit zijn zak en wierp die op tafel. 'Ik had dit al veel eerder moeten doen,' zei hij. Toen draaide hij zich om en verliet de vergaderzaal.

30

Chloë was na de begrafenis direct naar de timmerwerkplaats gegaan, Olivia was naar de condoleancebijeenkomst en zou daar waarschijnlijk als laatste vertrekken, later dan Sandy's beste vrienden, en tot 's avonds blijven. Frieda was achter in de middag alleen in het huis. Ze had een beker thee voor zichzelf gemaakt en nam die mee naar de overwoekerde tuin om hem daar te drinken. Ze wist dat het onachtzaam, zelfs roekeloos was om zich niet schuil te houden. Misschien wilde ze eigenlijk wel opgepakt worden: zichzelf aangeven, het opgeven, de regie aan een ander overlaten. De zon scheen door de takken van de bomen en vormde een patroon op haar gezicht. Ze nam een slok thee en vroeg zich af wat haar te doen stond. Ze had het gevoel dat ze in een impasse zat, zowel in haar zoektocht als in zichzelf. Ze had tegen Karlsson gezegd dat ze nog iets meer tijd nodig had – maar tijd waarvoor? Ze wist het niet.

Uiteindelijk liep ze naar binnen, spoelde de beker om en ging naar haar kamer. Ze keek naar het kleine stapeltje met schamele bezittingen en zag haar huis voor zich: alle kamers verlaten, de kat die in en uit liep via het kattenluik, dat Josef had aangebracht. Op de grond lag de vuilniszak die Sandy haar had toegesmeten. Ze haalde de inhoud er weer uit, vouwde de blauwe blouse, de grijze broek en de trui op en legde die bij haar andere kleren, stapelde de boeken op naast haar bed, bladerde opnieuw door haar schetsboek, bekeek de foto die hij in zijn portefeuille bij zich had gedragen, en verfrommelde hem. Daarna pakte ze het schort dat Sandy haar had gegeven, en net toen ze bedacht dat het iets voor Chloë kon zijn, hoorde ze iets in de grote voorzak rammelen. Ze haalde het eruit en keek naar haar hand. Toen bleef ze een hele tijd roerloos zitten.

Had ze het al die tijd al geweten? Waren haar moeizame zoektocht, haar speurwerk en haar vlucht bedoeld geweest om niet onder ogen te hoeven zien wat ze eigenlijk altijd geweten had? Ze wist het niet. Als iets kouds en zwaars daalde het besef op haar neer. Buiten klonken nog steeds de geluiden van de zomerse dag: auto's, stemmen, gelach, muziek die door open ramen naar buiten dreef, maar binnen was het stil.

Karlsson ging naar huis. Hij liep van de ene kamer naar de andere. In de kamer van de kinderen trok hij de dekbedden recht alsof ze elk moment konden komen. Hij liep de tuin in – de zon stond inmiddels laag aan de heldere hemel – en rookte met gesloten ogen een sigaret terwijl hij luisterde naar de merel die een nest had gebouwd in de wirwar van struiken bij de achtermuur. Hij was geen politieman meer. Wat was hij dan wel? Wie was hij?

Hij trok zijn joggingkleren aan, stopte de huissleutel in zijn zak en begon hard te rennen: hij wilde zichzelf afpeigeren, zijn hoofd leegmaken. Er kwam echter een gedachte bij hem op die hij niet los kon laten of die hem niet losliet. In het park bleef hij staan en dwong hij zich te concentreren op die gedachte. Degene die bij Mira en Ileana langs was geweest, die hen had bedreigd, was een man. Ze hadden hem niet kunnen beschrijven, maar die man moest ook degene zijn die de commissaris en Hussein de tip over hem had gegeven. Wie kon dat zijn? Wie wist genoeg over Frieda en hem om contact op te nemen met de hoogste rangen om hem een hak te zetten en Frieda nog verder te isoleren? Wie haatte hen zo dat hij zo ver ging, wie koesterde zo'n persoonlijke wrok tegen hen? Ineens kwam hem een gezicht voor de geest. Dat hij daar niet eerder op gekomen was. Het moest hem zijn.

Hij rende zo hard terug naar huis dat hij steken in zijn zij voelde. Na een korte koude douche trok hij een spijkerbroek en een oud overhemd aan – kleren die in de verste verte niet leken op de kleding die hij als hoofdinspecteur had gedragen. Hij zette zijn laptop aan, ging naar Google Afbeeldingen en printte een foto van een vriendelijk lachende man. Veertig minuten later klopte hij aan bij de flat van Mira en Ileana.

'Ze zijn niet thuis,' hoorde hij achter zich zeggen. Toen hij zich omkeerde zag hij een oude man in een rolstoel; daar waar ooit zijn benen hadden gezeten waren zijn broekspijpen keurig opgevouwen en vastgespeld, op zijn schoot zat een klein hondje. 'Ze zijn er allebei niet.'

Waarom had hij gedacht dat ze thuis op hem zouden zitten wachten? 'Weet u wanneer ze terugkomen?'

'Nee.'

'Toch bedankt.'

'De blonde werkt soms in de salon in de hoofdstraat. Die is altijd tot een uur of zeven, acht open. Misschien is ze daar.'

'Salon?' vroeg Karlsson schaapachtig.

'De kapperszaak,' zei de man, terwijl hij een knippend gebaar maakte met zijn vingers. 'Maar een paar minuten lopen. Naast de bloemenwinkel.'

'Dank u.'

Karlsson begon op een sukkeldrafje te rennen, zonder te weten waarom het zo dringend voor hem was. Door de ruit zag hij Mira, met een schaar in haar hand stond ze over een vrouw van middelbare leeftijd gebogen. Hij ging naar binnen. Het was een kleine zaak met slechts twee wasbakken en een ouderwetse haardroger die als een bijenkorf in de hoek stond.

'Sorry dat ik u stoor,' zei hij tegen Mira.

'Wat doet u hier?'

'Ik wilde u iets vragen.'

'Over tien minuutjes ben ik klaar.'

'Het is belangrijk.'

Mira gaf de vrouw een verontschuldigend klopje op de schouder en liep naar Karlsson toe. Hij haalde de foto van Hal Bradshaw tevoorschijn en zei: 'Is dit 'm?'

'Wat?'

'De man die navraag deed naar Frieda en jullie heeft bedreigd. Is dit 'm?'

Mira pakte de foto en keek ernaar met een frons. 'Nee.'

'Nee?'

'Nee.'

'Zeker weten?'

'Ja.'

'Kijk nog eens goed.'

'Hij is het niet.'

'Kunt u misschien vertellen waar ik uw vriendin kan vinden zodat zij kan bevestigen dat…'

'Hij is het niet,' herhaalde Mira. Ze keek vriendelijk en vervolgde: 'Het spijt me. Ik wil u helpen. Maar hij is het niet.'

Karlsson knikte en stopte de foto terug in zijn zak. 'Het was maar een idee.' De woorden klonken hol. Ineens merkte hij dat hij doodmoe was. 'Dank u,' zei hij en ging naar buiten. Een paar minuten zwierf hij doelloos rond, daarna bleef hij staan bij een plataan en stak een sigaret op. Waarom was hij zo teleurgesteld terwijl het maar een idee was geweest waaraan hij zich had vastgeklampt? Hij rookte zijn sigaret op en gooide de peuk op de grond. Allerlei gedachten en invallen schoten door zijn hoofd, het was alsof hij erbij stond en ernaar keek. Frieda had hem die ochtend gezegd dat iemand haar altijd een stap voor leek te zijn. En die iemand was dezelfde die Crawford en Hussein had getipt over zijn pogingen om Frieda te helpen. Hij legde zijn hand op zijn voorhoofd alsof hij wilde verhinderen dat zijn gedachten hem zouden ontglippen. Daarna haalde hij zijn telefoon uit zijn zak en googelde een andere naam. Hij haalde een beeld op. Hebbes.

Frieda liep erheen. Ze had haar zonnebril niet opgezet omdat het haar niet kon schelen of ze gezien of herkend werd. Ze was een zoektocht naar de waarheid begonnen en nu ze die had gevonden, kon ze er niet meer onderuit, hoe graag ze dat misschien ook wilde. Ze haalde diep adem en klopte op een deur.

Karlsson liep terug naar de kapperszaak, met zijn hand beschermend om zijn mobiel alsof het beeld elk moment kon ontsnappen. Hij liet het aan Mira zien, die het haar van haar klant aan het föhnen was. In de grote spiegel zag hij haar traag, maar overtuigd knikken.

'Ja,' zei ze. 'Ja. Dat is 'm. Ja. Zeker weten. Ja.'

Sasha deed open.

'Wat fijn je te zien! Kom erin.'

In het halletje opende Frieda haar vuist. 'Ik heb deze gevonden.'

Sasha lachte. 'Ethans houten speelgoedbeestjes. Die laat hij overal slingeren. Wat zal hij blij zijn dat hij er een paar terug heeft. Hij is boven in zijn kamer. Ik was hem een verhaaltje aan het voorlezen. Hij wil niet gaan slapen. Kom je mee om hem welterusten te zeggen? Hij zal het zo leuk vinden je te zien! Hij heeft het de hele tijd over je.'

'Niet nu.'

'Maar je bent toch niet gekomen om een paar speelgoedbeestjes te brengen?'

'Jawel.'

'Wat is er?' Sasha keek Frieda recht aan. 'Je maakt me bang.'

'Ik heb ze gevonden in de zak van een schort dat ik bij Sandy had achtergelaten.' Sasha keek wezenloos. 'Hij had alles wat ik in zijn huis had laten liggen in een vuilniszak gestopt en die naar me toegesmeten toen ik uit The Warehouse kwam,' vervolgde Frieda. 'Dat was de laatste keer dat ik hem heb gezien.'

'Frieda, waar heb je het over?' Sasha lachte flauwtjes, maar haar gezicht was veranderd. Ze zag asgrauw.

'Je had het me moeten vertellen.'

'Wat? Wat had ik je moeten vertellen? Ik begrijp er niks van.'

'Hoe kan het dat Sandy speelgoedbeestjes van Ethan had? Omdat hij bij je langskwam? Of omdat jij naar hem toe ging?'

De tranen stroomden over Sasha's wangen. 'Frieda, kijk niet zo.'

'Jij en Sandy.'

Sasha sloeg haar handen voor haar gezicht en zei met gesmoorde stem: 'Ik wilde het je vertellen. Telkens als ik je zag. En heel vaak heb ik ook echt op het punt gestaan het te doen. Toen ik met je had afgesproken in het café was ik eindelijk vastbesloten, maar je kwam niet opdagen.'

'Ik wou dat je het me had verteld, Sasha.'

'Het was al uit tussen jullie. Anders had ik het nooit laten gebeuren. Nooit. Dat moet je geloven. En we hebben het maar een paar keer gedaan. Omdat het zo slecht met hem ging en hij behoefte had aan troost en ik ook, en achteraf voelden we ons vreselijk. Vreselijk. Het hielp helemaal niet, alles werd er alleen maar erger van.'

'Wanneer was het?'

'Wat doet het ertoe?' snikte Sasha. 'Ik heb je toch niets aangedaan? Hij was eenzaam en overstuur en ik ook. Wees niet boos op me.'

'Ik ben ook niet boos, Sasha. Maar vertel alsjeblieft wanneer het was.'

'Maanden geleden. Toen het fout ging tussen Frank en mij. En achteraf werd Sandy gekweld door schuldgevoelens, omdat hij dacht dat hij iedereen had verraden: jou, mij, Frank, zichzelf, iedereen. Hij zei dat hij alles wat hem het dierbaarst was naar de knoppen hielp.'

'Wie wist ervan?'

'Niemand. Helemaal niemand. Dat zweer ik. Niemand wist het.'

'Iemand moet het toch geweten hebben.'

'Wat bedoel je?'

'Laat maar. En ik ben niet boos.' Frieda legde een hand op Sasha's schouder. 'Het is jouw schuld niet. Jij kon er niets aan doen.'

'Wat is mijn schuld niet? Waar ga je heen?'

Maar Frieda gaf haar slechts een kus op beide wangen en ging weg.

Vijf minuten later werd er weer bij Sasha aangebeld en hard op de voordeur gebonsd.

'Karlsson!' zei ze toen ze opendeed. 'Wat is er?'

'Heb je Frieda gezien?' vroeg hij. Hij legde een hand op haar schouder en hield die stevig vast. 'Vertel me alsjeblieft de waarheid. Ik moet het weten.'

'Ja, ze is net weg.'

'Waar is ze heen?'

'Dat weet ik niet. Ik zweer dat ik het niet weet.'

'Kun je haar bellen?'

'Nee.'

'Waarom was ze hier?'

'Is dat belangrijk?'

'Ja.'

'Oké.' Sasha hief haar hoofd en keek hem recht aan. 'Ze had ontdekt dat ik een verhouding heb gehad met Sandy.'

'Met Sandy? Hoe kon je?'

'Het was al uit tussen hen. Maar ik voel me er vreselijk over.'

'Waar is Frank op dit moment?'

'Frank? Dat weet ik niet. Misschien op zijn kantoor. Soms werkt hij tot middernacht door. Of misschien is hij thuis. Het is niet de dag dat hij Ethan heeft en…'

'Waar woont hij?'

'Rayland Gardens 10. Het is maar een paar minuten hiervandaan.'

Karlsson wilde al weggaan, maar Sasha hield hem tegen.

'Wat is er? Wat gebeurt er allemaal?' Er klonk een snik door in haar stem. 'Wat heb ik gedaan? Hij wist het niet. Niemand wist ervan. Karlsson, wat is er aan de hand?'

'Ik moet gaan, Sasha. Als Frieda weer komt, zeg haar dan dat ze me meteen belt, en jij moet me ook bellen. Al is het drie uur 's nachts.' Hij haalde zijn visitekaartje uit zijn portefeuille en gaf het haar. 'En als je Frank ziet, bel me dan meteen. Begrepen?'

Sasha wilde iets zeggen, maar Karlsson was al weg. Bellend rende hij de straat uit.

'Sarah,' zei hij. 'Met mij, Karlsson.'

'Ik geloof niet dat wij elkaar nog iets te zeggen hebben.' Ze klonk koel. Hij hoorde kinderstemmen op de achtergrond: ze moest thuis zijn bij haar gezin.

'Je moet naar me luisteren. Het is van levensbelang. De man die Sandy heeft vermoord heet Frank Manning.'

'Frank Manning?'

Karlsson dwong zich rustig te blijven en Hussein te vertellen over Franks relatie met Sasha, dat Frank wist dat ze een verhouding had gehad met Sandy en dat hij wrok koesterde jegens Frieda, en Mira en Ileana had bedreigd. Vervolgens gaf hij het werk- en woonadres van Frank door en zei dat hij haar Franks telefoonnummer zou sturen.

'En wat ga jij doen?'

'Ik moet Frieda vinden.'

'Als je dit onderzoek maar niet naar de klote helpt. Niet nog een keer.'

Hij haalde het kaartje dat Frank hem had gegeven uit zijn portefeuille en sms'te diens nummer door naar Hussein. Daarna belde hij het nummer zelf, maar kreeg de voicemail. Hij liet geen bericht achter. Op zijn telefoon zocht hij Rayland Gardens op. Het was maar een paar minuten lopen. En hij had toch niets beters te doen.

In hoog tempo baande Karlsson zich een weg door groepjes cafébezoekers die op de stoep stonden te genieten van de avondzon. Hij dacht aan Frieda, zoals ze die ochtend met haar korte haar op de heuvel had gezeten, hem met haar heldere blik had aangekeken terwijl Londen zich voor hen uitstrekte. Waar was ze nu?

Hij liep Rayland Gardens in en bleef voor nummer 10 staan. Voor zover hij kon zien was er niemand thuis: de gordijnen waren open en hij zag geen lampen branden, maar het was nog licht buiten. Hij liep naar de voordeur en probeerde door de brievenbus te gluren, maar zag alleen een stukje vloerplank. Op dat moment hielden een paar meter verderop twee auto's stil, en toen hij omkeek zag hij Glen Bryant uit de voorste auto komen. Karlsson ging opzij en keek toe terwijl Bryant aanklopte en een stap naar achteren deed. Geen reactie. Bryant klopte nog een keer aan, veel harder en langer deze keer. Weer geen reactie. Karlsson zag dat Bryant zijn mobiel tevoorschijn haalde en wist dat hij Hussein ging bellen. Omdat Karlsson er zeker van was dat Frank niet thuis was, draaide hij zich om en liep de straat uit, zonder te weten waar hij heen ging of wat hij moest doen.

'"Kun je niet slapen, Kleine Beer?"' las Sasha hardop. Het was de vierde keer dat ze het verhaaltje die avond moest lezen: het was Ethans lievelingsboek, hij hield van het verhaaltje, vond de tekeningen prachtig en vaak viel hij onder het voorlezen in slaap, zoals het beertje in het boek, dat naar buiten wordt gedragen om naar de heldere gele maan te kijken. Maar die avond was Ethan klaarwakker. Zijn ogen schitterden en hij had een hoogrode kleur van opwinding.

'Nog een keer,' zei hij toen het verhaaltje uit was.

'Het is al heel laat. Waarom doe je je oogjes niet dicht? Dan aai ik je over je bol.'

'Waar is pappie?'

'Die zie je binnenkort weer.'

'Nu.'

'Niet nu, Ethan. Nu is het slaapjestijd, tijd om je oogjes toe te doen.'

'Nu!' zei Ethan weer. 'Ik wil nu pappie zien.'

'Nee, dat kan niet.'

'Wel. Ik wil het!'

'Goed, ik lees het verhaaltje nog één keer voor, maar daarna doe ik het licht uit.'

'Het raam.'

'Ik zal de gordijnen een beetje openlaten, zodat er wat licht naar binnen komt, oké?' Ethan vond het namelijk niet fijn als het helemaal donker was.

'Komt hij weer?'

'Wie?'

'Pappie.'

'Natuurlijk. Heel snel al. Over twee daagjes.'

'Niet nu?'

'Nee. Ga alsjeblieft slapen. Ik ben heel erg moe.'

'Ik wilde dat hij trusten kwam zeggen.'

'Ethan…'

'Hij stond er heel lang.'

'Wie – Frank?'

Ethan knikte. 'Ik zwaaide, maar hij zag me niet.'

Sasha bleef roerloos op het bed zitten. Toen pakte ze Ethans handje vast en fluisterde: 'Bedoel je dat je pappie vanavond hebt gezien?'

Ethan knikte weer en kroop tegen haar aan. 'Door het raam.'

'Wat deed hij daar?'

'Wachten.'

'Waarom stond hij te wachten, lieverd?'

'Op Frieda,' zei Ethan alsof het de normaalste zaak van de wereld was. 'Frieda liep weg en toen begon hij ook te lopen. Ik heb heel lang gezwaaid maar hij zwaaide niet terug. Was het een spelletje?'

Maar Sasha was de kamer al uit en had niet eens het licht uitgedaan.

Met een ellendig gevoel dat hij niets had om naartoe te gaan en niets had te doen was Karlsson de kant van Hackney op gelopen. Hij had koffie gekocht en dronk die terwijl hij zuidwaarts Kingsland Road uit liep en weer een sigaret opstak. Toen ging zijn telefoon. Het was Hussein. Frank was niet op zijn kantoor en ook niet thuis. Ze hadden het zoekgebied uitgebreid en een huiszoekingsbevel geregeld. Ze zou hem laten weten wat ze in de woning aantroffen.

'En wat kan ik doen?'

'Niets,' zei ze resoluut, maar niet onvriendelijk. 'Jij doet niets.'

Terwijl ze dat zei, verscheen er een bericht op Karlssons schermpje: Sasha belde hem. Zonder afscheid te nemen verbrak hij de verbinding met Hussein en nam op. 'Ja?'

'Frank is hier geweest,' jammerde ze.

'Daarnet?'

'Nee, toen Frieda hier was.'

'Wat?'

'Ethan heeft me het zojuist verteld. Hij heeft Frank voor het huis zien staan. Toen Frieda wegging, is Frank haar gevolgd.'

Karlsson belde Hussein en vertelde haar wat hij net had gehoord. Zijn stem leek van ver te komen. Hij had het gevoel dat niet hijzelf maar een ander sprak, en luisterde naar Husseins reactie.

'Goed,' zei Hussein. 'Waar denk je dat Frieda heen is, nu ze kennelijk niet naar de politie is gegaan?'

'Misschien naar haar eigen huis. Dat is de eerste plek waar ik haar zou zoeken.'

'We sturen er meteen een paar mensen op af.'

'Of misschien naar haar praktijk.'

'Goed. Ja, oké. Nog ergens anders?'

'Ik weet het niet. Je zou kunnen kijken of ze bij Reuben en Josef is. Of misschien bij Olivia. Misschien bij Jack, hoewel me dat niet waarschijnlijk lijkt.'

'Goed.'

'Of misschien is ze naar mensen gegaan die Sandy het best hebben gekend – naar zijn zus of zijn vrienden.'

'Oké,' zei Hussein weifelachtig.

'Verder zou ik het niet weten. Ze loopt veel,' zei hij, ook al had Hussein niets aan die informatie.

'Loopt veel?'

'Als ze met dingen zit, als ze zich zorgen maakt en wil nadenken, maakt ze eindeloze wandelingen. Ook 's nachts.'

'Waar doet ze dat?'

'Overal en nergens.'

'Daar kan ik niets mee.'

31

Karlsson probeerde de situatie nog eens goed te overdenken, maar zijn gedachten leken te verwaaien. Waar zou ze heen gaan? Ze wist het nu, dus als ze verstandig was, belde ze de politie. Ja toch? Maar ze had geen telefoon. Oké, dan neem je een taxi naar de politie. Maar ten eerste scheen Frieda nooit iets verstandigs te doen en had Hussein gezegd dat ze niet naar de politie was gegaan. En was het eigenlijk wel zo verstandig? Had ze daadwerkelijk genoeg bewijs om de politie te kunnen overtuigen? Besefte ze dat ze gevaar liep? Als hij niets deed of bedacht, zou er iets gebeuren, wist hij. Iets wat hij vervolgens zou vernemen via het nieuws.

Hij pakte zijn telefoon en keek er moedeloos naar. Het voelde als het afschuwelijke moment waarop je iets kwijt bent geraakt en nog eens op de plekken kijkt waar je al eerder hebt gezocht. Hij belde Reuben. Die nam onmiddellijk op, alsof hij op het telefoontje had zitten wachten.

'Ik weet het, ik weet het,' zei Reuben. 'De politie heeft me gebeld.'

'Wat heb je gezegd?'

'Niet veel. Ik heb ze een paar namen gegeven. En ik heb natuurlijk gezegd dat het volgens mij het meest voor de hand lag dat ze naar huis was gegaan of naar haar praktijk.'

'Dat heb ik ze ook verteld. Daar hebben ze al mensen heen gestuurd. Ik had gehoopt dat ze naar jou toe zou gaan. Jij bent een oude vriend van haar, haar therapeut.'

'Nee, dat ben ik niet.'

'Ze kent jou langer dan wie ook, ik had gedacht dat ze jou om hulp zou vragen.'

'Dat bedoelde ik niet,' zei Reuben. 'Ik bedoel dat ik haar therapeut niet ben. Niet meer. Dat was lang geleden, tijdens haar opleiding. De laatste jaren was ze bij iemand anders in therapie, bij iemand die ze heel hoog had zitten.'

'Bij wie dan?'

'Ze heet…' Er volgde een lange stilte. Karlsson had Reuben het liefst toegeschreeuwd dat hij verdomme op de naam moest komen. 'Thelma huppeldepup.'

'Denk je dat ze daar nu misschien heen is gegaan?'

'Ik acht de kans niet groot, maar het zou kunnen.'

'Dan moet ik een naam hebben. Een achternaam. En een telefoonnummer.'

'Wacht. Ik denk dat ik weet waar ik haar gegevens kan vinden. Ik bel je zo terug.'

Karlsson was zo gespannen dat hij niet kon stilzitten. Hij wipte van de ene voet op de andere, zijn oren suisden. Hij staarde naar zijn telefoon, alsof hij die zo kon dwingen over te gaan. Hij begon te tellen. Voordat hij bij tien was, zou zijn telefoon overgaan, hield hij zichzelf voor. Het gebeurde bij veertien.

'Thelma Scott,' zei Reuben.

Karlsson noteerde haar nummer en belde het meteen, biddend dat ze geen cliënt had, in het buitenland zat of sliep. Toen er werd opgenomen door een vrouw schrok hij haast.

'Dokter Thelma Scott?'

'Ja.'

'Mijn naam is Malcolm Karlsson. Ik ben rechercheur en een vriend van Frieda Klein. Hebt u haar gezien? Het is zeer dringend.'

Er viel een stilte. Hij probeerde zich voor te stellen hoe hijzelf zou reageren op zo'n telefoontje. Klonk hij te goeder trouw?

'Al een tijdje niet meer,' zei ze. 'Ik weet dat ze problemen heeft gehad.'

'Op dit moment zit ze ook in de problemen. Of problemen…

Ze verkeert in gevaar. Het is heel belangrijk dat ik haar vind.'

'Ik weet niet waar ze is. Ik heb haar al een paar weken niet meer gesproken.'

'Ik moet haar vinden. Echt meteen.' Hij dwong zichzelf te zwijgen en na te denken. 'Als het werkelijk riskant werd, naar wie zou ze dan toe gaan? De politie belt al haar vrienden, maar ik dacht dat ze misschien contact met u zou opnemen.'

'Ik heb niets van haar gehoord. Het spijt me echt.'

'Oké,' zei Karlsson terneergeslagen. Hij kwam geen steek verder. Maar net toen hij afscheid wilde nemen stelde Scott hem een vraag.

'U heet Karlsson, zei u?'

'Ja.'

'En u bent de politieman?'

'Ik ben *een* politieman.'

'Ze heeft het over u gehad. Is het niet bij u opgekomen dat ze misschien naar u is gegaan?'

'Naar mij?'

'Ja.'

'Maar...' Hij was helemaal van slag. 'Ze weet niet waar ik ben.'

'Ze weet niet waar u woont?'

Karlsson staarde naar zijn telefoon. 'O, fuck,' zei hij.

Karlsson keek naar links en naar rechts. Vanuit de City reed de ene taxi na de andere voorbij, maar ze waren allemaal bezet. Hij belde Hussein.

'Ik ben in het huis van Manning,' zei ze.

'En?'

'Het is schoon.'

'Hoe bedoel je schoon?'

'Dat het echt heel erg schoon is. Het ruikt hier naar bleekwater, als een laboratorium. Het huis is van onder tot boven schoongeboend.'

'Hij is advocaat. Hij weet dat hij geen sporen mag achterlaten. Dus je hebt niets gevonden.'

'Dat heb ik niet gezegd. Zelfs advocaten kunnen de kieren tussen de vloerplanken niet schoonmaken. En we hebben haren gevonden in de zwanenhals onder zijn gootsteen. En in de zitkamer zitten vlekken achter de radiator. Er is hier iets voorgevallen. Daar ben ik van overtuigd.'

'Heb je hem te pakken?'

'Zodra we het materiaal terug hebben van het lab.'

'Nee, ik bedoel of je hem hebt opgepakt. Aangehouden.'

'Frieda en hij zijn nergens te bekennen.'

'Ik denk dat ze misschien naar mijn huis is gegaan. Jij bent daar dichter in de buurt dan ik, het is maar een paar minuten verderop.'

Eindelijk lukte het hem een taxi aan te houden. Hij stapte achterin en gaf zijn adres op.

'Stom, stom, stom,' mompelde hij bij zichzelf.

Frieda belde aan. Er werd niet opengedaan. Ze klopte op de deur. Geen reactie. Maar ze wist waar Karlsson zijn reservesleutel had verstopt. Naast de voordeur stond een pot met een plant die er een beetje armetierig uitzag.

'Mensen zullen onder de pot kijken,' had Karlsson gezegd, 'want daar verstoppen ze zelf meestal hun sleutel. Maar als ze daar niets vinden geven ze het op, en hebben ze geen oog voor die losse steen daar naast het paadje, waaronder ik mijn sleutel verberg.'

Het leek Frieda dat er heel wat mensen hun sleutel onder een steen verstopten, maar dat had ze niet gezegd. Gelukkig maar, want toen ze de steen optilde zag ze de sleutel liggen. Ze ging het huis in. Het rook er vies, naar bedorven eten. Ze kon koffie maken, maar misschien was het beter dat ze eerst opruimde. Om te beginnen zou ze het bedorven eten weggooien, wat het ook was. Maar voordat ze daaraan begon zou ze Karlsson bellen. Net toen ze de telefoon zocht werd er zachtjes op de voordeur geklopt.

Even was ze opgelucht. Maar op het moment dat ze opendeed, vroeg ze zich ineens af waarom Karlsson op zijn eigen voordeur zou kloppen. Natuurlijk deed hij dat niet, besefte ze, en toen werd de deur hard tegen haar aan geduwd, stond Frank binnen en werd de deur dichtgesmeten. Ze draaide zich om en rende het huis in. Hij had haar bijna te pakken, ze hoorde zijn ademhaling, voelde de warmte van zijn lichaam, voelde handen op haar schouders en even later werd ze tegen een muur gesmeten en zag ze gele sterretjes, daarna werd ze een andere kant op gesmeten en door een deur geduwd. Ze zag andere kleuren, een mobile met clowntjes aan het plafond, een poster van een voetbal aan de muur. Ergens in haar brein drong het besef door dat ze in een kinderslaapkamer was. In de kamer van Karlssons kinderen. Ze probeerde Frank weg te duwen, maar tevergeefs. Hij torende boven haar uit. Ze voelde een dreun tegen de zijkant van haar hoofd en wankelde achterwaarts tegen een muur.

Vanaf dat moment voltrok alles zich traag, heel traag, alsof ze er door matglas naar keek en haar oren waren verstopt. Met zijn linkerhand om haar hals drukte Frank haar tegen de muur. Ze voelde iets hards in haar rug prikken. Waarschijnlijk de hoek van een schilderijlijst, dacht ze. Ze had het idee dat ze veel tijd had om na te denken, dat ze het gewoon kon laten gebeuren om daarna stilletjes weg te zinken in rust en duisternis. Franks gezicht en zijn felle ogen waren vlak bij die van haar. Ze zag het wit van zijn katoenen overhemd. Hij ademde zwaar. Dat voelde ze, rook ze. De geur deed haar aan iets denken. Maar aan wat? En toen herinnerde ze zich Lev, wat hij had verteld toen hij haar naar de flat in Elephant and Castle had gebracht. Wat had hij ook alweer gezegd? Alles of niets? Was het zoiets? Ze bleef Frank aankijken. Hij mocht niet worden afgeleid. Ze keek hem in de ogen. Wat waren ogen toch merkwaardige dingen.

Ze voelde in haar zak. Ja. En toen wist ze weer wat Lev had gezegd. Je doet iets niet, of helemaal wel.

Toen Frank zijn rechterhand hief zag ze iets glinsteren: het lemmet van een mes. Hij bracht zijn gezicht nog dichter naar het hare en toen hij sprak klonk het als een fluistering.

'Jij houdt je mond. Er valt niets te zeggen. Ik heb Sandy's keel doorgesneden met dit mes. Maar hij was bewusteloos. Jij niet, jij zult bij kennis zijn. Ik wil je zien creperen.'

Terwijl hij sprak herinnerde Frieda zich een anatomiecollege tijdens het eerste jaar van haar studie. Wat was er gezegd? Arteria subclavia. Sleutelbeenslagader. Ze stak een hand in haar zak en haalde hem er daarna weer zeer behoedzaam uit. Eén kans. Eén kans had ze slechts. Ze hief haar hand, het mes klikte open. En toen stak ze. Hoog en diep. Lev had gezegd dat het mes scherp was, heel scherp. Dat moest wel, want Frieda voelde geen weerstand, het was haast alsof er geen lemmet zat aan het heft dat ze tegen het witte katoenen overhemd duwde. Maar binnen een seconde ontstond er een bloedrode rozet.

Frank keek ernaar, verbaasd en enigszins geërgerd, alsof hij had ontdekt dat zijn veter was losgeraakt of dat zijn gulp openstond. Hij deed een stap naar achteren. Frieda verstevigde haar greep en trok het mes terug. Er klonk een borrelend geluid en Frieda voelde iets warms en nats op haar gezicht en jasje. Ze keek naar het plakkerige rood. Had zij ook een messteek opgelopen? Ze keek weer naar Frank.

'Bitch,' zei hij. 'Je hebt…'

Meer kon hij niet uitbrengen. Het mes viel uit zijn hand. Hij scheurde zijn overhemd open. Het bloed spoot uit zijn lichaam, niet onafgebroken maar telkens een straaltje. Met een zekere fascinatie keek hij naar zijn borst. Straaltje – niets – straaltje. Wankelend deed hij een paar passen naar achteren. Alles werd rood. Het vloerkleed, het dekbed, zelfs een schilderij aan de muur. Toen begaven zijn benen het en zakte hij op de grond, half leunend tegen een laag kinderbedje. Zijn ogen werden al glazig, konden niet meer focussen.

Met het mes nog steeds stevig in haar hand deed Frieda een paar stappen naar hem toe, maar ze zag meteen dat hij geen bedreiging meer vormde. Ze moest weer aan haar studie denken. Slagaderlijke bloeding. Wat had de prof gezegd? Slagaders pompen, aders spuiten. Hoelang had hij nog? Een minuut? Twee? Ze herinnerde zich wat ze tijdens haar opleiding had geleerd. Ze dacht aan Sandy, de man die naast haar in bed had gelegen, die naast haar had gelopen, en wiens keel was doorgesneden. Zou ze toekijken hoe Frank stierf, zoals hij van plan was geweest toe te kijken hoe zij stierf? Die gedachte leidde onmiddellijk tot een beslissing. Schrijlings ging ze op Franks bovenbenen zitten. Hij keek haar recht aan, maar Frieda wist niet zeker of hij zich wel bewust was van haar aanwezigheid. Ze rukte aan zijn overhemd, scheurde er een stuk af en drukte dat met heel haar gewicht tegen de wond. Zo hard als ze kon. Ze hoorde zichzelf hijgen. Was de bloeding gestopt? Er was zoveel bloed – op hem, op haar, overal om hen heen – dat het niet was te zeggen.

In Franks ogen verscheen een sprankje leven. Was het woede? Frieda boog zich verder naar hem toe. Het was merkwaardig intiem. Ze rook zijn adem. Die was zoet.

'Als je ook maar iets uithaalt,' zei ze, 'maakt niet uit wat, dan haal ik mijn handen weg en bloed je dood. Begrepen?'

Frank kreunde, maar of dat een reactie was op haar opmerking of gekerm van pijn wist ze niet. Ze slaagde erin haar rechterhand naar zijn hals te brengen. Weer gekreun.

'Ik moet je hartslag controleren,' zei ze.

Die was traag. Zijn bloeddruk daalde. Toen hoorde ze ineens sirenes, een auto die hard remde, de bel en gebons op de deur. Frieda bracht haar gezicht nog dichter bij dat van Frank. Ze zag een flikkering in zijn ogen.

'Ik kan niet opendoen,' zei ze. 'Als ik opsta, ben je doodgebloed tegen de tijd dat ik terug ben. Hopelijk breken ze de deur open.'

Dat bleek niet te lukken. Weer werd er aangebeld en tegen de deur gebeukt, maar toen hoorde ze eindelijk de deur opengaan. Frieda riep iets, er klonken voetstappen. Ze keek achterom en zag een jonge agent binnenkomen. Geschokt deed hij weer een stap naar achteren. Vrijwel meteen stond de kamer vol. Ze zag uniformen en gezichten die ze niet kende.

'Jezus, Frieda, wat is er gebeurd?'

Frieda keek naar Karlssons van afgrijzen vertrokken gezicht. Hussein stond naast hem.

'Ik kan niet opstaan,' zei ze. 'Als ik mijn handen weghaal gaat hij dood.'

Karlsson keek om zich heen. Frieda volgde zijn blik en zag dat er zelfs bloed zat op het mobile boven het bed. Haar hele lijf voelde plakkerig en stijf aan van het bloed.

'Het spijt me,' zei ze. 'Het spijt me echt.'

Verschillende mensen stonden naar Frieda en Frank te staren. Sommigen trokken bleek weg. Ze hoorde iemand overgeven. Daarna kwamen er in groene overalls geklede mannen en vrouwen met zware tassen binnen. Een van hen, een roodharige jongeman, boog zich naar Frieda toe en keek naar haar handen op Franks borst.

'Jezus,' zei hij. Hij keek nogmaals naar haar handen, en naar het bloed. 'Bent u arts?' vroeg hij.

'Ja, zoiets.'

'Hoe is het gebeurd?'

'Ik heb het gedaan,' zei Frieda. 'Met een mes.'

'Oké,' zei de man traag. 'Hou uw handen op dezelfde plek.' Hij keek om zich heen. 'Jen, ga aan de andere kant van mevrouw staan. Gaasverband.'

Een jonge vrouw haalde uit een tas iets tevoorschijn wat oogde als een rol wc-papier. Ze trok aan het uiteinde en scheurde er een stuk af.

'Hoe heet u?' vroeg de man.

'Frieda Klein.'

'Goed, Frieda. Ik tel tot drie en dan haal je je handen weg. Een, twee, drie.'

Frieda trok haar handen weg en op hetzelfde moment werd ze van Frank opgetild en haast met dwang op een brancard gelegd.

'Ben je gewond?' vroeg iemand.

'Nee,' zei Frieda.

'Ze bloedt,' zei een ander.

'Nee,' zei Frieda. 'Dat bloed is niet van mij.'

Maar alles was te vermoeiend, ze ontspande zich, liet zich inpakken en vastsjorren, en even later werd ze naar buiten gedragen: zon in haar ogen, zwaailichten, en toen lag ze in de ziekenauto, werden de achterdeuren dichtgeslagen en klonk er een sirene; vervolgens gingen de deuren weer open, en zag ze heel even blauwe lucht, daarna tl-licht. De brancard veranderde in een trolley. Naast zich zag ze een agent in uniform, de man had moeite hen bij te houden. Er moest nog heel veel afgehandeld worden. De trolley hield stil in een gang. Gefluister, overleg, zoals in elk ziekenhuis de eeuwige zoektocht naar plek, naar een kamer of een bed. Ze hoorde een man schreeuwen en vloeken. Er werd met iets gesmeten. Mannen in uniform stormden door de gang langs haar heen. Het geschreeuw hield aan, maar klonk even later gesmoord. Eindelijk werd haar trolley een chambrette in gereden en werd ze overgeheveld op een bed.

Een arts boog zich over haar heen. Ze was jong, ongeveer zo oud als Frieda's studenten. Traag gaf Frieda haar naam, leeftijd en adres op. Haar hoofd werd weer helder, maar haar lichaam voelde zwaar van vermoeidheid.

'Waar hebt u pijn?' vroeg de arts.

'Ik heb nergens pijn.'

Ontzet keek de arts naar Frieda's lichaam. Frieda volgde haar blik.

'Dat bloed is niet van mij,' zei ze. 'Ik wil gewoon naar huis en me wassen.'

'Ik weet niet...' begon de arts, maar zweeg toen. 'Ik moet even overleggen.'

Er hing een blauw gordijn voor de chambrette. De arts schoof het opzij en verdween. Binnen een paar minuten was ze terug.

'Het schijnt dat er iemand naar uw hoofd moet komen kijken,' zei de arts.

'Er is niets met me aan de hand.'

'Er is een neuroloog onderweg om wat testjes bij u af te nemen.'

Frieda keek op haar horloge. 'Over vijf minuten ga ik weg,' zei ze.

De arts staarde haar ontzet aan. 'Dat kan niet,' zei ze.

'Let maar eens op.'

'Ik moet navragen of het wel mag.' De jonge arts stoof de chambrette weer uit. Frieda ging rechtop zitten. Ze hield haar handen omhoog en keek ernaar. Ze bewoog haar vingers. Alles was in orde. Hoog tijd om te gaan. Het gordijn werd echter weer opzijgeschoven en er kwam een man binnen. Hij droeg een spijkerbroek, witte tennisschoenen en een geruit overhemd met korte mouwen. Hij had donker krullend haar en een stoppelbaardje.

'Deze chambrette is bezet,' zei Frieda.

De man pakte de status die aan het voeteneind van het bed hing en bekeek hem met een frons. 'Ik kom u onderzoeken.' Hij legde de status weg en keek toen pas naar Frieda.

'Shit,' zei hij.

'Dat bloed is niet van mij,' zei Frieda.

'Ja, maar dan nog. Wat is er gebeurd?'

'Ik ben aangevallen.'

'Zo te zien hebt u flink van u afgeslagen.'

'Dat moest wel.'

'En u hebt hem goed geraakt.'

'De arteria subclavia.'

'Is hij dood?'

'Het is me gelukt de bloeding te stelpen.'

'Niet helemaal, afgaande op…' En toen zweeg hij ineens en keek Frieda doordringend aan. 'Ik ken u,' zei hij.

'Klopt,' zei ze.

'Niets zeggen.'

'Oké.'

Traag gleed er een lachje over zijn gezicht. 'Wilt u uw schoenen en kousen uittrekken?'

Frieda trok ze uit.

'Kunt u uw tenen krommen?' vroeg hij. Frieda deed het. 'Mooi zo. Weet u wat voor dag het vandaag is?'

'Vrijdag.'

'Heel goed.'

'Het is begonnen op een vrijdag en geëindigd op een vrijdag.'

'Ik kan u even niet volgen.'

'Laat maar zitten.'

'U bent ooit bij mij thuis geweest en hebt me meegenomen naar een vrouw met een geweldig interessante psychische aandoening.'

'Klopt.'

'Werkte u niet voor de politie?'

'Ja.'

'Hoe is dat toen afgelopen?'

'Daar heb ik gemengde gevoelens over.'

'Bent u erachter gekomen wie het had gedaan?'

'Ja. Maar die keer ben ik ook in het ziekenhuis beland. En toen zat ik niet alleen onder het bloed van een ander.'

De arts haalde een ooglampje uit zijn zak. 'Kijk eens schuin omhoog.' Hij scheen met het lichtje in haar ene oog, daarna in het andere. 'Ik ben Andrew Berryman.'

'Ik herinner me je,' zei Frieda. 'Je speelde piano. Als experiment in het kader van de tienduizend-uren-regel, die stelt dat dagelijkse urenlange oefening het wint van aanleg.'

'Het experiment is niet geslaagd,' zei hij. 'Ik heb er de brui aan gegeven.'

'Neurologische afwijkingen. Dat was je specialisatie, toch?'

'Nog steeds.'

'Ik heb een paar keer overwogen je te bellen. Om je professionele opinie te vragen.'

Hij stopte het ooglampje terug in zijn zak. 'Dat had je moeten doen,' zei hij. 'En er is niets met je aan de hand. Behalve dat je…' Hij wreef over de zijkant van zijn gezicht. 'Na de laatste keer dat we elkaar hebben gezien ben je in het ziekenhuis beland, zei je. En nu weer. Ik hou niet van bloed. Daarom heb ik voor neurologie gekozen.'

'Ik heb dit ook niet gewild.'

'Je bent toch therapeute?'

'Ja.'

'Geloven therapeuten niet dat niets zomaar gebeurt?'

'Nee, dat geloven ze niet.'

'O, dat dacht ik.'

'Ben je klaar?'

'Waarschijnlijk ben je in shock na alles wat je hebt meegemaakt. Daarom moet je blijven ter observatie.'

Frieda stond op. 'Nee, ik vind het welletjes zo.'

'Wou je zomaar weggaan?'

'Ja. Ik woon hier maar een paar minuten lopen vandaan.'

'Maar je kunt zo toch niet over straat?'

'Ik zou niet weten waarom niet.'

Berryman schudde afkeurend zijn hoofd. 'Ik zal een laboran-tenjas voor je halen. En ik loop met je mee naar je huis.'

'Dat is nergens voor nodig.'

'Ik loop met je mee, dan kan ik zien hoe je psychische gesteld-heid is. Als je daar niet mee instemt, laat ik je gedwongen opne-men.'

'Dat kun je helemaal niet.'

'Je zit onder het bloed. Je bent in een ambulance hierheen ge-bracht van een plaats delict. Wedden dat het me lukt?'

'Goed dan,' zei Frieda. 'Ik vind alles prima, zolang ik hier maar weg kan.'

32

Josef had al die tijd de planten water gegeven en voer voor de kat neergezet, maar alles was bedekt met een dun laagje stof en het rook een beetje muf in de kamers, die nooit waren gelucht tijdens de warme zomerweken dat Frieda niet thuis was geweest.

Die ochtend ging ze langzaam maar methodisch aan de slag: ze stofzuigde, haalde overal een lap overheen en trok het onkruid uit de bloempotten op haar binnenplaatsje. Daarna bracht ze alle kleren die ze als Carla had gedragen naar de kringloopwinkel een paar straten verderop, maakte ze het bed opnieuw op en pakte schone handdoeken. In de koelkast stonden nog een potje tapenade en eieren die allang over hun uiterste houdbaarheidsdatum heen waren en die ze in de vuilnisbak gooide. Verder was hij leeg. Ze deed boodschappen en kocht genoeg voor een paar dagen: melk, brood, boter, een paar zakjes sla en wat Siciliaanse tomaten, pittige blauwe kaas, gerookte zalm die ze van plan was die avond te eten, frambozen en een pakje room. Ze maakte zich een voorstelling van de avond: alleen in haar schone, opgeruimde huis, met de kat aan haar voeten.

Daarna ging ze naar haar studeerkamer op zolder en e-mailde haar patiënten om hun mee te delen dat ze de volgende week weer aan het werk zou gaan en dat ze het haar moesten laten weten als ze weer bij haar in therapie wilden. Nog voordat ze de mails allemaal had verstuurd, kreeg ze antwoord van Joe Franklin, die simpelweg schreef: 'Yes!' In haar agenda noteerde ze zijn naam op de dagen dat hij altijd naar haar toe was gekomen.

Om drie uur ging ze de deur uit en nam de metro van Warren Street naar Highbury en Islington. Het laatste stuk ging ze te voet. Ze liep langzamer dan anders, zich ervan bewust dat ze het moment dat ze bij Sasha zou aankloppen voor zich uit schoof.

De deur ging open en daar stond Reuben, die zijn armen verwelkomend naar haar uitstak. Ze omhelsde hem. Hij gaf haar een knuffel, woelde door haar korte haar, en vertelde wat ze al wist – dat ze eindelijk terug was. Toen hoorde ze snelle, lichte voetstappen en zag ze Ethan op zich af rennen. Hij droeg een kort rood broekje en een blauw T-shirt en hield een smeltend ijsje vast dat op zijn hand droop.

'Frieda!' gilde hij. 'Ik ga een kikkerkist maken met Josef en Marty.'

'Een kikkerkist?'

'Daar kunnen kikkers in wonen.' IJs druppelde op de grond. Hij nam een grote lik.

'Wie is Marty?'

'Een werkmaatje van Josef,' zei Reuben. 'Ethan is helemaal weg van hem.'

'O. En waar is Josef?'

'Hier.' Hij kwam de trap af, bleef voor Frieda staan en kon een paar seconden lang geen woord uitbrengen. Hij staarde haar met zijn bruine ogen aan. 'Blij,' zei hij. 'Heel blij dit te zien.'

'Dank je, Josef.' Frieda pakte een grote, vereelte hand van hem vast en drukte die. 'Hoe gaat het met Sasha?'

Josef keek even naar Ethan, wiens gezicht nu helemaal onder het ijs zat, daarna keek hij Frieda weer aan. Hij schudde zijn hoofd. 'In bed,' zei hij.

'Mamma is ziek,' zei Ethan opgewekt. 'Maar alleen een beetje ziek.'

Wie zou hem vertellen over Frank, vroeg Frieda zich af, en hoe en wanneer? Dat zou nog moeilijk worden. 'Ik ga even naar haar toe.'

Ze ging naar boven en bleef voor de deur van Sasha's kamer

staan luisteren. Ze hoorde een zacht, raspend geluid, als gedempt gezaag. Sasha huilde. Reuben had Frieda aan de telefoon verteld dat Sasha onafgebroken had gehuild sinds ze de waarheid had ontdekt. 'Ze lijkt wel een huilmachine,' had hij gezegd. 'Altijd hetzelfde, nooit harder of zachter.'

Frieda ging naar binnen. De gordijnen waren dicht om het felle daglicht te weren. Sasha lag onder haar dekbed, een bobbel waar een snikkend geluid uit kwam dat klonk als een pijnlijke, gesmoorde ademhaling. In en uit, in en uit.

Frieda ging op het bed zitten en legde troostend een hand op de bult die rees en daalde op het ritme van het huilen. 'Sasha,' zei ze. 'Ik ben het. Frieda.' Ze wachtte, maar Sasha reageerde niet. 'Ik ben er, en Josef en Reuben. En Ethan natuurlijk. We zullen allemaal voor hem zorgen. En voor jou ook. Je slaat je hier doorheen. Hoor je me? Het zal natuurlijk nooit meer hetzelfde zijn, en jij zult zelf ook nooit meer dezelfde zijn, maar je slaat je hier doorheen.'

Ze bleef nog een tijdje op het bed zitten, stond toen op en deed het raam open om de warme lucht binnen te laten. 'Ik ga thee zetten,' zei ze. 'Ik kom zo terug. Goed?'

Plotseling hoorde ze iets en bleef ze staan. 'Wat zei je?' vroeg Frieda.

'Het is mijn schuld.' De woorden waren nauwelijks te verstaan, maar toen ze eenmaal waren geuit, veranderde het gesnik in een aanhoudende klaagzang. 'Het is mijn schuld mijn schuld mijn schuld mijn schuld.'

Frieda ging weer op het bed zitten. 'Nee, het is jouw schuld niet. Dat mag je niet zeggen. Frank was een jaloerse man die over alles de regie wilde hebben. Hij kon het niet velen dat hij werd vernederd. Zou hij van iets anders ook door het lint zijn gegaan? Dat zou best eens kunnen.' Ze streelde Sasha's haar. 'We doen allemaal weleens dingen die dwaas of verkeerd zijn. Maar de consequenties daarvan zijn niet altijd te voorspellen. Jij bent met Sandy naar bed geweest toen je je in de steek gelaten voelde. Ik heb niet naar hem willen luisteren. Daar moeten we allebei mee leren leven. Er is iets verschrikkelijks gebeurd, maar dat is jouw schuld niet. En je laat je leven hierdoor niet verwoesten.'

Sasha mompelde nog steeds dat het haar schuld was, maar het geklaag ging over in zacht gejammer. Frieda stond weer op en verliet de kamer. Josef en Reuben waren in de kleine tuin, samen met Ethan, die gelukzalig een spijker in een plank sloeg onder het toeziend oog van Josef. Reuben rookte een sigaret en was aan het bellen.

'Alles oké?' vroeg hij nadat hij het gesprek had beëindigd.

Ze knikte. Ze kon het niet opbrengen iets te zeggen. Alleen al van het idee dat ze zou moeten praten, dingen zou moeten uitleggen, werd ze doodmoe. 'Ik denk dat het beter is dat ik hier een tijdje blijf,' zei ze uiteindelijk toch.

'Nee,' zei Reuben.

'Pardon?'

'Nee. Jij gaat naar je eigen huis. Ik weet dat je daar heel erg naar verlangt.'

'Maar er zal toch iemand hier moeten blijven.'

'Inderdaad. Paz komt over een halfuur, met eten.'

'Dank je,' zei ze.

'Het stelt niks voor,' antwoordde hij.

'Het stelt wel iets voor, Reuben. Heel veel zelfs. Jullie hebben zoveel gedaan.'

'Op een dag zul je erachter komen dat je niet alles in je eentje kunt doen.'

'Ja.'

'En ooit zullen we het erover hebben.'

'Ooit.'

'Maar ga nu in godsnaam naar huis.'

Ze ging naar huis, waar ze heel lang badderde en daarna door elke kamer dwaalde om er zeker van te zijn dat alles op zijn plek stond. Ze at roggebrood met gerookte zalm en dronk één glas witte wijn. Met de kat op haar schoot speelde ze een schaakpartij na, en nam zich voor dat ze morgen in haar studeerkamertje zou tekenen. Ze was sereen maar ook intens triest. Ze dacht na over de afgelopen weken waarin ze haar vertrouwde leventje achter zich had gelaten, op vreemde, naargeestige plekken had gewoond, tussen mensen die aan de zelfkant van de maatschappij leefden, die vogelvrij, op drift geraakt en eenzaam waren. Nu was ze weer terug in haar dierbare huis, waar ze, omringd door haar eigen spullen, weer een schema had gemaakt en de orde had hersteld. Ze zag Karlssons gezicht voor zich, toen hij zich over haar heen boog in de kinderkamer, die besmeurd was met bloed. Waar was hij nu? Toen kwam Sasha in haar gedachten, huilend in haar bed alsof ze nooit meer zou ophouden. En ze dacht aan Frank in het ziekenhuis, bewaakt door politieagenten. Aan Ethan, die niet begreep dat zijn leven op z'n kop was gezet. Aan Sandy, die voortaan slechts bestond uit as en herinneringen, en aan de toekomst die hem was ontnomen.

33

Tanya Hopkins haalde Frieda met een taxi op van haar huis. Nadat de taxi weer was opgetrokken, zei ze minutenlang geen woord. Frieda had geen moeite met lange stiltes. Die was ze gewend. Soms bleef een patiënt gedurende de hele sessie zwijgen. Meestal wordt er vooral gepraat, maar een sessie biedt ook de mogelijkheid om te ontsnappen aan de druk om te spreken, en dat is ook goed.

Hoewel Tanya Hopkins niets zei, voelde het toch niet als stilte. Ze had haar gezicht half afgewend en staarde uit het raampje, maar het was duidelijk dat ze diep nadacht. Frieda zag zelfs haar lippen bewegen, alsof ze in zichzelf prevelde. Uiteindelijk keek ze Frieda aan. 'Ik neem aan dat je weet waar we heen gaan.'

'Naar de politie.'

'Naar de politie,' zei Hopkins als een echo. 'Ze hebben me niet verteld waarover ze ons willen spreken, maar dat kan ik wel raden. Ze gaan ons vertellen of ze van plan zijn tot vervolging over te gaan.' Ze zweeg en wachtte tot Frieda zou reageren, maar Frieda gaf geen blijk ook maar iets te willen zeggen. 'Belemmering van de rechtsgang als tenlastelegging ligt voor de hand.'

Frieda keek haar aan. 'Heb ik die dan belemmerd?'

Hopkins schudde haar hoofd. 'Dat weet ik niet. Maar dat je íéts hebt belemmerd staat vast. Ik weet alleen niet precies wat.' Ze keek Frieda gelaten aan. 'Normaal gesproken zou ik mijn cliënt nu adviseren het praten aan mij over te laten, maar dat heeft bij jou geen zin, denk ik.'

'Het spijt me dat ik je in een netelige positie heb gebracht,' zei Frieda.

'Dat spijt je helemaal niet,' zei Hopkins.

Frieda dacht daar even over na. 'Echt spijten niet, nee. Als er weer zoiets zou gebeuren, zou ik hetzelfde doen.'

'Wat betekent dat je helemaal geen spijt hebt.'

'Maar wat me wel echt spijt is dat jij door mijn toedoen in zo'n lastig parket bent beland.'

'Dat is de meest slappe spijtbetuiging die ik ooit heb gehoord.'

'Het is ook geen spijtbetuiging. Het is een beschrijving van mijn gemoedstoestand.'

'Wat moet ik daar nou weer mee?'

'Je hoeft me niet aan te houden als cliënt, hoor.'

Er gloorde iets van een lachje door op Hopkins' gezicht. 'Ik zou mijn collega's niet met jou willen opzadelen,' zei ze. 'Maar je handelen heeft wel consequenties gehad.'

'Consequenties? Als ik jouw advies had opgevolgd, had ik een misdaad bekend die ik niet heb gepleegd.'

'Het was geen advies. Ik heb het geopperd als een optie. Maar ik had het niet alleen over de consequenties voor jou. Wat dacht je van je vriend, hoofdinspecteur Karlsson?'

'Wat is er met hem?'

'Hij is op non-actief gesteld.'

Frieda had het gevoel dat ze een keiharde stomp in haar maag had gekregen en kreunde zacht. 'O, de godvergeten stommeling,' zei ze.

'Je hebt niet alleen je eigen vrijheid op het spel gezet. Dat moet je toch geweten hebben.'

Zonder iets te zien keek Frieda uit het raampje. Ze werd overmand door woede, walging en schaamte. Plotseling zag ze door die innerlijke nevel dat de taxi Pentonville Road in sloeg. 'Dit is niet de weg naar het politiebureau,' zei ze.

'Ik ben vanochtend gebeld met de boodschap dat we naar een andere locatie moesten komen.'

De taxi hield langs de stoep stil en de chauffeur draaide zich om.

'De weg is afgesloten voor verkeer,' zei hij. 'U zult het laatste stuk moeten lopen.'

Ze stapten uit en liepen lang de kraampjes van Chapel Market. Er hing een geur van gekookt vlees waar Frieda misselijk van werd. Hopkins las het adres op een briefje en keek om zich heen.

'Dit kan het niet zijn,' zei ze.

Ze stonden voor een deur tussen een wedkantoor en een opticien. Hopkins belde aan. Uit een speakertje naast de deur klonk een krakerige stem die iets onverstaanbaars zei. Hopkins boog naar voren en noemde haar naam en die van Frieda. Er volgde gezoem, maar toen Hopkins tegen de deur duwde ging die niet open. Ze belde nog een keer aan. Nu hoorden ze binnen geluiden en werd er opengedaan door een jonge vrouw met piekhaar, gekleed in een blauw T-shirt en donkere jeans.

'Sorry,' zei Hopkins. 'Volgens mij zijn we aan het verkeerde adres.'

'Tanya Hopkins en Frieda Klein?' zei de vrouw opgewekt. 'Kom binnen.'

Ze liepen achter haar aan een donkere, smerige trap op naar een verlaten kantoor. Het was ruim en er stonden alleen een bureau en een allegaartje aan stoelen.

'U moet hier blijven wachten,' zei de vrouw tegen Hopkins. 'Ik neem dokter Klein mee naar de etage hierboven.'

'Dat kan zomaar niet,' zei Hopkins. 'Als er een gesprek is met hoofdinspecteur Hussein dan moet ik daarbij zijn.'

'Hoofdinspecteur Hussein komt niet,' hoorden Hopkins en Frieda achter zich zeggen. Ze keken om. Door een deur achter in het kantoor was een man binnengekomen.

Hopkins deed haar mond open, maar viel toen stil. 'Ik heb u eerder gezien,' zei ze uiteindelijk.

'Maar u weet niet meer waar,' zei de man.

'Op het politiebureau,' zei Frieda. 'Tijdens het verhoor voordat ik…'

'Voordat u de benen nam. Ja, die keer. Mijn naam is Walter Levin.'

'Wat is dit?' vroeg Hopkins argwanend.

'Ik wil vijf minuten met dokter Klein praten.'

'Dat zal niet gaan. We hebben een belangrijke afspraak met de politie.'

'Alstublieft,' zei Levin.

Hopkins keek Frieda aan. 'Het zint me niet. Het zint me helemaal niet.'

'Goed,' zei Frieda. 'Vijf minuten.'

'Deze kant op,' zei hij.

Ze liep achter hem aan twee trappen op. Ze kwamen uit bij een stalen deur.

'Het stelt niet veel voor hier, behalve dit dan.' En terwijl hij dat zei deed hij de deur open en een seconde later stond Frieda op een dakterras.

'Moet u eens kijken,' zei hij.

Hij ging haar voor naar een reling aan de voorkant van het gebouw. Ze keken neer op de markt. Hij wees naar de bouwkranen achter King's Cross en St Pancras.

'Soms vergeet je dat je hier op een heuvel zit,' zei hij.

'Sorry,' zei Frieda, 'maar ik ben niet in de stemming om over het uitzicht te praten. Waar gaat dit over?'

'Wat denkt u?'

'Of ik de gevangenis in ga of niet.'

'Ja, commissaris Crawford zou u heel graag achter de tralies zien verdwijnen.'

'En hoofdinspecteur Hussein?'

'Zij kijkt genuanceerder tegen de zaak aan.'

'Maar waarom moet ik met u praten?'

'Er is een dik dossier over u. Over uw korte carrière als adviseur bij de Met.'

'Dat was niet bepaald een succes.'

Levin glimlachte. 'Dat hangt ervan af hoe je het bekijkt.'

'Nou, aangezien het me bijna mijn leven heeft gekost en de commissaris wil dat ik de gevangenis in ga, is voor mij het glas eerder halfleeg dan halfvol.'

'Wat zou u ervan vinden om voor mij te werken?'

Frieda had naar de marktkraampjes staan staren, maar nu keek ze Levin aan. Zijn houding was ongedwongen, alsof hij nooit echt serieus was. Maar zijn grijze ogen stonden kil, waardoor hij moeilijk was te peilen. 'Wie bent u eigenlijk?'

'Wat heb ik gezegd toen we elkaar de eerste keer zagen?'

'Dat u gedetacheerd was door het Home Office.'

'Dat klopt ongeveer wel.'

'Ik heb geen idee wat dat inhoudt.'

'Het betekent dat ik kan verhinderen dat u wordt vervolgd.'

'In ruil waarvoor?'

'In ruil voor uw beschikbaarheid.'

'Beschikbaarheid waarvoor?'

'Om de dingen te doen die u doet.'

'Kunt u niet wat concreter zijn?'

'Vooralsnog niet.'

In de straat slingerde een fietser met boodschappentassen aan het stuur vervaarlijk tussen de kraampjes door.

'Nee,' zei Frieda. 'Dat doe ik niet meer. Sorry.'

Levin deed zijn bril af om hem met zijn vrij sjofele, gestreepte stropdas schoon te maken. 'Er speelt nog iets anders.'

'Wat dan?'

'Uw vriend Karlsson.'

'Wat heeft die ermee te maken?'

'Hij heeft een politieonderzoek belemmerd. Hem hangt ook een gevangenisstraf boven het hoofd. En zijn zaak is ernstiger dan die van u. Hij werkt bij de politie. Dat wordt een zaak waarin de rechters over de fundamenten van de rechtsstaat zullen beginnen.'

Frieda keek hem scherp aan. 'Als u Karlsson zou kunnen helpen, dan…' Ze dacht even na. Wat dan? 'Dan sta ik bij u in het krijt.'

'Dan staat u bij mij in het krijt,' zei Levin. Hij zette zijn bril weer op. 'Mooi zo. Dat lijkt me wel wat.' Hij keek haar stralend aan maar zijn blik bleef kil. 'Maar u weet natuurlijk dat het gevaarlijk is om bij iemand in het krijt te staan.'

Hij stak zijn hand uit. Frieda hield die even vast maar liet hem weer los.

'Hoe weet ik dat u te vertrouwen bent?' vroeg ze.

'Ik regel dat u niet de gevangenis in gaat. En hoofdinspecteur Karlsson ook niet. Ik regel zelfs dat hij zijn baan bij de Met terugkrijgt. Dan ben ik toch te vertrouwen?'

'Dat kun je ook anders zien.'

34

Karlsson had Frieda eerder in het oog dan zij hem. Dat was onge-
bruikelijk. Normaal gesproken lette Frieda goed op of ze niet
werd gevolgd of de kans liep te worden opgepakt. Maar voor de
tweede keer in een paar dagen had ze zijn aanwezigheid niet in de
gaten. Ze leunde op een reling en keek naar de rivier. Achter hem
denderden vrachtwagens en bussen over de Chelsea Embankment. Het lawaai en de stank van de uitlaatgassen leken gevangen in de zomerhitte en hij voelde de trillingen van de voertuigen
onder zijn voeten.

'Een vreemde plek om af te spreken,' zei hij. Frieda draaide
zich om en knikte naar hem. Hij ging naast haar staan en leunde
ook op de reling. Er voer een rondvaartboot voorbij. Ze hoorden
de blikkerige stem van de gids die uitleg gaf. Via een intercom vertelde hij dat op de Theems veel geschiedenis was geschreven. Hier
was Francis Drake zijn reis om de wereld begonnen, hier was hij
teruggekeerd met een schip vol rijkdommen, waarvoor hij tot de
adelstand was verheven.

'Ik heb een pesthekel aan de Embankment,' zei Frieda.

'Is dat niet een beetje overdreven?'

'In het verleden stonden hier hutten op de oever, waren er
scheepswerven en pieren. Maar die hebben ze gesloopt voor deze
racebaan. Londen heeft zich van de rivier afgekeerd, alsof hij niet
bestaat.'

'Dat is al heel lang zo.'

'Op een dag zullen ze de Embankment weer slopen, helemaal van Chelsea tot aan Blackfriars en dan krijgen we de oever terug.'

'Maar dat verklaart niet waarom je hier wilde afspreken.'

'Ik wilde bij de rivier zijn. Maar niet midden op een markt of in een café aan de rivier.'

'Een café aan de rivier,' zei Karlsson, 'dat klinkt aanlokkelijk.'

'Een andere keer.'

'Heeft het te maken met Sandy?'

'Waarschijnlijk zullen we nooit weten waar hij precies in het water is beland.'

'Heeft Frank iets losgelaten?'

'Voor zover ik weet heeft hij helemaal geen verklaring afgelegd.'

'Is dat belangrijk?'

'Juridisch gezien? Waarschijnlijk niet. Maar het is belangrijk voor Sasha. En voor zijn zus.'

'Voor jou ook?'

'We krijgen er Sandy niet door terug als Frank gaat praten. Het maakt het niet minder vreselijk. De gedachte dat zijn lichaam dagenlang in de rivier heeft gedreven is gruwelijk. Maar het pijnlijkste is nog wel wat hij heeft doorgemaakt toen hij nog leefde.'

'En toch wilde je hierheen komen.'

'Ja, om afscheid te nemen, om opnieuw afscheid van hem te nemen. Merkwaardig, hè?'

'Maar wat doe ík dan hier?'

'Ik wilde afscheid nemen van Sandy en jou mijn excuses aanbieden.'

'Dat is nergens voor nodig.'

Karlsson zag Frieda zowaar bijna lachen, wat ze al heel lang niet meer had gedaan.

'O nee?' zei ze. 'Door mij ben je op non-actief gesteld en was je bijna ontslagen. En het spijt me ook van Bella's en Mikeys kamer.'

'Ik denk niet dat ik ze ga vertellen waarom die geschilderd is. En volgens mij heb ik het aan jou te danken dat ik mijn baan terug heb.'

'Je lijkt er niet erg blij mee.'

Er viel een stilte. 'Toen ik het hoorde,' zei Karlsson uiteindelijk, 'was het alsof ik ontwaakte uit een diepe slaap, al mijn spieren pijn deden en ik me afvroeg of ik de dag die voor me lag wel aankon.'

'Dat klinkt alsof ik je nog meer excuses moet maken.'

'Nee,' zei Karlsson. 'Uiteindelijk moeten we allemaal de dingen onder ogen zien. We kunnen niet altijd slapen. Ik heb trouwens geprobeerd te achterhalen wie jouw meneer Levin is.'

'En wat heb je ontdekt?'

'Niets. Maar dan ook helemaal niets.'

'Wat betekent dat?'

'Dat weet ik niet precies. Heeft iemand je trouwens ooit gewaarschuwd dat het gevaarlijk is om in het krijt te staan bij iemand die je niet kent?'

'Vast wel.'

Zwijgend staarden ze naar de rivier.

'Ik zou graag aan een rivier wonen,' zei Karlsson op een gegeven moment.

'Ik weet niet of ik dat zou willen.'

'Waarom niet?'

'Weet ik niet,' zei Frieda. 'Ik loop graag langs rivieren, volg hun stroming om te kijken waar ze heen gaan. Maar als ik een huis aan een rivier had, zou ik het gevoel hebben dat ik naast een donkere afgrond woonde. Ik zou me altijd afvragen wat er onder de oppervlakte was. En het is nog erger dan een afgrond. Een rivier beweegt, probeert je altijd mee te voeren, je mee naar beneden te sleuren.'

Karlsson schudde lachend zijn hoofd. 'Frieda. Het is maar een rivier.'

Een paar kilometer verderop zaten Josef en Marty in een pub vlak bij het huis in Belsize Park waar ze maanden aan hadden gewerkt, maar nu was het af.

'Het was een mooie klus,' zei Josef bij zijn tweede glas bier. Steels haalde hij zijn flesje wodka uit zijn zak en nam een slok voordat hij het aan Marty doorgaf. 'Groot.'

'Ja,' beaamde Marty. Hij zette het flesje aan zijn mond en hield het scheef. De tatoeage op zijn onderarm bewoog mee met zijn spieren. 'We zijn in elk geval de hele zomer onder de pannen geweest.'

'Zomer is niet voorbij,' zei Josef. 'In Oekraïne is het nu warm, heel warm, en veel regen.'

'Oekraïne. Kom je daarvandaan?'

'Het is mijn thuis. Kiev.'

'Het is ver weg,' zei Marty met een vaag gebaar.

'Veel problemen daar. Vechten en dood. Maar is heel mooi. Veel bossen.'

Een tijdje zaten ze zwijgend te drinken.

'Ik heb daar zonen,' zei Josef uiteindelijk. 'Twee zonen die groot worden zonder mij.'

'Dat is heftig.'

'Heb jij zonen?'

'Eentje. Mat heet hij. Een klein roodharig joch. Maar ik zie hem niet meer.'

'Nee? Is moeilijk.'

'Ja. Maar vrij zijn is ook wat waard.'

'Vind je? Vrij zijn betekent alleen zijn.'

'Dat vind ik niet erg. Ik kan doen wat ik wil, gaan en staan waar ik wil. Gewoon mijn tas pakken en weggaan.'

'Waar ga je nu heen?'

'Weet ik niet. In elk geval weg uit Londen. Ik heb gedaan wat ik hier wilde doen.'

'Binnenkort?'

'Misschien zelfs vanavond al.'

'Je pakt gewoon je spullen en vertrekt?'

'Ja hoor, geen probleem.' Marty knipte met zijn vingers.

Josef knikte. 'Geen heimwee?'

'Hoe kun je nu heimwee hebben als je geen thuis hebt?'

'Dat weet ik niet.' Josef fronste zijn wenkbrauwen: hij wist dat het wel mogelijk was, maar kon het niet verwoorden. Hij dronk zijn bier op en veegde zijn mond af met de rug van zijn hand, daarna keek hij naar de klok aan de muur. 'Ik moet ervandoor,' zei hij. 'Ik heb een afspraak met mijn vriendin Frieda.'

'O, die Frieda. Gaat het nu goed met haar?'

'Ja, alles oké. Maar als een soldaat na een veldslag.'

Traag gleed er een lachje over Marty's gezicht. 'Ik heb het gelezen,' zei hij. 'Het stond in de krant, het is ook op tv geweest.'

Josef aarzelde even en zei toen: 'Heb je zin om mee te gaan?'

'Naar die Frieda van jou? Nee, vriend, ik moet er ook vandoor. Ik heb nog wat dingen te doen voor ik wegga. Maar bedankt voor het aanbod.' Hij stond op en stak Josef een hand toe. 'Nou, dag, Joe,' zei hij. 'Zorg goed voor jezelf.'

Josef stond ook op en de twee schudden elkaar enigszins schutterig de hand.

'Je hebt me gematst,' zei Josef.

'Graag gedaan.'

Marty gaf Josef een klap op zijn rug en verliet de pub. Lichte regen spatte op de stoffige stoepen en de lucht was zwaar, de voorbode van een stortbui. Hij nam de bus, stapte over op een andere en liep daarna zacht fluitend en met zijn gereedschapstas over zijn schouder Seven Sisters Road in. Bij het Taj Mahal Hotel – waarvan de 'j' op het naambord was scheef gezakt, iets waar hij zich altijd aan ergerde – deed hij de matglazen deur open en drukte net zo lang op de bel tot er een oud vrouwtje opdook. Ze had heksenharen op haar kin en veegde haar handen af aan een bevlekt schort.

'Ja?' vroeg ze argwanend.

'Ik ben Marty, van 3B. Ik ga vanavond weg.'

'U gaat weg?'

'Ja. Ik heb tot het einde van de week vooruitbetaald.'

'Geen geld terug.'

'Maakt niet uit.'

Met twee treden tegelijk liep hij de trap op en deed de deur van zijn kamer van het slot. De kamer was klein en schaars gemeubileerd, maar er stonden wel een magnetron, een waterkoker en een kleine koelkast, en Marty had niet veel nodig. Hij goot het restje melk door de wasbak en haalde de stekker van de waterkoker uit het stopcontact. Zijn tassen had hij al gepakt. Hij hoefde er nog maar een paar dingen bij te stoppen.

Hij haalde de krantenknipsels van de muur. Knipsels over de vlucht van Frieda Klein. Bij de meeste stond een foto van haar, steeds dezelfde die ook voor eerdere artikelen was gebruikt. Krantenknipsels over de powervrouw die een groep jongeren te lijf was gegaan met een buggy om een dakloze te hulp te schieten. Onwillekeurig glimlachte hij: hij had direct geweten dat zij het was. Knipsels over de arrestatie van Frank Manning op verdenking van moord. Het artikel met de foto van Malcolm Karlsson. Hij stopte ze allemaal in zijn koffer en ritste hem dicht. De twee sleutels op het nachtkastje, een Chubb en een Yale, stopte hij in de binnenzak van zijn jack. Hij had ooit kans gezien om in Josefs tas te neuzen en had toen diens sleutels van Frieda's huis achterovergedrukt – slechts voor een uurtje of zo, lang genoeg om er duplicaten van te laten maken bij de ijzerhandel.

Hij keek om zich heen om er zeker van te zijn dat hij niets had vergeten, hing zijn gereedschapstas over zijn ene schouder, zijn plunjezak over de andere en pakte zijn koffer.

Toen ging Dean Reeve weg. Fluitend trok hij de deur achter zich dicht.